パンクの系譜学

川上幸之介

もくじ

装幀　宇平剛史

はじめに

パンクは文化研究者のディック・ヘブディジが学問的な分析対象としてから、多くの研究がなされてきた。しかし西洋の白人男性を対象にしたものに比べ、文化的に周縁に位置付けられてきたジェンダー、クィア、人種、アジアに焦点を当てて研究をしたものは圧倒的に少ない。本書の目的は、パンクを通して全ての人々が自己を肯定でき、それぞれの持つ可能性が開かれる社会の実現に貢献することである。それゆえ、周縁のシーンを中心に取り上げていく。

これまで文化は抑圧されたものによっても闘争され、多元化され、開かれてきている。本書ではこの観点からパンクの初動の要因となった抑圧、疎外への抵抗という根源に立ち戻り、芸術運動も含んだ社会運動体としてパンクをとらえ直すことで、これまでのパンクシーンの歴史を再検討する。

パンクスがこれまでどのように文化を用い、社会を変えようとしてきたのか、その実践知にも着目し、具体例を示しながら、それがどのような意味をもたらしたのかも検証する。そして今後の具体的な運動、活動への足掛かりとしたい。

「Punk! The Revolution of Everyday Life」展は、私が企画した展示で２０２１年に倉敷で開催し、以後全国８か所で巡回してきた。本書のテーマとしている、アートもルーツとした、強い批評性を携えたパンクの思想と実践の歴史を紹介するもので、パンクファンそれぞれの美学に則った価値や定義、ミュージックシーンにおける影響ではなく、社会的な影響と権力との関係から探ろうとしたものだ。

パンクは一見すると、派手な服装に騒がしい音楽で、近寄りがたい印象を持たれているかもしれない。しかしその系譜を遡ると、音楽活動だけにとどまらない倫理的な実践が見えてくる。この実践は、いつ、どのように胚胎して、どういった形で現在のパンクシーンの中に開花したのだろうか。具体的には、パンクスたちが歌詞や服装に取り入れている、円で囲んだAのシンボル[1]で知られる「アナキズム」との関わりや、ＤＩＹ精神で制作されている（ファン）ジンにも着目し、日々の生活の中から起こそうとするパンクスによる革命に焦点を当てたものだ。この展示の巡回と並行して本書は書き進められた。

まず、本書の構成について説明しておく。

第1部では、社会背景と教育環境に着目し、この二つの関係の中で、どのようにパンクが生まれたのかについて概説を試みる。次にアートスクールでパンクスが学んだ美学のベースとなっている思想を概観し、パンクに内在する社会的な意識がどのようなものかを明らかにしたい。今でもパンクスが取り上げている問題や、彼、彼女らが拠り所としている実践の「アイディア」について知ってもらうことで、アーティストたちの活動の意味をよりスムーズに理解してもらえるはずだ。

第2部では、第1部で取り上げた思想を視座としながら、音楽史におけるパンク形成の流れを追っていく。始めに西アフリカから連れてこられた黒人奴隷によるブルースに至るまでの道筋を確認する。その後、イデオロギーの胚胎としてのフォーク、ロックの系譜では、イギリスのスキッフルを通して、ＤＩＹ精神の形成とアメリカへの進出、マスメディアとの関連もみていく。そしてアメリカで起きたガレージ、実験的な音響を取り入れたアヴァンギャルドやプロトパンクといわれる初期パンクに至るまでを先行研究を参照しながら、これまでのどのようにパンクが説明されてきたのかも紹介したい。

第3部では、パンクと現代アートの関係についてみていく。共通の系譜としてまず「DADA（ダダ）」から始め、時系列に沿って「レトリスム」「シチュアショニスト・インターナショナル」「キング・モブ」「ブラック・マスク」といったパンクと深く関わりのある急進的な前衛芸術運動とその周辺の関係を明らかにする。そこでは、彼らが芸術表現を通して、人々に何を投げかけていたのかを振り返り、同時にパンクにもたらした影響を紐解くことで、パンクの美学の拠り所を探っていきたい。

第4部では、セックス・ピストルズ以降のパンクシーンをとらえ直す。Oi! から始め、極右の思想をもったパンクシーンやそれに抗する形で現れた、ロック・アゲインスト・レイシズムといったパンクから生起したイデオロギー的な運動を紹介する。そしてイギリスのアナーコ・パンクバンドの始祖であるクラスの実践を確認する。アメリカのイアン・マッケイによる「ストレート・エッジ」とマッケイと繋がりの深かった「ポジティブ・フォース」、ポジティブ・フォースから生まれたパンクシーンの中の女性解放運動ともいえる「ライオット・ガール」、近年の人種問題に取り組む「アフロパンク」や「ハードコア・パンクシーンを支えたラテン系パンクス、性的少数派の権利を擁護する「クィアコア」についても取り上げる。

第5部では、国家や宗教からの圧政に抵抗してきたアジアのパンクシーンと、国内のパンクスによるオルタナティブな空間の生成について橋の下世界音楽祭を参照しつつ、その意味と作用について考えてみたい。

本書では商業的に成功したアーティストや、そのジャンルの代表といわれるアーティスト、またアーティストにありがちな破天荒なエピソード、さらにはミュージックシーンにおける革新性や成功譚にはほとんど触れていない。しかし、ここで取り上げるアーティストたちの実践は、そういったエピソードを超え、従来とは異なる領域に思考を巡らし、パンクのもつ魅力を改めて実感できると私は考えている。読者のみなさんにはこの奥深い魅力が伝われぱさいわいだ。

1　この起源は、１８４８年にプルードンの「無政府主義は秩序であり、政府は内乱である」というスローガンを革命家アンセルム・ベルガリグが、円で囲まれた「A」として表し、落書きとして用いたことに由来する、Kinna, Ruth, Anarchism: A Beginner's Guide, Oneworld Publications, 2005, p.5.

第1部

パンクの思想とその文脈

第1章　アートスクール

私が通っていたロンドンのアートスクール、セントラル・セント・マーチンズの当時の校舎は、現在のキングスクロスに移転する前は、トッテナム・コート・ロード駅と、レスター・スクェア駅を繋ぐチャリング・クロス通りの中間に位置していた。

大学というと校門があって威厳のある建物を想像すると思われるが、校舎は街の中心にあって門もなく、中も外も中途半端に古くて、いたって代わり映えのしない9階建てのビルだった。しかし唯一違っていたのは、校舎に入ってすぐ左手の教室の上に、セックス・ピストルズが初めてライブをしたことを記念する、ブルー・プラークという青い円形の銘板が取り付けられていたことだ。

セックス・ピストルズのメンバーのひとりで、そのほとんどの曲を書いたグレン・マトロックは、セントラル・セント・マーチンズの学生だった。マトロックを巻き込んで、セックス・ピストルズを仕掛けたマルコム・マクラーレンや、そのパートナーであったヴィヴィアン・ウエストウッドもロンドンのアートスクールで学んでいた。クラスのペニー・ランボーも、ギー・

図1　《First Gig Sex Pistols November 6th 1975 'Unplugged'》
セントラル・セント・マーチンズ、旧校舎

ヴァウシェもアートスクールの出身だ。

ポピュラーミュージックの歴史家、デイヴ・レインは80年代初頭に統計的社会調査を行い、パンクスの3分の1近くが、アートスクール出身者であったことを示し、「パンクロックは、究極のアートスクール・ミュージック・ムーブメントであった」[1]と結論づけている。この調査が示すように、パンクは労働者階級の若者の叛乱という側面だけでなく、アートスクールからも影響を受けていた。

多くのミュージシャンを生み出したアートスクールの環境はいかにして成立したのだろうか。

アートスクールとパンク

60年代から70年代にかけて、パンクムーブメントをもたらした当時のアートスクールの環境は、目まぐるしい改革の真っ只中にあった。

それは、「政府が設置した委員会の時代」であり、アートシーンと美術教育の間にできた溝をカリキュラム編成によって埋める必要があったことに起因していた。

当時のアートシーンを振り返ると、１９６０年代のミニマリズムを起点としたコンセプチュアル・アート、アンディ・ウォーホルを代表とするポップアート、そしてネオ・ダダ[2]が席巻していた。アンディ・ウォーホルの作品「ブリロの箱」といった既製品の複製でしかないものが、なぜアート作品として高い評価を得ているのかについては、一般的には理解し難いとされていた。

この難解な現代アートを教えたり、制作したり、理解するためには何を必要としたのだろうか。

アメリカの美学者であるアーサー・ダントーは現代アートを理解するために必要なものは、視覚といった「感覚経験」[3]だけではなく、「哲学」[4]や「アートワールド」も把握することだと指摘した。

つまり色や質感、構図といった美的感覚を探求している作品は、見たまま、感じたままに鑑賞すればいいが、それだけでは現代アートは理解できない。そこで必要とされるのは、そのアート作品が誕生するに至った経緯、コンセプトや歴史的背景、学術的な評価などを包有するアートワールドという概念を通しての理解だというのである。そのため、美術教育でも学生に求められたのが「思想家として、知識人として、そして作品の概念的な基盤を担う者としてのアーティスト」[5]という新しい姿だった。こういったアートシーンに対応して、教育カリキュラムの中にアートスクールで新たに導入されたのが、「すべての学生はスタジオでの制作と並んで、アートとデザインの歴史を履修し」、また思想や哲学といった「補完的な勉強もすること」[6]だった。

これは、学生がアーティストとしてやっていくために自分の感性だけで制作していては見えてこない、美術史上のどこに自分が立っているのかを振り返り、今後の展開を考えるために必要とされたものだ。ダダの遺産である意味の否定や既成概念の破壊、手法としてのコラージュを受け継ぎ、パンクを牽引したマルコム・マクラーレンはその好例といえるだろう。じじつ、当時の学友ロビン・スコットは、マクラーレンが美学の授業を熱心に受講していたことを述懐している。[7]

また、この「変革の時代」までのアートスクールは、アーティストを育てることよりも、どちらかというと職業訓練校としての役割を担っていた。しかし先に述べたように、アートシーンが多様になったことでマーケットも活性化し、アートスクールや政府が、アーティスト育成にも力を入れるようになった。そのため、政府主導でアートスクールの学位を一般的な大学のレベルに引き上げるべく、これまでの「過度に専門分化され知的側面が不足していた」[8]教育方法が見直され、政府に任命された美術教育に関する全国諮問評議会によって、イギリス中のアートスクールに変革と転換が突きつけられたのである。

これらが改革に及んだ主な理由であるが、結果として、改革についていくことができず、申請の許可が下りなかった200に及ぶアートスクールが閉鎖に追い込まれた。

これだけだと、突如としてアートスクールが狭き門へと変容したかのように聞こえたかもしれない。しかし、アカデミックな方面へと舵を切ったアートスクールが、すべての制度を一般的な大学に合わせたわけではない。だからこそ、多くのミュージシャンやアーティストが生まれたのだ。では、何が一般の大学と異なっていたのだろうか。

音楽社会学者のサイモン・フリスとハワード・ホーンは、著書『Art into Pop』で以下のようにその環境を説明している。

当時のイギリスには、将来がほとんど決定されてしまう中等教育の統一模試「イレブン・プラス」[9]という制度があった。もともとは教育の平等を担保するために1944年に制定されたものであるが、戦後の中産階級の人口増と重なったため、この制度によってイギリスは熾烈な受験競争社会と化していた。このような環境のため、難関なグラマー・スクールからドロップアウトしたり、進学を諦めた「不適格者や反逆者」が現れた。これに対しアートスクールは「才能はあっても学問的にある特定の水準以上だと認定されてはいない者でも歓迎し、選考面接で斜に構えた回答をする者を求めるという緩い入学条件で、堅苦しい大学や、より厳格な技術教育カレッジとは一線を画していた」[10]。さらに、先の教育法によって美大生にも補助金が認められていたことで、アートスクールを希望する学生が増加した。これは私の受験した90年代、00年代もあまり変わっていない。同時にアートスクールには「最も貴重な資源である、アイディア、レコード、機材、精神的なサポート、さらには資金さえ提供してくれる他の学生たち」[11]という創造的な環境が整っていた。

こんな絶好の環境を支えていたアートスクール自体も、国の横暴な横槍に対しては、「自発性、芸術的自律性、独立性の必要、恣意的なジェスチャーの力を徹底的に主張して対応してきた」[12]。

つまり、アートスクールは近代合理性にもとづいた序列化による切り捨てや、競争社会に馴染めない若者たちの受け皿として機能していただけでなく、そうした風潮にも抗い、彼らの才能を守るため、非合理的な価値観や環境を擁護しながら、アート、ミュージックシーンを育んでいたのである。

こうしてロンドンのアートスクールは世界的に活躍する多くのアーティストを輩出した。

では、当時のアートスクールの環境は、社会との関係において、どのようなものだったのだろうか。

1965年から75年にかけて長く続いたアメリカとソ連の代理戦争であるベトナム戦争は、第二次世界大戦の悲劇を体験したばかりの人々に、新たに世界大戦へと発展することへの危機感を与えていた。学生も含めて人々は立ち上がり、反戦運動を繰り広げていた。くわえて、破壊された都市の復興や、産業構造の変化により地方から都市へと流入する人々によって、多くの中産階級が創出されていた。これまで階級格差を中心としてきた「解放運動」は「性差」「性的マイノリティ」「人種」へも広がった。

さらにそれに連なるアートを用いた「対抗文化」も現れた。例えばロンドンで労働者階級を中心として開花したスウィンギング・シックスティーズといった若者文化《ユースカルチャー》は、アートスクールで醸成され、イギリスの文化革命の土台の役割を果たしていた。

労働者階級や、落ちこぼれという烙印を押された中産階級は、60年代に入ると戦後の好景気の煽りを受けた消費者としてだけではなく、アートを学ぶことを選択した若者であればアートスクールを通じて、新しい文化の創造者としての役割にも組み込まれたのである。つまり、彼らは、これまで蔑まれてきた労働者階級としての地位を、逆に誇ることができる社会を自らのアートで創出したのだった。

では、この抵抗の文化を牽引した人々や、パンクスに流れ着いた美学、思想というのは、一体どういったものだったのだろうか。

第2章　共産主義（コミュニズム）

19世紀末から20世紀初頭、苛酷な工場労働にあえいでいた労働者たちを団結させ、社会改革運動へと向かわせた原動力となったのが共産主義だ。この元になったアイディアを世に広め、新しい国家体制ができるほど世界の歴史に影響を与えたのが、カール・マルクスである。マルクスは色々なことを説いているが、ここではパンクの系譜と関係のあることだけを取り上げる。

マルクスは資本主義がもたらす弊害やそのカラクリを解き明かした。例えば今の資本主義の社会をみれば明らかなように、発展すればするほど、より合理的に儲けることが優先され、派遣労働者のように人間が「もの」として使い捨てにされたり、世界人口のたった8人の富豪の資産と、貧困層36億人分とが同じといったことが起きたりしている（2021年）。

マルクスは、このような社会の行き着く先には、労働者たちの団結があり、彼らによる革命といった資本主義体制の転覆が起きることを予想した。いや、労働者よ、団結して革命を起こせ！　と鼓舞したのだった。

図2　セディショナリーズのアナーキーシャツに縫い付けられたカール・マルクスの図像

疎外と物象化

例えば、何か欲しいものがあって一生懸命アルバイトをしてそれを手に入れたとしよう。手に入った瞬間は嬉しかったのに、その後、虚しさを感じた経験はないだろうか。また、目標であった企業に入っても、本当にこの仕事が自分のやりたかったことなのかと、自問自答をしたことはないだろうか。

一体この感覚はどこからきているのだろうか。

「仕事で疲れている」や「5月病」ではすまされない何かがある。このことについてアーティストたちも考え、どうにかしたいと足掻いていた。この問題についてマルクスは「疎外」後に「物象化」というアイディアを充てて分析していた。

マルクスは資本主義の社会は、すべての「もの」に値段がつき商品となり、お金を通してそれらを交換し合う世界だと定義した。そんなの当たり前じゃないかと思ったかもしれないが、自分の労働が商品だといわれると、なにか違和感を感じないだろうか。また、私たちが普段使うコンビニの商品ならまだしも、二酸化炭素の排出量といったものにまで値段がついて取引されていることはどうだろうか。

マルクスは「もの」がどのように生産され、商品になったのかを研究することで、その当時の社会の仕組みを理解しようとした。私たちはこの社会でサービスも含めた「もの」を生産するために働いている。そしてよりよい商品を提供することを目標として分業といった合理化されたシステムの中で働く。けれど、この商品＝富を生み出し、生産する力とその範囲が増せば増すほど、人間の心は貧しくなるとマルクスは指摘する。普段、私たちは頑張れば頑張るほど、お金がたくさん手に入るので裕福になり、それが成功で幸せだと聞かされているけれど、その反対になるとは一体どういうことだろうか。

4つの疎外

マルクスは、本来、労働というものは自然との関係の中での物質代謝、つまり自然の織りなすサイクルの中で展開され、人間に喜びを与えるような創造的な活動であると考えていた。しかし、この資本主義社会では自分がやりたいことをしている人はほとんどおらず、働いている時間を不自由だと思い、仕事が終わってやっと解放されたと感じる環境になっていると論じるのだ。つまり資本主義では労働が生きる気力を奪う構造になっているという。この状態をマルクスは「疎外」と呼び、それを4段階に分けて説明した。

私たちが会社で作ったものは、自分のものにはならない。それは会社の利益になる。なぜなら私たちが働いた分と同等の給料をもらってしまえば、売り上げは0となり、会社が立ちいかなくなるからだ。だから、私たちが頑張れば頑張るほど会社の利益は上がるけれど、頑張った分が自分へ返ってくることはほとんどない。これが一つ目の「労働生産物からの疎外」だ。

二つ目に、このような条件での労働においては、私たちは自分自身の成長を感じられず、肉体は消耗し、精神状態は荒廃してしまう。つまり、「労働に対するやりがいからの疎外」が起きる。さらに、三つ目として、こうなってしまった人間は、もはや労働が単なる生きるためだけの手段となってしまい、もともと誰もが持っていたはずの創造的な人間性を実現することができなくなり、自分が自分でないような気持ちである「類的疎外」に陥ってしまうという。

こういった環境の行き着く先では、人間が人間を手段として利用しようとする、お互いに対立し合い、よそよそしい関係となってしまう「人間からの疎外」が生じると指摘した。これは資本主義社会がお金を介して「もの」と「もの」を交換する行為が、人々の社会的関係に影響を与え、人間関係が打算的なものになる「物象化」というアイディアに繋がっていく。このマルクスの分析は、この社会で感じる、やりがいを奪われた憤りや根拠なく頑張れといわれることへのやり場のない虚しさを理解するために、説得力のあるものではないだろうか。

それでは、私たちが「もの」を手に入れたいと思う気持ちや、手に入った後の虚しさはどこからきているのだろうか。

ファンタスマゴリーと物神崇拝

小さい子どもが、それまで全く興味を示さなかった自分のおもちゃに、他の子どもが興味を示したことをきっかけとして、突然、それに固執し始めるのを見た、または自分で経験した覚えはないだろうか。

これは、他人の欲望が自分の欲望を喚起した状態だ。このような欲望が集積された「もの」、つまり多くの人が欲しいと思う「もの」にはどんどん、それを使う価値以上の付加価値（交換価値）が付いていく。さらにその「もの」の供給が少ない商品であれば、さらに価値は上がっていく。例えば限定盤などのレコードであれば、音楽を聴くといった使用目的を超えた「価値」が付加されていく。そして、その価値の付いたものを手にいれることができるのは、やはりお金である。このような状況下では「もの」や「お金」は、実際のものよりも、光に照らされて壁に映った影のように大きくみえ（ファンタスマゴリー）、人々は神様を崇拝するような錯覚した気持ちを生じる。これをマルクスは「物神崇拝（フェティシズム）」と呼んだ。

では、この付加価値の付いた「商品＝もの」と、それを作り出した人間との関係とは、一体どうなっているのだろうか。例えば、友人たちの中で自分だけがスマートフォンを持っていなかったとする。そのスマートフォンは人気があり品薄なので、どうしても手に入れたいと思う。そして、やっと、それが手に入ったとしよう。きっと嬉しい。だけど、今、手元にあるスマートフォンを購入したときと同じ気持ちで眺めている人は、ほとんどいないのではないだろうか。こういった喜びはせいぜい数日程度で消え失せてしまう。ましてや新しいモデルが発売されれば、途端に自分のものが色褪せて見えてくる。

このように売り手は常にモデルを変えることを繰り返し、サービスを含めた「もの」を消費することを広告を通して至るところで私たちに呼び掛けている。テレビのコマーシャルは言うに及ばず、ネット、スマートフォンで何かを検索しているときでさえ、不要な広告が表示されないことはない。これが資本主義の社会だ。そうなってくると、あらゆる決定を自分で下していると思っていることや、競争社会の中で競争に馴染めず、うまくいかないのは、自己責任だといわれていることに疑問が生じてくる。このような資本主義社会のカラクリや仕組みに対して、違和感を感じ取り、アートや音楽を通して異議申し立てのために立ち上がったのが、これから紹介する様々なグループとその活動だ。

例えば後述するパンクの直接的な淵源となったシチュアシオニスト・インターナショナル（SＩ）の中心人物であり、マルクス主義者を自称したギー・ドゥボールは、この現象を「スペクタクル（見世物）」と呼び、痛烈に批判している。

このように、１５０年以上も前のマルクスの理論は、共産主義という国家体制への影響にとどまらず、社会を分析する方法としての土台ともなっていく。それでは次にパンクスと繋がりの深い「アナキズム」についてみていこう。

第3章　アナキズム

　一般的に国内でのアナキズムのイメージは、日本語訳にされた「無政府主義」という言葉の響きから、無秩序で暴力的な観点から捉えられがちである。メディアでもあまりポジティブに取り上げられることはなく、映画では悪役として描かれることも多い。また、デモによって破壊されたビルやショッピングモールと共に、アナキストが犯罪者と一緒くたに報じられることもしばしばだ。マルクスをはじめ多くの思想家にも、ナイーブで楽天的過ぎる御伽話だと、一笑に付されてもきた。

　このように暴力的でユートピアだとされるアナキズムだが、これまで多くのパンクのレコードスリーブ、ファッション、ジン、身体にも彫られ、ライブでも掲げられてきた。

　なぜ、パンクスはアナキズムを称揚してきたのだろうか。ここではパンクの系譜にあたるアナキズムを取り上げ、アナキズムのどのような思想や実践がパンクに取り入れられたのかを見ていこう。

　近代以降、よく参照される思想家、活動家にピエール・ジョゼフ・プルードン、ミハイル・バクーニン、ピョートル・クロポトキンがいる。主張はそ

図2
アナキズムのシンボル

れぞれ異なっているけど、共通していることは権力による支配を否定し、社会に対して批判や問題提起を行い、誰にとっても望ましい未来を創造しようとしたことだ。アナキズムの日本語「無政府主義」を文字通りに受け止めれば「政府が無い」であるが、至る所で犯罪者が跋扈したり、人々が闘争し合うような無法な世界とは全く異なる地平がそこには広がっている。

アナキズムを紐解いていくと、有史以来、人間が共同で生活を営むのに必要な、普遍的な倫理観に突き当たる。その理想によると、自律した個人の自由な意思決定と合意形成のもとで営まれるコミュニティの中で、人々は相互に支え合い、尊重し合い、何か問題が生じれば上下関係や多数決ではなく、誰もが納得するまで合意形成による話し合いを厭わない。圧政や理不尽な状況が生じれば、それに抗して立ち上がり、直接的に行動を起こしていく。その行動様式は権力に直接対峙するだけではなく、その外側で代案を用いて解決を模索することや、上手に回避することにも重点が置かれている。

アナキズムとは、このように民衆の営みから自然と生まれた生活の知恵の上に組み立てられた活動、及び思想なのである。そして、狭義の意味においては、フランス革命期に王が支配する中央集権的な政治体制を打倒するために現れた、上記三人を含む急進的な思想を指すといわれている。

最近では1999年のアメリカのシアトルにおけるWTO総会への抗議活動を契機として広がった「グローバル・ジャスティス」運動や、アメリカ政府による特定の金融機関救済や富裕層への優遇措置へと立ち上がった「オキュパイ・ウォールストリート」といった世界各地でおきているデモ運動に連なっている。驚くべきことに、これらの運動で活動するメンバーのほとんどは、パンクによってアナキズムに目覚め、活動家になったのである。[13] そして、アナキズムは現代の活動家たちが、より公平な社会への変革を求める行動と、そのための戦略を立てる上での参照軸となっているのだ。

ではアナキズムの、どのような理論と実践が現在まで、特にパンクに影響を与え続けているのだろうか。近代以降のアナキズムの基礎を築いたといわれるフランスの思想家プルードンからみていこう。

ピエール・ジョセフ・プルードン

小さな子どものおもちゃの取り合いをみればわかる通り、子どもの喧嘩の大半の原因は「もの」の取り合いで起きている。世界中で起きている紛争を見渡すと、大方はこの「所有」をめぐる争いと「所有」をいかに保持し続けるかの争いによる。プルードンはこの「所有」の概念から出発して、私たちが住んでいる所有社会＝資本主義を現実社会から分析し、来たるべき世界を模索した。

プルードンは著書『所有とはなにか』[14]の中で「所有とは盗みだ」と宣言した。かなり衝撃的なフレーズであるが真意はこうだ。財産とは本来人類の共通の富であり、それが少数の特権階級に独り占めされることには問題がある。なぜなら大人数の協力体制によって生産される「もの」は、個人が個別に生産するよりも生産率が高く、より多くの利益を上げることが可能になる。それにもかかわらず、資本主義の社会では、その利益は労働者に還元されることなく、所有者、つまり経営者や会社の利益となる。また労働者が増加すると生産率は高まるがそれに比した利益が労働者に返ってくるわけではない。だから労働者は相対的に貧困状態となってしまう。さらに大きな企業では資本主義の中で生き残るために小さな企業を吸収、合併したりする必要がでてくる。だから常に闘争状態と化してしまう。また企業は国家や教会といった権威と結びつき労働者に対する権威を保とうとする。このように抑圧の連鎖を生む根源である「所有」は悪であり、廃止すべきだというのである。つまりプルードンにとっての自由とは、この所有がない状態のことを指しているのだ。

このようにプルードンの示している「所有」とは、財産＝他人の労働を搾取したものであった。しかしながら、私たちが働いて生きるために必要な住居や道具に対しては「占有権」として認めている。

先に述べたマルクスはプルードンから影響を受けていたので、同じようなことを言っていると思われたかもしれない。では、マルクスの掲げる共産主義とこのアナキズムとの違いはどこにあるのだろうか。

マルクスは資本家が所有する社会を転覆させ、労働者を主体とした共同体が「所有」する社会を考えていた。それに対し、誰が権力を獲ろうとも権力は必ず民衆への抑圧と搾取を生むと考えていたプルードンは、共産主義では権力関係が国家から労働者へと横にスライドしたに過ぎないと批判した。プルードンは権力と支配が全く存在しない世界を構想しているので、労働者が権力をもつこと自体が受け入れられるものではなかったのだ。そして所有者支配（資本主義）の体制を国家の力で変える事も、新たな抑圧構造を作り出すだけだと退けた。

ではプルードンのいうような、国家がなく誰もが平等で暮らす社会は、どのように実現可能なのだろうか。

プルードンはこの答えとして庶民が国家や政党、宗教、資本主義に抱いている幻想から目を覚まし、ひとりひとりが自分自身を統治する政治的能力をもつことだと論じた。そして具体的には中央に政府を置かず、個々の労働者が対等に発言できる「連帯」の空間を作り出し、上からの支配ではなく下から構成される水平的な自主管理による社会を作ることを説いたのだ。この無政府社会を想像するのはいささか難しい。だけどこの世界を考えるヒントとなる実践をプルードンはこの時代に組織していた。

民衆銀行

プルードンは銀行が貸付による「利子」で儲けていることを「所有」の諸悪とみなし、加入者の意志決定により運営され国家から完全に独立した「民衆銀行」[15]を自分で作り上げた。この銀行は営利目的ではなく加入者の売買した生産物、または売る予定の生産物の価値を表す流通券を発行した。流通券を受け取った人は「民衆銀行」に参加した人の他の商品を手に入れることができる。商品の価値は、利己的な投機や詐欺、独占を防ぐため「公正価格」という一定の変動幅の中で平均化された値段において固定化されていた。そして最低限の手数料で運営された。大変ユニークかつＤＩＹな実践であったが、あっという間にフランス政府の横槍により頓挫することとなってしまった。

この直接行動は政治が及ぼす影響力の外側に立ち、既存の社会に対するオルタナティブな実践として、望ましいと思う社会のありかたを行動により予め具現化してしまう「予示的政治」の始まりでもあった。プルードンのこういった実践と精神は後にパンクバンド「クラス」により実践され、現在のパンクスにも脈々と受け継がれている。

それでは次に、初めてセックス・ピストルズのライブを見たテレビの司会者が、生きていれば喜んだだろうと名前を挙げたロシアのアナキスト、バクーニンをみていこう。

ミハイル・バクーニン

「破壊への情熱は、同時に創造への情熱なのだ！」[16]の宣言で知られるバクーニンは、その型破りな性格と実践で、行動的アナキストとして彼に続くバクーニン主義者と共に歴史に刻まれている。三度の死刑宣告をギリギリでかわし、計8年にも及ぶ投獄にもめげず、破壊と衝動による自由の獲得、無政府社会の実現へとヨーロッパ中を駆け回った。

バクーニンは当時の社会における「民衆の大多数が、すべての財産を奪われ、教育を受けられず、政治的、社会的無能力を宣告され、休息も余暇もなしに働かずを得ない窮乏と貧苦とによって、法律上ではないにせよ、事実上奴隷の身分」[17]にあることを訴えた。そして、「社会主義のない自由は特権であり、不正義であること、自由のない社会主義は隷属であり獣性である」[18]とし、革命家の秘密結社により権力を破壊し「下から上へ、円周から中心へ」[19]と組織されていく労働者と農民の自由連合組織による自主管理社会を思い描いていた。

バクーニンは、歴史的な国家の構造を振り返り、それまでの国家は、司祭階級、貴族階級、ブルジョア階級といった「特権階級の財産」であったとし、さらに、その後に現れるのは「官僚階級の財産」となる国家だと予見し、国家を完全に否定した。

バクーニンもまたプルードンと同じくマルクスの標榜する革命後のプロレタリア独裁（労働者階級による革命、独裁）では、権力構造自体に変化がなく、労働者による民主的な運営であったとしても、国家が存続することを否定している。さらにバクーニンは、マルクスの描く国家像は、いくら平等を担保するものであっても、その平等を構想する知識人階級と、それを担うことができない無知な階級といった二つの階級にわかれ、階級格差の再生産を免れないことを指摘した。

　バクーニンは1864年にヨーロッパの社会主義者により創設された世界初の国際政治結社である国際労働者協会（第一インターナショナル）の中で、マルクス自身が権威化していることを『国際労働者協会とカール・マルクスについて』で批判した。そのため、国際労働者協会を追放されることになるのだが、その中でバクーニンは、マルクスが対象とするプロレタリアート（賃金労働者）は上層に位置する文化的な労働貴族を対象としているとし、それではマルクスという頂点の下に、新たな支配階級が生まれることを指摘した。そして、そのようなプロレタリアートは、社会主義的ではなく、利己を追求する個人主義的であるとも批判した。

　ではバクーニンはどのような階級であれば、国家の存続なくして革命を成し遂げられると考えたのだろうか。

　バクーニンが着目したのは、マルクスの指すプロレタリアートではなく、マルクスとエンゲルスが軽蔑し、「負け犬」「社会の残滓」「有象無象」と切り捨てた政治的な意識の希薄な無生産者であるルンペンプロレタリアート[20]であった。

　バクーニンは人間というものを、巧妙に仕組まれた理論やプロパガンダであっても、自分たちの歴史や習慣や伝統の産物ではない異質なものは本質的に、受け入れないと見立てている。その根拠として、人々の願望や思想の源が、人為的に作り出されたことはこれまでになく、常に自然の発展と「現実の生活状況の産物」から生まれたものだからだというのである。このような人間観をもつバクーニンにとって、マルクスのいう政治意識に目覚めたプロレタリアートによる独裁という理念は、論理が先立った不自然なものであり、権威的で、押し付けがましいととらえられたのだ。むしろプロレタリアートよりも下層に位置し、差し迫った生活苦に日々直面しているルンペンプロレタリアートこそが「集団生活のすべての必要性と悲惨さの中に、未来の社会主義のすべての種を持っており、社会革命を開始し、勝利に導くのにそれだけで十分に強力」[21]な存在だと訴えたのである。

ルンペンプロレタリアートひとりひとりに「彼らが何であるか。何を感じているか。彼らが本能的に望んでいることを意識させること」[22]、すなわち彼らの生活という日常から来る必然性に立脚することによってのみ革命は生まれる、というのがバクーニンの主張であった。この論争は、後述するマルキストの系譜であるSIと、アナキストの系譜であるキング・モブやその周辺の間に起きた闘争になぞらえることができる。

バクーニンによる蜂起や破壊による直接行動は、アナキストに対する現在の暴力的なイメージがついたきっかけとされている。しかしその背景には国家による「パリ革命自治会《コミューン》」[23]や「ヘイマーケット事件」[24]に対する体制側のプロパガンダがあり、アナキスト＝テロリストという烙印は、歴史的に権力側が作り出した糾弾のためのレトリックであったことに起因する。

例えば昨今の「蜂起」では、住民の4人に1人が参加したとされる香港民主化デモや、アメリカでの警察によるアフリカ系アメリカ人に対する殺人をきっかけに起こった人種差別抗議運動「ブラック・ライヴズ・マター」が記憶に新しい。日本は比較的情勢が安定していることと実際は多民族国家でありながらマイノリティが見えにくい社会なので、既成の権力構造に対して人々が声を上げづらく、「蜂起」を想像するのが難しい。けれど、香港住民は日常において常に言論の自由を奪われ監視されていることに自覚的だ。またアフリカ系アメリカ人たちは肌の色で差別され、出生というスタート地点からハンデのついた環境に置かれている。さらに、このような事態を国や法律が守ってくれず、自分が反政府的であるとか、非白人であるといった理由で簡単に命を奪われてしまう中で生きているのだ。私たちが彼らの立場だったら黙っていられるだろうか。彼らが自分や愛する人、そして未来を守るために蜂起して社会変革へと立ち上がる気持ちは想像に難くない。

それではアナキズムを体系立て、日本のアナキストに最も影響を与えたといわれるクロポトキンを最後に紹介しよう。

ピョートル・クロポトキン

クロポトキンはバクーニンと同じくロシアの出身で、シベリアの自然の神秘に惹かれ地理学者としてキャリアをスタートした。その際のフィールドワークで目にした民衆の貧困がきっかけとなり、アナキスト活動へと身を投じることになる。クロポトキンは人間の「欲望」に着目し、自律した個々が「能力に応じて働き、必要に応じて取る」という権威のない無政府共産主義社会を構想した。「無政府」と「共産主義」は相入れないとプルードンは指摘していたが、クロポトキンはこの二つからどのような社会を思い描いていたのだろうか。

クロポトキンによれば、資本主義は能率優先であり、生存にとって不必要であっても、売れるものを作るといった利潤追求のシステムのため、必要不可欠な「もの」の生産が疎かにされるという。そのため、本当に必要なものを生産し、まずは人間の欲望を満たす必要があると指摘した。そして、マルクスの共産主義との違いについては、誰も権力を持たず、「すべての人の持続する幸福《ウェルビーイング》の必要に対して最大限のものを、人間のエネルギーの無駄を最小限に抑えて生産すること」[25]を強調した。そうすれば人々の欲望は自ずと物質的な欲求に向かわず、芸術表現や科学の探求といった創造的な活動へと向けられるようになるというのだ。

経済面に関しては賃金制度を廃止し、「所有」ではなく「占有」、つまり誤解を恐れずにいえば、現在のシェアリング・エコノミーが完全に行き渡ったような社会を描いていた。それは自給自足を基礎に置いた、生産者が生産に必要なものを共有するといった家内制手工業に近い世界観でもあった。さらにクロポトキンは自然の営みを観察することで、ダーウィンが『進化論』の中で進化に果たす役割が大きいと論じた「生存闘争」「自然淘汰」に対して、新たな「相互扶助」の概念を追加した。それは生物のもつお互いを支え合う「社会性」が生存競争には不可欠であるという法則を自然界の中に新たに認めたものだった。これはパンクスやアナキストたちの基本原理として現在に至る活動にも通底している。他にもクロポトキンの思想を探ると、現在まで受け継がれている住居の不法占拠、スクワットがある。

クロポトキンは都市における住宅の所有権を否定する。なぜなら、住宅の建設を含めて都市のすべてのインフラの整備は、一部の金持ちや王族ではなく、労働者により作られたのであり、そこには労働力の搾取があったからだという。だから路頭に迷っている人、ホームレスは空いている家があれば、そこに住む権利があるというのだ。このクロポトキンの指摘する社会構造の矛盾と、その歪みに耳を傾ければ、不法占拠という言葉に対する物騒さは揺らぎ始めてしまう。

このようにアナキズムを辿っていくと、一般に考えられているような、無秩序が支配するカオスな思想といった先入観とは異なる側面がみえてくる。それは誰もが生を充実できる社会を実現するために古来から脈々と受け継がれてきた国家によらずに、身近な仲間と支え合いながら自治的に社会を進めるあり方へと見直そうという考え方ともいえる。そして、彼ら古典的アナキストの間でも意見が一致しているのは、アナキズムとは「未来に対する考え方」であるよりも「生き方」だとしたところにある。[26] これは、多くのパンクスがこれまで口にしてきたパンクとは何かという問いに対する答えと重なっている。

こうしてアナキズムはパンクと共鳴し合い、彼らのオルタナティブな実践へと影響を与え、その自己実現の要となっているのだ。

それでは次に、音楽におけるパンクの系譜を辿りつつ、現代社会におけるその意味を考えていこう。

1 Laing, Dave., *One Chord Wonders: Power and Meaning in Punk Rock*, PM Press, 1985, p.168.

2 「ラウシェンバーグや、ジャスパー・ジョーンズの初期の作業、アラン・カプローのインスタレーションやハプニング、「フルクサス」をまとめて名付けた」。トニー・ゴドフリー『コンセプチュアル・アート』木幡和枝訳、岩波書店、２００１、p.68。

3 アーサー・C・ダントー『芸術の終焉のあと：現代芸術と歴史の境界』山田忠彰・河合大介・原友昭・粂和沙訳、三元社、２０１７、p.42。

4 同書、p.42。ダントーはポップアートの代表的なアーティストである、アンディ・ウォーホルの作品「ブリロ・ボックス」を例に挙げながら説明している。

5 Llewellyn, Nigel(ed.), *The London Art Schools: Reforming the Art World,1960 to Now*, Tate Publishing, 2015, p.134.

6 Ibid., p.13.

7 Gorman, Paul, *The Life & Times of Malcolm McLaren: The Biography*, Constable, 2020, p.87.

8 Llewellyn, Nigel(ed.), *op.cit.*, p.13.

9 イレブン・プラスは、１９４４年の教育法（作成者のラブ・バトラーにちなんでバトラー教育法とも呼ばれる）により、制定された中等教育の三分岐型教育制度の試験である。この結果により、学生は、①全体の20％程度しか進学ができない進学校であるグラマースクール②学問よりも実用的な教育に重点を置く学校であるセカンダリー・モダン・スクール③技術学校であり、ほとんど設立されることもなく終わったセカンダリー・テクニカル・スクールに振り分けられた。名称は、11歳で中等教育に入学する年齢層に由来している。

10 Frith, Simon and Horne, Howard., *Art Into Pop*, Routledge,1987, p.28.

11 Ibid., p.83.

12 Ibid., p.30.

13 Graeber, David., *Direct Action: An Ethnography*, AK Press, 2009, p.258.

14 ピエール・ジョセフ・プルードン『プルードンⅢ』江口幹・長谷川進訳、三一書房、１９７１、pp.5-30。

15 高橋聡「P.-J.プルードンの互酬経済の原理」『関西大学経済論集第71巻』関西大学経済学会、２０２２。

津島陽子「マルクスとプルードン」『阪南大学叢書11』青木書店、１９７９。

大沢正道『アナキズム思想史　自由と反抗の歩み』現代思潮社、１９７４、参照。

16 ミハイル・バクーニン『バクーニン著作集Ⅰ』外川継男・佐近毅訳、白水社、１９７３、p.43。

17 同書、p.46。

18 同書、p.46。

19 同書、p.153。

20 マルクスはルンペンプロレタリアートを「浮浪者、除隊した兵隊、出獄した懲役囚、脱走したガレー船奴隷、詐欺師、ペテン師、ラッツァローニ、すり、手品師、賭博師、ポン引き、売春宿経営者、荷物搬入人、日雇い労務者、手回しオルガン引き、くず屋、刃物研ぎ師、鋳掛け屋、乞食、要するに、はっきりしない、混乱した、放り出された大衆、つまりフランス人がボエーム（ボヘミアン）と呼ぶ大衆」と説明している。カール・マルクス『ルイ・ボナパルトのブリュメール18日』植村邦彦訳、平凡社ライブラリー、２００８、p.104。

21 Bakunin, Michail., *On the International Workingmen's Association and Karl Marx*, 1872, p.7.

22 Ibid., p.15.

23 パリ・コミューンは、１８７１年にフランスの首都パリで起こった革命政府のことである。フランス帝国とプロイセン王国（旧ドイツ）間で起きた普仏戦争でフランスがプロイセンに敗れた後に、フランス国民衛兵がパリを掌握することになったが、それに反対したパリ市民が蜂起し、独立政府であるコミューンを樹立した。コミューンは２ヵ月間パリを統治し、政教分離、常備軍の廃止、自警、家賃免除、児童労働の廃止、経営者が捨てた企業の買収権など、進歩的で反宗教的な社会民主主義の傾向をもつ政策を確立した。コミューンでは、フェミニスト、社会主義、共産主義、アナキストの各潮流が重要な役割を担った。しかし、フランス国軍は、１８７１年5月21日「血の週間」にコミューンを制圧した。国軍は1万から1万５０００人の共産党員を殺害・処刑したが、推定では犠牲者は2万人にも及ぶとされる。

24 １８８６年5月にアメリカ合衆国シカゴで、８時間労働制を求める労働者のストライキとデモが発生し、警察側7名、労働者側４名の死者を出した。この事件により、アルバート・パーソンズら9人のアナキストが冤罪により起訴され死刑、無期懲役に処された。事件の引き金となったストライキ・デモの発生日である5月1日はメーデーとなった。

25 Kropotkin, Pert., *The Conquest of Bread*, The Anarchist Library, 1907, p.58.

26 Ｉ・Ｌ・ホロヴィッツ『アナキスト群像』今村五月・江川允道・大沢正道訳、社会評論社、１９７１、p.10.

第2部

パンクの音楽における系譜

第4章　アフリカ系アメリカ人の歴史

パンクの音楽的なルーツを遡ると、アメリカにおけるアフリカ系アメリカ人[1]の歴史は避けて通れない。

民主主義と自由の象徴であるアメリカ合衆国。その歴史はヨーロッパ諸国によるアメリカ大陸への侵攻と略奪によって作られ、発展してきた。

この過程の中で、彼らは人類史上最も残酷だと言われる奴隷制を容認してしまった。

その理由は大きくわけて二つあると考えられている。一つは、飽くなき欲望の充足を追求してしまったこと。もう一つは、キリスト教に対する身勝手な解釈だ。

「飽くなき欲望」というのは、マルクスやアナキストたちが近代社会の様々な問題の原因の一つとして指摘した、利潤追求を駆動力として合理化と効率性を優先するシステムのこと、つまり、資本主義のことだ。ヨーロッパ諸国は自国を富ますために、アメリカで元々暮らしていた先住民から半ば強引に土地を奪い取った。そして南部には、プランテーションという広大な農園を作り、労働力として「重労働に耐える上で優秀かつ低廉という経済的な理由[2]」により、西アフリカの住民を強制的に連れてきた。北部では南部で奴隷が生産した農産物を加工する工業が発展し、西部は南北への食糧生産を担った。

アメリカは、この3者の分業という産業構造の中で、移民労働者によるインフラの開発を進めつつ経済を拡大させてきた。そして、この政策をキリスト教の聖書にある、「伝道」「聖戦」「魂の救済」へと読み替え、自らを正当化した。

これは中央集権的かつ、経済的階級制度により作られ、武力により他国を政治的、経済的支配下に置くという帝国主義や植民地主義の胚胎と見ることもできる。

では、西アフリカから連れて来られた奴隷たちは、この環境の中、どのように音楽を生み出していったのだろうか。本書の主題である「パンク」と、それに内在する「抵抗」のルーツとして、ブルースやロックンロールの発祥地である、南部に焦点を当てつつ、その生成の歴史をみていこう。

ワークソング

「田植歌」は、気晴らしだけでなく、仕事の効率を上げ、知識を共有し、作業中の連帯意識を醸成するものとして昔から歌われてきた。この労働歌（ワークソング）は、世界的に共通する民衆の間で培われてきた明智の一つだ。

同じように、西アフリカに住んでいた人々もまた、自然にワークソングを紡いでいた。しかし、アメリカに連れてこられた彼らの環境は、単調で苛酷な作業の繰り返しであったため、たった一つの労働に関する、英語と西アフリカ語が混成した歌へと変化した。彼らの境遇は、家畜と同じように奴隷主の「動産」とされていたため、生死を含め、家族が一緒に住むことさえ、奴隷主の判断に左右されていた。この奴隷の叛乱を恐れた奴隷主は、英語の読み書き、アフリカ音楽の演奏、独自の宗教への信仰を禁じていた。こんな窮屈極まりない状況の中、ワークソングが許された理由は、生産性を上げるという経済的なものであった。それでさえ、好きなように歌っていたわけではない。奴隷主から嫌疑の目を向けさせないため、知られるとまずい歌詞には母語をあて、それ以外は英語にして詞の内容をぼかしながら歌っていた。詩人で評論家のアミリ・バラカ[3]によれば、現在でもヒップホップなどで聞くことができるアフリカ系アメリカ人の独特のアクセントや構文は、外国人がアメリカという外国で、英語という他言語を話す際に訛ったものを今日まで意図的に引き継いでいるものだという。

次に、このワークソングと並び、大衆音楽の基礎を作り上げた奴隷の初期における宗教歌についてもみていこう。

宗教歌

奴隷が連れてこられた西アフリカの文化では、宗教が日常と連動しており、多神教を信奉していた。そして、いち早く奴隷という境遇に順応するため、その多くがキリスト教へと改宗した。また、キリスト教は本来、虐げられしものへの宗教であったため、奴隷たちは神との「約束の地」を求めるイスラエルの民に自らを重ねあわせ、魂の救済をそこに求めた。

しかし、無断外出が禁じられていた彼らは、なんとか奴隷主から見様見真似で覚えた礼拝を行うため、夜中にこっそりと抜け出し、奴隷同士で「ハッシュ・ハーバー」という「見えない教会」に集まり、祈りを捧げていた。そこで奴隷たちは輪になり、すり足で中心に対して弧を描くように回転し、リーダーのソロに対して周りが応答する「コール・アンド・レスポンス」で詠唱する「リング・シャウト」で礼拝していた。

この「コール・アンド・レスポンス」は、パンクのみならず、現在のポピュラーミュージックに幅広くみられるスタイルだ。奴隷たちは、この礼拝で、ハーモニーやメロディーを重視した讃美歌による祈りといった白人の礼拝儀式を、リズムを主体とする西アフリカの文化へと転用し、黒人讃美歌の原型である「スピリチュアル」という音楽様式を作り出した。

政治学者のジェームス・C・スコットはこの転用について、奴隷が奴隷主の文化規範を切り崩すことを可能にするのは、「密かな約束事をさりげなく使うことによって、対象としたい相手には通じ、排除したい相手には理解不能な意味を、儀式や服装の型、歌、物語などに込める」からだという。つまり、奴隷の歌うスピリチュアルは、キリスト教の奴隷主にとって神聖で犯しがたいために、礼拝の中に「扇動的なメッセージが込められているのに気づくこともあるかも知れないが、それでもそれに反応することは難しい」状況を作り出していたのである。[4]

奴隷解放後の環境の変化

ワークソングと宗教歌に変化をもたらしたのは、南北戦争であった。南北戦争は前述したアメリカ国内の産業構造の中で、南北間での経済格差や、貿易方針の相違により起きたものだった。南部は、イギリスの産業革命により生産物の需要が増大していたため、奴隷という労働力を必要としていた。そしてプランテーションで生産したものを、諸外国に輸出する「自由貿易」を求めていた。一方、工業が発達していた北部では逆に、諸外国の工業製品と競合する立場であったため、関税などによって制限をかける「保護貿易」を推進していた。そして、北部は工場の労働力不足という問題も抱えていたため、南部の奴隷が解放されれば労働力として補填ができると見立てていた。この南北における社会、経済、政治的な利害関係の対立が激化した末に、南部はアメリカからの独立を宣言した。

これに反対し、奴隷の解放を訴えていた北部のエイブラハム・リンカーン大統領の就任を機に、南北にわかれアメリカは内戦を始めることになる。結果、北部が勝利したため、奴隷は解放されることとなった。

奴隷解放宣言以降、彼らは喜びと同時に新たな困難に直面する。これまでの奴隷制に対する補償もないまま、突然外界に弾き出されたことで、全く新しい環境の下、賃金労働者として自立して生きていく必要に迫られたからだ。しかし、この解放も束の間のもので、南部では公共空間を白人と非白人種で分けるという「隔離すれども平等」にもとづく「ジム・クロウ法」[5]という人種主義政策が可決される。選挙権も含む黒人公民権の実質的な剝奪が行われた。そのため解放された奴隷たちは、解放直後に公職についた一握りの者を除き、女性は召使い、男性は元のプランテーションに戻るか、鉄道の線路建設や炭鉱といった肉体労働に従事することになった。

この時期、南部は農地拡大とその収穫高の増加による、生産物の価格の下落、そして生産物を運搬する鉄道会社の独占による不当な運賃体系、南部の主要生産物であった綿花への害虫被害による小作人への経済的な打撃という悪循環に陥っていた。さらに、白人至上主義者による秘密結社、クー・クラックス・クラン（ＫＫＫ）による、黒人へのリンチ、人種差別的な警察による不当逮捕や裁判所による冤罪判決などが横行していた。

一方、北部では第一次世界大戦により、ヨーロッパ諸国からの移民労働者が激減し、労働力不足が深刻化していた。この労働力不足を補うため、ヘンリー・フォード[6]ら自動車産業は率先して黒人を雇用した。この南部と北部のプッシュ、プル要因がマッチしたことで、多くの黒人たちが南部から北部へと移動した（グレートマイグレーション）。また、この時期は歴史上最も多くの人々が仕事を求めてアメリカに移住してきた時期でもある。

ワークソングもこの社会背景により変化する。プランテーションでの大人数による共同作業から、個人が独立した小作人という環境に変化したため、労働者ひとりが即興で歌う、「フィールド・ハラー」が生まれ、その中で同じフレーズが繰り返されたことで、私たちがよく耳にする「リフ」という形式が現れた。

炭鉱や線路建設といった現場は、今のように電気ドリルがない時代だったので、ハンマーを使い共同で岩を砕いたり、木を切り倒し線路を引いたりしていた。その際に、事故を防ぐためタイミングを合わせて交互にハンマーを振る掛け声として「コール・アンド・レスポンス」がリズミカルに歌われ、「ハンマーソング」が誕生した。これは監獄の囚人たちに受け継がれ、現在でも記録されたものを聴くことができる。

また、宗教歌でも、解放後にスピリチュアルのスタイルに変化が生じた。スピリチュアルは、人目を忍んでアカペラで歌われており、歌詞の内容は、旧約聖書にもとづいたもので、今世を諦め、来世に希望を託したものだった。しかし解放後、プロテスタント人口の増加と自由への希望を反映し、キリスト生誕以降の物語である新約聖書にもとづいた、キリストへの賛美と現世での解放願望を発露させたものへと変化した[7]。そして黒人たちも触れることができるようになった、ピアノなどの西洋の楽器が伴奏に使われ始める。このような変化により、「スピリチュアル」から「ゴスペル」が誕生する。この宗教歌とワークソングは奴隷解放後に彼らが初めて手にした「余暇」の中で、お互いに結びつきを深め、ブルースを形成していく。

次にブルースの説明へと入る前に、この解放後に現れた、黒人たちに起きた意識の変化とそれが「抵抗」へもたらした影響について検討しておこう。

第一次世界大戦と抵抗の芽生え

第一次世界大戦を準備した当時のヨーロッパ諸国は、より多くの富を得るための、資源確保と領土拡張のための侵略戦争を繰り広げていた。さらに民族意識の高まりによる他民族間での争いが続発していた。第一次世界大戦は28ヶ国が連合軍を結成し、日本を含む全32ヶ国が参戦し、一般市民を戦争に動員した初の世界大戦であった。

この19世紀後半から当時にかけての産業革命による機械技術の発展、鉄道網や通信技術の進歩を経ていたヨーロッパ諸国は、軍事技術にも飛躍的な革新が起きていた。この新しい武器は国民を総力戦へと向かわせ、膨大な戦死者を生むことになる。そして当時は、王の世襲による「君主制」から、選挙で有権者が政治家を選び、彼らが審議・決定、実行する「国民議会制民主主義」への移行期であった。そのため、政府は民衆を戦争へと動員するのに、メディアを使ったプロパガンダで他国の脅威を煽り、ナショナリズムを鼓舞していた。

参戦を決めた連合国軍側のアメリカも、国民を戦争へ導くために、第一次世界大戦を「民主主義の擁護」という「平和のための戦争」と言い換え、大量の移民で形成されていたアメリカを「一つのアメリカ」にまとめ上げ、「民」から除外していた黒人たちも兵士としてヨーロッパへと連れ出した。

この第一次世界大戦は民主主義を国外に喧伝するアメリカに、国内での非民主的な非白人の隔離という矛盾を露呈させるきっかけを作った。それは、黒人たちの間に様々な議論を巻き起こした。その中心にいたのが、「近代黒人解放運動の父」と呼ばれた、社会学者で、後に共産主義者となったW・E・B・デュボイスであった。[8]

デュボイスはこの大戦について、ヨーロッパ各国によるアフリカ諸国への植民地政策を、ドイツの欧米への侵略になぞらえ厳しく批判した。またデュボイスは、黒人音楽は奴隷が辿ってきた「隠された道」を明らかにし、奴隷の自らに向けた歌は、世界に向けて語ることでもあると説明した。つまり、デュボイスは、音楽を通じて黒人も白人も同じ魂を有していることを説いたのだった。[9]

ヨーロッパ諸国へと出兵した黒人兵士は白人兵士から隔離をされながらも高い戦績を収め、フランスでは解放軍として歓迎を受けた。

中でも第369連隊で結成された軍楽隊、ハーレム・ヘルファイターズは、ジャズを現地で奏で、多くのフランス国民を魅了した。[10]

ジャズは、フランス人と黒人の間の「クレオール」と元々フランス領であったニューオリンズに住む黒人たちとの交流の中で生まれたとされている。クレオールが持ち込んだ軍楽隊の楽器による葬列の際の演奏と、シンコペーション・リズムによるラグタイムとが交差して発生したという。

図4　W.E.B.デュボイス

ハーレム・ヘルファイターズはフランスにジャズを逆輸出したのだった。

第一次世界大戦下におけるヨーロッパは、アメリカよりも先に奴隷制を廃止しており、当時のアメリカに比べると、より人種的制限は緩やかであった。そのため黒人は、アメリカの掲げた大義名分とは逆行する自分たちの立場を客観視した。それにより、「黒人として生まれてきたことに対しての「不運」という感覚から、人種差別を「悪」としてとらえる視点がここで、初めてもたらされた」[11]。

この感覚は、ヨーロッパと同じように、白人がマジョリティであるアメリカでも自分たちの権利を奪還できることを確信させ、黒人の公民権運動へと連なっていく。戦後活躍する「アフリカ帰還運動」を呼号した黒人民族主義者のマーカス・ガーヴェイは、黒人たちを解放運動へと導き、後に続く、キング牧師やマルコムXと共振することになる。

ブルース

ブルースは、奴隷解放後のワークソングと宗教歌から自然に発生したが、そこに簡単に持ち運びができるハーモニカや、「歌う」目的のために伴奏ができるギターが取り入れられた。それに、アフリカ特有の発声法である「しゃがれ声」や「半音をずらす《ブルーにする》」技法や、声を模写した「スライド奏法」が用いられた。そして歌詞からは環境の変化に対応してアフリカ言語が消えて英語だけになり、労働に関した内容は、個人的な感傷へと変化した。これが今、私たちが耳にすることのできるブルースの原型である。

このブルースの形成期を見ると女性ミュージシャンが大半を占めている。この時代、人種に拠らず、家父長制が常態化していたにもかかわらず、なぜこれが可能であったのだろうか。

その理由は、黒人男性の入ることのできない白人のクラブに黒人女性は例外的に入れたという経済的及び、性的な要因によるものであった[12]。

ブルースは、このようにエンターテインメント産業にも参入していった。これは、これまで自分のために演奏してきた音楽を、人に聞かせ、楽しませることを意味し、演奏で生計を立てるプロフェッショナリズムを生み出すことに繋がった。このプロフェッショナリズムを備えた「ソングスター」[13]は、街から街へと渡り歩き、あるいはメディスン・ショー[14]やサーカスと連れ立つことで、黒人だけでなく、白人のフォロワーをも生み出し、各地域、各都市に固有のスタイルをもったブルースシーンを誕生させた。特にデルタ地方、北西部の「もと準州」[15]、東南海岸地方、都市としては、シカゴ、カンザス・シティ、メンフィスがその中心を占めた[16]。

この中でもテキサスと周辺の州で活躍したアーティストは、歌に対してエレキギター、サックス、ベースが応答されるスタイルで演奏され、１９５０年代に登場するロックンロール・サウンドを準備した[17]。

ブルースは、当時の技術の進歩によってレコードへの録音が始まり、販売されることになる。このレコードは、白人のものと分別するため「レイス（人種）・レコード」と呼ばれ、黒人は音楽を供給するだけでなく、新たに消費者としても資本に組み込まれていった。そうして、アメリカ全土に広くブルースが波及していったのである。バラカによれば、南部から徐々に漂白《ホワイトウォッシュ》されたということになるが、エンターテインメント産業とレコードの普及により、白人音楽と黒人音楽は人種の垣根を超えた流用を繰り返し、ロックンロールを生み出したのだった。

アメリカの正史の裏側に流れていた黒い歴史は、西洋が芸術を生活から切り離し「想像力を経済心」へと転化させたことの裏返しでもあった。彼らは奴隷制の中に隙間を見つけて遊興を作り出し、ブリコラージュによる伴奏と即興、内面から湧き立つリズム感覚により自由への渇望を奏でてきた。そのことで西洋の文化規範を転倒させ、現在のポピュラーミュージックやロックの基盤を作り出すことへと繋げたのである。さらに彼らは奴隷制の中で、自由だけでなく、歌を通して自らの生存権と共に、相互に生きることも呼びかけていた。

パンクの中にある抵抗の芽生えは、奴隷制における抑圧と禁制への衝動、解放と自由への祈り、呼びかけと応答により刻まれてきたのである。

では、ロックから派生したパンクの中にあるイデオロギーに関しては、音楽のルーツの中で、どのように現れたのだろうか。次に、このルーツを探るため、カントリーやウェスタン、ロックンロールには簡単に触れるにとどめ、急進性をもったフォークミュージックの歴史についてみていこう。

カントリー＆ウェスタン

ロックンロールの形成に与した白人の音楽とは、どのようなものだったのだろうか。

奴隷制が定着する以前にもアメリカ大陸には、イギリスから持ち込まれた讃美歌、バラッド[18]があり、プランテーションが定着すると余暇の楽しみとしてヨーロッパからオペラが持ち込まれバラッド・オペラが現れた。

カントリーは、このバラッドをルーツとし、アメリカ南東部のアパラチア山脈に入植した白人たちの間で300年近くに渡ってヨーロッパ、アフリカ、地中海沿岸の民俗音楽と楽器、白人のキリスト教讃美歌（ホワイト・ゴスペル、セイクリッド・ハープ）が混成されつつ発展した。

カントリーは、1922年にビクター・レコードに飛び入りで来たヒルビリー（田舎者）の二人組の演奏を録音したものが偶然ヒットしたことをきっかけとしている。[19] 1925年には、カーター・ファミリーとブルースに影響を受けたジミー・ロジャースがカントリーのヒット曲を出し、ビクター・レコードがラジオ放送局のあったテネシー州ナッシュビルに地方事務所を開設したことで、そこを中心にカントリーはアメリカ全土に広がった。

さらに同時代に映画から生まれた、カントリーと親和性をもったウェスタン・ミュージックが結びつき、カントリー&ウェスタンとなり、アメリカを代表する音楽ジャンルへと変化した。このカントリー&ウェスタンは、黒人のブルースと影響を受け合いながら、ロックンロールを形成した。特にカントリー&ウェスタン色の強いロックンロールはその後、ロカビリーと呼ばれるようになる。

ロックンロール

第二次世界大戦後の10年間は、新しいテクノロジーの導入、人気歌手による「リズム&ブルース」（レイス・レコードから名前が変更された）やカントリー&ウェスタンのカバー曲のヒット、エンターテインメント産業によるマーケティング手法の確立など、ポピュラーミュージック産業において重要な変化が訪れた。

テクノロジーの面では、テープレコーダーによる録音技術、音響技術の進歩による、エレキギター、ベース、アンプ、マイクの普及の拡大があった。

マーケティングでは、ジュークボックスの拡充、テレビという新しいマスメディアによる全国的な同時流通、ポピュラーミュージック・ラジオ放送局の隆盛、全国の楽器店でのレコードの販売が始まった。

「ロックンロール」という名称は１９５０年代初頭、ディスクジョッキーのアラン・フリードが夜間番組「ムーンドッグ・ショー」でリズム&ブルースを「ロックンロール」と呼んだことで広まったといわれている。

このロックンロールは、ベビーブーム世代を特徴付ける音楽として、１９５０年代の余暇と経済的繁栄によるユースカルチャーの象徴とされ、これまで歌われてきた「家族」や「教会」といった保守的なテーマは、「学校の夏休み、冬休み」「ファッション」「社交ダンス」「ラブソング」「アルコール」などと、この時代の世相を反映した新しい題材に取って代わられた。

ロックンロールの重要な側面としては、１９５０年代当時、人種、階級、生活環境が二極化されていたにもかかわらず、労働者階級に活躍の場を作り出したことや、南部から発生した音楽が都市へと影響を及ぼしたこと、そして何より人種的境界を無視したエルビス・プレスリーやアラン・フリードらの態度が、排他的な聴衆の間にあった人種間の溝を架橋し、新しい繋がりを作り出したことであった。[20] しかし、次に紹介するフォークミュージックとは異なり、政治性の導入による扇動ではなく、アーティスト自身の行動が社会に影響を与えたものであった。また、ロックンロールは商業音楽でもあり、一握りのスターによる刹那的な快楽が歌詞で称揚されていた。

この傾向に変化をもたらしたのがフォークミュージックからロックンロールへと政治性を持ち込んだボブ・ディランであった。ディランの代表曲「風に吹かれて」は公民権運動を先導したキング牧師の演説の後に歌われ、そのシンボルともされている。このディランが持ち込んだ政治性は、どのようにフォークミュージックにもたらされてきたのだろうか。

パンクとフォークの関係についてはニルヴァーナのカート・コバーンがレッドベリーを「最初のパンク・ロッカーだ」と評している。[21] また、アナーコ・パンクの創始者、クラスのペニー・ランボーは自身のバンドを「現代のフォーク音楽」だとし、「ブルースのように、パンクは人民の音楽であり、人民による人民のための ものだ」と説明している。[22]

次に、このフォークミュージックを検討することで、パンクの中にあるイデオロギーがどのように胚胎したのかを確認していきたい。

第5章　フォーク

フォークミュージックは、一般的に反戦、学生運動といった社会運動をイメージされることもある。これはどこから来ているのだろうか。フォークミュージックの歴史を振り返ると二つの潮流が見えてくる。

一つは、1900〜20年代にアナキストが音楽を使った労働運動を展開し、1930〜40年代に共産党が主導して階級意識の醸成のため、音楽をプロパガンダとして用いたことにある。

もう一つが、60年代の公民権運動を核としたフォーク・リヴァイヴァル・ムーブメントであった。

ここからは、この1900年代からリヴァイヴァルに至るまでを、前者が、なぜフォークミュージックにイデオロギーを持ち込んだのか、その要因を作った資本主義の形成と、その反動からみていきたい。

歴史家でジャズにも造詣が深い、マルクス主義者のエリック・ホブズボームは、資本主義の形成について、フランス革命を中心とした市民革命と、イギリスで起きた産業革命という二つの革命にその起点を見出している。

市民革命は君主が絶対的な権力を行使するという政治形態を瓦解させ、市民が主体となり、政治、経済を主導するものへと変化させた。それは市民が自らの手で自律的な自由、この場合は、経済的自由主義による資本主義社会を実現したが、裏を返せば、労働者が自らの意思で資本家と契約をし、労働者の賃金は資本家の自由裁量によるものとなった。

同時期にイギリスでは、蒸気機関や紡績機が発明され、産業革命が起きた。産業革命は技術革新を起こしたことで産業構造に大きな変化をもたらした。

工場制手工業が発展すると「もの」の生産力が飛躍し、商品の大量生産を可能とする。そのため、より安価な商品の市場への流通が促され、都市の大工場には、農村や郊外から労働者が流入した。その結果、小規模生産型の家族的経営や熟練労働者、それを支えていた職業《ギルド》別組合は次第に衰退していった。

さらに企業は、より多くの利潤を求めて競合するため、内部の労働、生産の面でも合理性、効率化を追求し、限りなき競争が生み出される。これにより時に不安定な雇用、劣悪な労働条件、環境が作り出された。

このような資本主義のもたらす不均等の是正を目指して変革のために立ち上がったのが、前述してきたアナキストや、共産主義者たちであった。彼らは資本主義社会の中で、どのように労働者を主体とした社会を築きながら、彼らを守るのかを検討し、「集団的保護と集団的自由を二つの柱とする集団法としての労働法」[23]の制定や、労働組合による労働者の権利の保護を訴え、活動していく。

この労働組合でも、特に無政府組合主義（アナルコサンディカリスム）の思想をもった、世界産業労働者組合（IWW）、通称「ウォブリーズ」や、「共産党」は音楽の中に革命の可能性を見出した。なぜ彼らは、そこに可能性を見出したのだろうか。

結論を先取りすれば、この二つの活動がすべての人種にも門戸を開いたことにあった。両組織とも、当初から組合員の大部分が移民であったため、音楽のもつ、人種の間にある言語や習慣の壁を越える力を活用したのだ。

この当時のアメリカは移民の流入が激しく、1871年から80年までの間に約250万人、1891年から1910年までに約1250万人が諸外国から移住した。[24] そのため、アメリカは文化や言語の異なる人種の坩堝と化し、人種間における各産業での階級格差が表面化していた。

また産業面においても石炭や鉄鋼の生産高が、ヨーロッパのどの国をもはるかに上回っており、そのインフラ産業としての鉄道網の建設には、およそ1000万人が雇用されていた。[25] このような巨大株式会社は、「トラスト」と呼ばれ、例えば私たちもよく耳にするロックフェラーは、当時のアメリカ国内での石油取引高の85％を占めるに至った。

このトラストの資本家たちは、多くの利権を手にし、司法による介入さえ困難な状況を生み出した。ウォブリーズと共産党は、この巨大資本を打倒し、労働者を擁護し、彼らを主体とする社会を作り出すことを目的とした組織であった。

ウォブリーズ

ウォブリーズは、1905年にシカゴで創立されたアメリカ史上、最も急進的な労働組合だといわれている。それ以前からある労働組合「アメリカ労働総同盟（ＡＦＬ）」が、資本主義に対して妥協的で、非熟練労働者の加入を拒否し、白人中心主義であったことと対照的に、すべての労働者が団結すべきであると一大労働組合《ワン・ビッグ・ユニオン》を提唱し、人種、男女、頭脳と肉体、熟練と非熟練、移民の差を問わず、すべての労働者に門戸を開いていた。そのため、人種においてはアフリカ系アメリカ人はもちろんのこと、当時からマイノリティであった日本人、中国人といったアジア系住民も加入していた。[26]

またウォブリーズは、政治活動を排し、サボタージュ、ストライキ、ゼネストを通じた闘争を主としていた。アナキストで後述するシカゴ・シュールレアリスト・グループの創始者であるフランクリン・ロズモンド[27]がウォブリーズの活動を「常に自由、連帯、民主主義、直接行動、革命、階級的統制、ユーモア、想像力[28]」と形容している通り、それまでの社会主義的な歌が民衆から敬遠される中、身近な曲に巧みな歌詞をつけた先駆者であった。その代表する歌い手であったジョー・ヒル[29]は、ポピュラーミュージック、讃美歌、短い歌のパロディを作り、「常に聴衆の参加を促す[30]」方法で、労働者へは連帯と希望を与え、資本家や保守的な組合には攻撃を仕掛けていった。

ＩＷＷの歌は、「リトル・レッド・ソングブック[31]」として発行され、１万部が最初の１ヶ月で売り切れ、１９０９年から現在まで37版を重ねている。

ヒルは、「歌は心で覚えられ、何度も繰り返される[32]」とその効果を謳い、ＩＷＷに「歌う組合」という別称をつけるきっかけとなった。

ロズモンドはヒルの、音楽を社会変革の武器としてとらえた着想を「後にアンドレ・ブルトンが「Détournement」（転用）と呼ぶ、イメージやテキストを「反転」させ、オリジナルとは根本的に異

図５　《ジョー・ヒル》
（リノカット：Carlos A. Cortez）

なるものを意味付ける方法に非常に近いもの」と説明し、「ラディカルな脱神秘化がその本質である[33]」と述べている。

ヒルは、世界的に著名な労働歌を生み出したが、殺人の冤罪によって捕えられ、「僕の死を嘆いて時間を無駄にするな。組織せよ」との言葉を残して死刑に処された。

ヒルの音楽的な遺産は現在のパンクシーンにも受け継がれており、例えばイギリスのチャンバワンバはヒルの最後の言葉を込めた「By and By」を発表しオマージュを捧げている。また、レイジ・アゲインスト・ザ・マシーンのトム・モレロは、ＩＷＷの歌はウディ・ガスリー、ピート・シーガー、アラン・ローマックスはもちろんのこと、ザ・クラッシュ、パブリック・エネミー、レイジ・アゲインスト・ザ・マシーンの音楽的、思想的な基礎を築いたことを指摘している[34]。

それでは次に、プロパガンダとして用いられた音楽の中でも、特にフォークミュージックを転用することで、大衆への共振を呼び込もうとした共産党の革命戦略についてみていこう。

アメリカと共産党

フォークミュージックを対抗文化として用いた共産党は、マルクスとエンゲルスの共著『共産主義者宣言』を基礎として成立した。ロシアで１９１８年に国際共産主義運動の指導組織、コミンテルン（国際共産党）が結成されたことを契機とし、世界各国でも組織されていく。

設立当初のアメリカ共産党員はＩＷＷと同じく、ほとんどが移民であった。その思想をもたらしたのは、マルクスと同じユダヤ人のルーツをもつ高い文化的素養を備えたドイツ人たちであった[35]。

党は共産主義インターナショナル第4回大会[36]において、ニグロ委員会を発足させ、資本主義及び、帝国主義の観点からアフリカ系アメリカ人の差別問題をとらえ直すことを提唱した。[37]そしてアメリカの党の指導者も、黒人を社会の最も抑圧された前衛的地位とみなした。つまり、人種的分裂を資本家が利用することで組合運動が弱まるのを防ぐためにも、黒人労働者を動員したのである。

この影響は、1930年代初期に発行された『南部労働者』誌において黒人リンチに関する記事が、労働組合や賃金の問題と同様に扱われていたことにも表れている。そして党員は人種差別をアメリカの抱える宿痾と見なすようになっていく。[38]

このような進歩的な思想と文化的表現を重視した共産党には、多くの芸術家、音楽家、作家が引き寄せられた。

1920年代、党の音楽活動の中心は革命的な合唱団を自国から持ち込んだヨーロッパ系の移民であった。しかし、彼らの歌詞は月並みで教条的だったのでアメリカナイズを施すため1931年には労働者音楽連盟（WML）が結成された。WMLの理論的指導者として呼ばれたのが、オーストリアの作曲家、アルノルト・シェーンベルクの高弟、ドイツ出身のハンス・アイスラーであった。

アイスラーは、母国ドイツで近代的な音楽を大衆へ向け発表し、ヨーロッパで高く評価されていたが、ブロードウェイやハリウッドが生産する感傷的なラブソングを民衆のアヘンに例え非難していた。そのためアイスラーの指導で作られた音楽は、移民が持ち込んだ合唱団と変わらず、堅苦しくて歌いにくく、ヨーロッパ的な古めかしさで賛同を得ることはなかった。

WMLは1934年から1936年にかけて、自己批判と変革を行い、よりシンプルで親しみやすい曲作りへと転換するため、チャールズ・シーガー、アラン・ローマックスらが協力し、これまでのイギリスから持ち込まれた保守的な意味合いをもつ民謡を指したフォークとは異なるフォークミュージックを奏で始めた。

音楽歴史学者のロナルド・コーヘンは、この新しいフォークミュージックを「クラシック、ティン・パン・アレー・ポップ、カウボーイ、カントリー、ブルース、スピリチュアル、ゴスペル、ブロードウェイのショーチューン、ジャズ（スイング、ニューオリンズ、スウィート）、民族音楽など、当時の音楽のパッチワーク[39]」と説明する。

このように、「民族」「民俗」を指した保守的な意味を持っていたフォークミュージックは、共産主義者たちにより、多様な「民衆」を包括するものへと塗り替えられたのである。

このWMLがフォークミュージックに着目した背景には重要な出来事がいくつかあった。次に、その理由を探るため、アメリカの大恐慌の影響と、フォークミュージックを急進主義を代弁する音楽へと変転させた、いくつかの人物たちを紹介したい。

大恐慌

1929年にアメリカの南東部ノースカロライナ州ガストニアで、全国繊維組合が率いる労働者約1800人がロレイ工場に対してストライキを起こした。そこでエラ・メイ・ウィギンズ[40]は、武装した暴徒に銃殺された。彼女は5人の子どもをもつ母で、詩人で優れた歌手であり、フォークソング「Mill Mother's Lament」で、ストライキ中の労働者を奮い立たせていた。このウィギンズの殉教を重んじ、最も積極的に宣伝したのがWMLの活動家でもあったマーガレット・ラーキンであった。

ラーキン自体もまた、フォークミュージシャンであり、ウィギンズを書籍や雑誌で紹介し[41]、対抗文化のアイコンとして歴史に名を刻ませた。

前述したロズモンドと共にＩＷＷの『Big Song Book』を編集した民俗学者のアーチー・グリーンは、ラーキンが共産主義に対するイメージをフォークミュージックによって変えた最初のミュージシャンだと論じている[42]。

ウィギンズが殺された１９２９年、アメリカの株価は暴落し、世界中の国が影響を受け大恐慌時代が訪れた。この原因は、第一次世界大戦後にヨーロッパ経済が回復し、アメリカからの製品輸入量を減らしたにもかかわらず、生産量を調整しなかったため、生産過剰による大量の売れ残りが起きたことを契機としている。マルクスに従えば、この恐慌の根本的な原因は、資本主義社会における合理化のための人員整理により起こる窮乏化法則にあった[43]。

この恐慌はアメリカで１０００万人を超える失業者を生んだ。１９３３年にフランクリン・ルーズベルトが大統領に就任すると、恐慌の克服を目的としてニューディール政策を打ち出した。ニューディールには、雇用の創出と同様に、美術、文学、写真、演劇、音楽などのさまざまな芸術分野を保護した数々のプログラムも含まれていた。１万人の芸術家が関与したフェデラル・ワン（Federal Project Number One／通称、ＦＡＰ）と呼ばれる、連邦美術計画（ＦＡＰ）、連邦劇場計画（ＦＴＰ）、連邦音楽計画（ＦＭＰ）、連邦作家計画（ＦＷＰ）によって、政府は「労働と文化のルネッサンス」[44]を推進した。これら政府主導のプログラムは、アーティストの給与だけでなく、創造的な環境を支援するものであり、結果として共産党員とその影響力を増大させた。この連邦音楽計画（ＦＭＰ）のアシスタントディレクターを１９３７年から１９４１年まで務めたのが共産党員であり、ＷＭＬを結成したチャールズ・シーガーであった。

シーガー、ローマックス親子とウディ・ガスリー

チャールズ・シーガーは音楽学者で、南部を中心とした民俗音楽の普及を担当した。シーガーは、連邦作家計画の全国民俗学・民俗誌アドバイザーのジョン・ローマックスと共に、フェデラル・ワンの事業間を調整する役目も担っていた。このシーガーの息子がフォーク・リバイバルの中心人物のひとりである、フォーク歌手、ピート・シーガーである。

ピート・シーガーは1936年、アッシュビルで開催された第9回フォークソング&ダンスフェスティバルに参加したチャールズ・ラマー・ランズフォードに同行し、5弦バンジョーと出会い、フォークに目覚めた。[45]ピートはその後、アラン・ローマックスの助手や、ウディ・ガスリー、レッドベリー、アウント・モリー・ジャクソンとニューヨークで頻繁に交流し、中でもウディ・ガスリーとはヒッチハイクや鉄道でアメリカ横断を共にした。さらにラジオ番組、フォーク・フェスティバル、歌集、録音を通じて地方の音楽への知見を深めていった。

チャールズ・シーガーと親交の深かったジョン・ローマックスは、音楽民俗学者で、アメリカ国内の民俗音楽を息子のアランを連れてフィールドレコーディングにより収集していた。

当時、フォークはアカデミックな世界では研究対象外であったが、ジョンは学会からだけでなく、左翼全般、共産主義者からも異端視されていた。しかし、ジョンの収集した膨大な量の民俗音楽は、フォークミュージックの形成に大きく貢献し、民俗音楽を「民衆の音楽」へと変化させる一端を担った。

ジョンは、ルイジアナのアンゴラ州立刑務所で後にビートルズが影響を公言し、カート・コバーンもカバーした囚人のレッドベリーと出会い、彼の才能と知見に感動し、釈放後、音楽業界に紹介し成功させている。また、囚人や南部での黒人音楽のフィールドレコーディングの際には、警戒心を解くために、レッドベリーに間をとりもたせていた。ジョンはこのレッドベリーのライブから利ざやを得ていたことや、当時の言動により人種差別主義者という不名誉が後年付けられている。

息子のアランは、コロンビア大学でメルヴィル・J・ハースコヴィッツ[46]のもとで学び、1937年から1942年まで、米国議会図書館の民俗アーカイブの担当補佐を務め、父と共に1万以上のフィールド・レコーディングを行った。アランの思想は父とは反対に急進的であり、「アメリカのフォークが全体として最大の豊饒さを発揮してきたのは、白人と黒人の民謡が相互に影響し合っている点[47]」であることを強調した。

アランは、父に対する葛藤を抱えつつも、協働を続け、フォークが元々持っていたアパラチア山脈のアングロサクソン・バラードという「歌の特徴」を、多様性を包摂するスタイルに変化させた。そして、フォークミュージックと左派との連帯において、その先頭に立った。

1939年後半になると、アランは小学生向け音楽番組「フォークミュージック・オブ・アメリカ」の司会を務め、ウディ・ガスリー、レッドベリー、ピート・シーガーらを含む、多くのフォークシンガーを全国に紹介した。

シーガー、ローマックス親子と親交の深かったウディ・ガスリーは、ギ

図6　レッドベリー

ターを始めとする弦楽器やハーモニカの才能を早くから発揮し、1935年まではテキサスで演奏し、1937年ロサンゼルスに移住した後にはラジオ番組「ウディ&レフティ・ルー・ショー」を任された。ガスリーは同局で、共産党のサンフランシスコ支部を拠点とする西海岸新聞『ピープルズ・ワールド』の編集者、エド・ロビン[48]と出会い、政治や労働運動に関心を持ち始めた。ロビンの紹介により地元の共産党員、俳優、映画監督、労働組合、活動家などと交流をもったことで思想を深め、カリフォルニアのカントリーミュージックの隆盛と結びつき、急進的なフォークミュージシャンとして自身を確立した。

ガスリーは1939年に『ピープルズ・ワールド』にコラム「ウディ・セズ」を執筆し、農場労働者を支援するジョン・スタインベック委員会のために党員で俳優のウィル・ギアと共に移民労働者のキャンプを回った[49]。

1940年初頭、ワシントンD.C.でアラン・ローマックス、ピート・シーガー、ウディ・ガスリーの三人は、労働歌とカウンターソングを集めた労作『ハード・ヒッティング・ソングス・フォー・ハード・ヒット・ピープル』（出版は1967年）を執筆する。

1941年には、ピート・シーガーとウディ・ガスリーは太平洋岸北西部を回り、その際に「商業音楽の制度的な枠組みに対するオルタナティブ[50]」であるフーテナニーと出会いライブに取り入れた[51]。このフーテナニーは、指導者と従者、中心と周縁といった階層的な構成ではなく、水平的かつ、直接民主主義が伏在したもので、聴衆に参加を促すことで共感の波の連鎖とエンパワーメントを生成するものであった。

この頃もまだ大恐慌が続いていたため、政府はWPAへの支出を削減し、第二次世界大戦開戦による徴兵制により、アーティストへの助成プログラムは打ち切られた。

アメリカ共産党はスターリンがヒトラーと結んだ独ソ不可侵条約をきっかけに政府の「赤狩り」の影響を受け、愛国同化政策を進め、1943年にコミンテルンが解散すると、一時的にアメリカ共産党も解党した。

戦時中、戦争情報局で働いていたアラン・ローマックスはピート・シーガー、ウディ・ガスリーに協力を仰ぎ、政府のために数百時間に及ぶ反ファシスト・フォークソングを収録し、連合国軍の進歩的な戦争歌を集めた『国連の自由の歌』の制作にも協力した。[52] そしてアメリカ民主青年同盟を通して「Folksay」という演奏グループを組織し、戦後は「People's Songs inc」へと展開させる。「People's Songs inc.」の最初のニュースレターが発行された時、アメリカでは大恐慌以来最大の雇用不安が起きており、200万人の組合員がストライキに参加していた。ピッツバーグのウェスティングハウスのストライキでは、彼らと組合員がピケットラインで歌い、集会ではデモ行進を行った。

フォークミュージシャンは、コミンテルンからアメリカ共産党、そして各支部へというヒエラルキー構造の内にありながらも、音楽を通して非中心的に自己組織化した。それは、演奏と活動によって一方的に聴衆にイデオロギーを扇動するのではなく、党内外に意思決定プロセスの再考を促し、新しいコミュニケーションのあり方を提示した。これは後のパンクス、特に運動とパンクが結びついたアナーコ・パンク、ライオット・ガール、クィアコアなどと共有するものである。

しかし、このフォークムーブメントは、彼らが動員を望んだ一般のアフリカ系アメリカ人には受け入れられなかった。音楽社会学者のウィリアム・ロイは、フォークが、「黒人と白人が腕を組んで一緒に歌う活動よりも、その大衆的なアピールが重要」と優先させたことが原因だと説明している。[53]

では、どのように60年代のフォークリバイバル運動と公民権運動は結びついたのだろうか。最後に、この二つを架橋したハイランダー・フォークスクールの役割をみていこう。

ハイランダー・フォークスクール

ハイランダー・フォークスクールは、1899年、イギリスのオックスフォード大学に労働者志向のラスキン・カレッジが設立されたことや、デンマークのフォークスクールの教育プロセスの中に雛形を見出した牧師でもあるマイルス・ホートンと、共産党員で活動家でもあったダン・ウェストによって、テネシー州モントイーグルに設立された。二人ともデンマークで教育を研究していたこともあり、その音楽を多用したプログラムや、参加型教育に強く影響を受けていた。

ハイランダーの主な活動は、ワークショップが中心で、生徒は自分たちのコミュニティや組織の問題点を洗い出し、解決策を考え、短期的、長期的な目標を立て、それを実現するための計画を練っていた。正規の教育をほとんど受けておらず、長い間抑圧されてきた南部の人々に対して「ラディカルな労働者のリーダー」[54]の育成を目的とし、達成感と行動を起こすこと、他者への献身を育むことが重要視された。

ハイランダーでは教師が生徒に教えるという一方行的な教育法ではなく、映画、演劇、音楽、文学などを通して生徒の知識を深め、新しい視野を提示し、生徒がワークショップで決めたことをどれだけ実行できたかによって成果を計った。そして長く親しまれてきた民俗音楽を通じて、労働者の課題を積極的に取り上げた。

ハイランダーの活動は、「1930年代と1940年代は組合、1950年代と1960年代は公民権、そしてアパラチアの開発と反貧困への取り組み」[55]に分けられる。50年代にハイランダーの指導者たちは、地元のコミュニティ組織とのネットワーク構築に尽力し、ジム・クロウ法下でも、白人スタッフが黒人の住居に滞在したり、黒人のための大学であったタスキギー大学の教授陣や全米有色人種地位向上協議会（NAACP）、アフリカ系アメリカ人の学校教職員、地元の市民協会、黒人牧師などと関係を深め、地域に根ざした活動を展開した。

ハイランダーの音楽学校長であった設立者のホートンのパートナー、ジルフィア・メイ・ジョンソンは、「Workers Songs」（1935年）を皮切りに、多くの労働者へ向けた歌集を次々に出版した。また、1939年には全米繊維労働者組合のために『Labor Songs』を編集している。1956年に彼女が亡くなると、活動はピート・シーガーの提案でハイランダーを訪れた、ガイ・カラワンに引き継がれた。

カラワンは、公民権団体のワークショップでゴスペルを元に作られた「ウィー・シャル・オーヴァーカム」などの歌を紹介し、自文化を低級なものと内面化されていたアフリカ系アメリカ人に、アフロ・アメリカンの文化的遺産の価値を伝え、フリーダムソングの創造に貢献した。音楽で満たされた黒人教会から生まれた公民権運動は、ハイランダーの活動家の支援と結びつくことで、階級と人種に関しての倫理観、そしていくつかの曲のレパートリーを受け継いでいく。[56]

フォーク・リヴァイヴァル・ムーブメント

1961年、ウッディ・ガスリーは自分の母親と同じ病である、ハンチントン病によって入院していた。そこへボブ・ディランが訪れ、ガスリーに歌を聴かせた。翌年、ディランは彼に捧げた曲「ソング・トゥー・ウッディ」が入ったファーストアルバムを発表した。

ガスリーは何百もの曲を作り出したものの、そのほとんどは録音されなかったが、ディランと同世代のフォークシンガーたちが彼の遺産を受け継いだ。そしてディランは、1965年のニューポート・フォーク・フェスティバルのステージにエレキギターを持って登場し、フォークとロックンロールを組み合わせ、パンクへと連なる新しい「ロックスタイル」を作り出した。

第６章　スキッフル

ブリティッシュ・インヴェイジョンは、その名が示す通り、イギリスからアメリカへの文化侵略を意味している。主なミュージシャンは、ビートルズ、ローリング・ストーンズ、ザ・フー、キンクスの、ビッグ４と呼ばれるバンドたちだ。ここでは、アメリカからイギリスへのフォークミュージックの影響と共に、ブリティッシュ・インヴェイジョンを準備したスキッフルの起こり、そしてビッグ４のスタイルのルーツとパンクとの関連について、整理しながら紹介していきたい。

イギリスとフォーク

イギリスでのフォークシーンの始まりは、その研究者であったアラン・ローマックスにアメリカで出会ったイギリス人、アリスター・クックがフォークのレコードを持ち帰ったことで始まった。クックはイギリスに戻るとＢＢＣラジオでアメリカの歌に関する番組の放送を開始した。

他にもアメリカ軍がイギリスの駐留者に提供している政府のラジオ放送サービスＡＦＮ（Armed Forces Network）や、ＡＦＮがＢＢＣ、カナダ放送協会と共に始めた連合遠征軍プログラム（ＡＥＦ

P）によって、広く大衆へともたらされた。この放送は、新しい文化の紹介だけではなく、第二次世界対戦下における国民の愛国心を高揚させるプロパガンダも企図していた。

このフォークと重なりつつイギリスのブリティッシュ・インヴェイジョン・ロックの基礎となったのが、1950年代初期から中期にかけてイギリスで人気を博したスキッフルであった。

スキッフルとは本来、アメリカ南部の都市のスラム街で、家賃を支払うための資金集めに、アフリカ系アメリカ人が催したパーティーで、生活用品を用いた即興演奏から生み出された音楽スタイルである。このスキッフルのいくつかをイギリスのミュージシャン、ロニー・ドネガンがカバーしたことでヒットし、ブームが訪れた。ただ、そのルーツとは異なり、イギリスのスキッフルはアラン・ローマックスが指摘したように「黒人のリズムとイギリスの民俗音楽が融合したもの」であった。実際、ドネガンのアルバム『ロック・アイランド・ライン』はレッドベリーのフォークソングをベースとしていた。また、同時期のスキッフルのバンド、ヴァイパーズ・スキッフル・グループはウディ・ガスリー、ピート・シーガーのフォークソングをカバーしていた。

スキッフルのヒットは、1955年以前には一般大衆に広まっていなかったアメリカのルーツ・ミュージックをイギリスの若者に幅広く紹介したのである。このスキッフルの基礎となった、アフリカ系アメリカ人のルーツ・ミュージックは、イギリスにおいて、どのような形で受け入れられてきたのだろうか。

スキッフルとブラックミュージック

イギリスを揺るがすような影響を与えたアフリカ系アメリカ人の音楽は、1873年に遡る。アメリカからイギリスを訪れたフィスク・ジュビリー・シンガーズが、スピリチュアルを演奏したことで始まった。この訪英は賞賛を持って迎えられ、特にウェールズとイングランド北部においては、社会から疎外されていると感じていた労働者階級の人々の心を掴んだ。[57]

１８８０年代には、ピカデリーサーカスのミュージックホールに加え、ロンドンの劇場街でアメリカのジム・クロウショーが行われるようになり、イギリスでもアフリカ系アメリカ人の音楽に対する認知が広がっていた。

当初はアメリカと同様にイギリスの人種差別的な偏見に満ちた批評家たちによってアフリカ系アメリカ人の音楽は野蛮で劣っているというレッテルが貼られたが、その音楽性は着実に国内に浸透していき、１９３０年代に入るとジャズ界を代表する巨匠たちが訪英を始めた。この影響は、歴史の浅いイギリスのジャズバンドたちに、より本格的な音楽を生み出すような刺激を与えた。しかし、イギリス国内のミュージックシーンが、外国人ミュージシャンの独壇場になってしまうという保守的な反動と懸念により、１９３５年に事実上禁止に近い措置がとられた。

英国音楽家組合が、アメリカからのミュージシャンのビザを管理する労働省に、アメリカとイギリスのジャズバンドに、１対１の相互交流を要求するよう働きかけたのだった。だがアメリカにはイギリスのジャズアーティストへの需要がほとんどなかったため、１９５０年代半ばまでアメリカのアーティストによるライブは激減し、レコードの流通のみとなりライブを体験することができなくなった。

ポピュラーミュージック研究者のマイケル・ブロッケンは、イギリスのフォークシーンへの言及の中で「戦争、ノスタルジア、ナショナリズム、そしてアメリカの文化的影響に対抗するための継続的な計画が、フォーク音楽を推進する強力なメルティングポットを作り出した[58]」と述べている。

つまり、フォークソングを用いた郷愁への誘いは、幻想の共同体による愛国心を誘発させながらも、国家政策としては、アメリカを筆頭に諸外国からの音楽を排除するといった矛盾を抱えていた。しかし、文化はさまざまな形で相互に浸食し合うことで生み出されていく。

第一次世界大戦後、200を超えるミュージックレーベルがすでに存在していたイギリスでは、1940年代後半から50年代中期にかけて、その多くが、アメリカから版権を手に入れ、アフリカ系アメリカ人の音楽がイギリスにも参入していた。だがイギリスのライブシーンは1935年から1945年までは、ほとんどがアメリカで成功した白人ビッグバンドに倣っていた。この中でも例外的に影響力を持っていたのがアフリカとカリブ海地域からの移民を中心に構成されたケン・〝スネークヒップス〟・ジョンソンとそのダンスバンドであった。彼らはイギリス国内の劇場やクラブで活躍し、BBCでも特集され、ロンドンのカフェ・ド・パリでは専属ミュージシャンを務めた。1941年、ドイツ軍の爆撃によってジョンソンは悲劇的な死を迎えたが、イギリスにおけるジャズシーンの形成に大きく貢献した。

イギリスにおける白人ジャズバンドの隆盛は1940年代初頭から活動していたジョージ・ウェブズ・ディキシーランダーズからといわれている。彼らの重要性は、音楽的な側面が評価されると共に商業的な音楽に異を唱えていた左派によって、「死にゆく民俗芸術を復興させようとする労働者階級のミュージシャン」[59]として迎えられたことにあった。

1942年にジャズに限らずアフリカ系アメリカ人音楽の振興を目的とした最初の英国出版物の一つである『ジャズ・ミュージック』を創刊したマックス・ジョーンズとアルバート・マッカーシーによって作られたチャレンジ・ジャズ・クラブでは、共産青年同盟の主催による公演が頻繁に開催されていた。さらに、このクラブのニュースレター『ザ・チャレンジ』では、ディキシーランダーズの政治的な意味合いについても論じられている。この大衆のためのジャズというプロレタリアの理想は、多くの政治的左派のファンを惹きつけ、同時に、オルタナティブな少数派の音楽を促進することに繋がっていく。[60]

アートスクールとブラックミュージック

1950年代になるとイギリスでは、ブルースから発生した「演奏者が最初から最後まで、ほとんど雷鳴のようなビートに対して、最大限の駆動力で演奏しようとする」[61]リズム&ブルースがルイ・ジョーダンとアール・ボスティックによって広がっていた。

サイモン・フリスとハワード・ホーンによれば、これらアフリカ系アメリカ人の音楽をこの時代に一般大衆へと広げた中継地は、アートスクールであった。二人は、40年代から50年代に学生だったリチャード・ハミルトンといった著名なアーティストやミュージシャンたちのインタビューを取り上げ、彼らが毎週ジャズクラブに通っていたことや、アートスクールにあった当時貴重なレコードプレイヤーの存在、そして、ブラックミュージックを演奏していたリズム・クラブとアートスクールの地理的な近接、さらにはスクール自体が演奏会場となっていたことを指摘している。そして1957年の『ジャズ・マンスリー』誌に寄稿したポール・オリバーのコメントを引用し、「社会的に型破りで受け入れがたいものに美大生が魅力を感じることはよく知られている」ことを挙げ、美大生がジャズを価値付けて、流行させた役割を説明した。[62]

このようにアートスクールを媒体として庶民にも広く行き渡ったアフリカ系アメリカ人の音楽は、フォーク、ロックンロールと共にスキッフルへと繋がっていく。では、アメリカのロックンロールはどのようにイギリスにもたらされたのだろうか。

スキッフルとロックンロール

ロックンロールの起源は、これまで50年近くに渡って議論されても意見の一致を見ることはない。しかしイギリスでは、アメリカで１９５４年10月にリリースされたビル・ヘイリー・アンド・ザ・コメッツの「ロック・アラウンド・ザ・クロック」からというのが概ね一致した見解である。[63] これがイギリスの大衆に広まったのは、１９５５年に同国で公開された、同名の映画を契機としていた。上映中に、後述するテディ・ボーイズが暴動を起こしたという報道によって10都市以上で上映が禁止されたにもかかわらず、17週間もミュージックチャートのトップ20にとどまった事をきっかけとしている。[64] この曲がシングル・チャートで1位を獲得した時期、同じ「ロック」を冠したロニー・ドネガンの「ザ・ロック・アイランド・ライン」の発売告知の広告が『レコード・ミラー』誌に掲載された。「ザ・ロック・アイランド・ライン」は発売から徐々に順位を上げ、イギリスのトップ20にランクインした。

スキッフルとロックンロールの音楽性は、ドラムやベースが基本的なビートを打ちながら、ギターが各ビートを8分音符に分割して、ボーカルがシンコペーションで歌うという重層性によって推進力のあるリズムを生み出している。さらに、スキッフルにもロックンロールとR&Bに共通する特徴である小節の2拍目と4拍目にはアクセントが入る。この両スタイルでは、ハーモニーよりも、メロディー、リズム、ダイナミクス、音色のバリエーションが重視されている。[65]

当時のイギリスの音楽メディアの多くが「ロックンロール」と「スキッフル」を同じ意味で用いていたことからも、この類似性は批評家たちに広く認識されていた。では、この両者の違いはどこにあるのだろうか。

スキッフルがイギリスにもたらした影響とルーツ、構成が両者の違いに現れている。

ミュージシャンで活動家のビリー・ブラッグは、①ギターは必要だが、3つのコードを覚えれば、スキッフルは演奏できるようになる。②音楽を作るのにミュージシャンである必要はない。③アメリカの曲を演奏するのにアメリカ人である必要はない。というちょっと冗談とも本気ともつかない3つの特徴を挙げている。[66]ポピュラーミュージック研究者のジェイムス・ペローネは「経済力も音楽技術も限られていた労働者階級のティーンでも、この音楽を作ることができた」[67]と説明している。

さらに音楽学者のロベルタ・シュワーツは、「この音楽はアマチュアのスキッフル・グループを爆発的に増加させ、イギリスがかつて経験したことのないようなＤＩＹ的な音楽ムーブメントを引き起こした」と指摘する。実際、1957年までにイギリスには3万から5万のスキッフルグループが存在し、それなりの規模の町には10以上のグループがあったと推定されている。[68]まさにスキッフルは、パンクに先駆けた、英国での初めてのＤＩＹシーンであった。

このスキッフルとロックンロールを分ける決定的な側面として、ブラッグ

図7　ロニー・ドネガン

が挙げているのが、ロンドン西部の西インド諸島のコミュニティに対するテディ・ボーイズによる人種差別的な襲撃事件に対して、ロニー・ドネガンら著名なスキッフル・アーティストを含む27人が抗議の声を上げたことである。

この背景には、マルクス主義の歴史家、エリック・ホブスボームの従兄弟、デニス・プレストンの尽力があった。

プレストンは、英国のブラック・ミュージックの発展において重要人物のひとりとされ、スキッフルの最初のEPである、バンドと同名の「ロニー・ドネガン・スキッフル・グループ」をプロデュースした人物でもあった。プレストンは「異人種間の友好を願うスターたちのキャンペーン（Stars Campaign for Interracial Friendship、通称SCIF）」を設立し、スキッフルミュージシャンによる、慈善公演の開催や、スキッフル・ジャズ・クラブで「我々の目的は、人種間の理解を促進し、人種に関する無知を追放すること。口頭や書面による抗議によって社会的偏見と戦うこと。メンバー個人の人種関係を通じて一般市民の模範となること。人種差別の嫌悪を公表するためにあらゆる手段を用いること」と記された新聞を制作、配布した。

SCIFは、英国初のアーティスト主導の反人種差別・反ファシスト運動として注目を集め、20年後には、パンクスによる人種差別に反対するロック《ロック・アゲインスト・レイシズム》（RAR）や反ナチス同盟《アンチ・ナチ・リーグ》（ANL）によって再び取り上げられることになる。

スキッフルはこのように、イギリス史上、初めてのDIY、反階級、反プロフェッショナリズム、反人種主義といった点でパンクシーン醸成の下地を形成したのである。もちろん、スキッフルが人間関係や日常生活について歌う、楽観的でナイーブなものであったのに対し、パンクは、不満のある若者たちが自分たちの生活について辛辣な歌を歌い、はるかに怒っていたのは間違いない。しかし、両者には様々な接点があったことは事実である。

パンクの直接的な音楽の系譜であるインヴェイジョン・ロックを代表するビートルズのポール・マッカートニー、ジョージ・ハリスン、ローリング・ストーンズのミック・ジャガー、レッドツェッペリンのジミー・ペイジ、ザ・フーのロジャー・ダルトリーらがスキッフルからの影響に言及している。[69] この後、アメリカのロックンロール旋風によって、スキッフラーのトミー・スティールはロックへと転向し、イギリスで初めてのロックンローラーとなった。そして、元ヴァイパーズ・スキッフル・グループメンバーから成るシャドウズを従えたクリフ・リチャード、ビリー・フューリー、マーティ・ワイルドの活躍へと受け継がれていく。

最後に、パンクファッションにおけるルーツとして、このスキッフルやロックンロールと関係のあるサブカルチャーを紹介して終わりにしたい。

テディ・ボーイズ

サブカルチャーは、ロックンロールから派生したと思われがちである。しかし、イギリスでは、それを受け入れる素地はすでに存在していた。第二次世界大戦で戦勝国であったが経済的に困窮していたイギリスは、戦後、負債による国家破綻を避けるため、戦時中からの配給制度を1954年まで9年間継続していた。イギリスのサブカルチャーの胚胎は、この時期にヤミ市で暗躍したスピヴを契機としている。彼らはチカーノと呼ばれるアメリカのメキシコ系移民やアフリカ系アメリカ人の着ていたズートという派手なファッションスタイルを模していた。
スピヴたちが40代から50代の年齢層であったの対し、新たに現れたのがノワール映画から名付けられたコッシュ・ボーイズであった。彼らの中でも新しく、より目立ったファッションスタイルのものが、エドワーディアンと呼ばれ、後にテディ・ボーイズと名付けられた。

このテディ・ボーイズのスタイルはマルコム・マクラーレンとヴィヴィアン・ウエストウッドが経営していたブティック、レット・イット・ロックに取り入れられたことで、セックス・ピストルズを介して世界的に知られることになる。このファッションはその名の通り、エドワード王朝時代のファッションを模したもので、当時の一般的な男性用ジャケットの丈の長さに対して、10センチ近くも長いものや、パンツはハイウエストで足元にかけて細くなるシルエットで、それに合わせてクレープソール（レース状のゴム）の靴を合わせていた。ラバーソールの名で知られるこの靴は、１９４９年にノーサンプトンシャーのジョージ・コックス社が「ハミルトン」のブランド名でイギリスで生産したものであった。50年代前半にティーンエイジャーの間で人気が高まっていたダンス「ジャイブ」を磨き上げられた床で踊るのに、通常のレザーソールよりも高いグリップ力を発揮したために好んで履かれたものだった。[70]

このエドワード朝様式の服装は、多くのイギリス人に帝国主義の栄光の時代を呼び起こす象徴となったと同時に、国家の緊縮財政への非難と反抗とみなされた。

彼らの名がイギリスで広く知れ渡ったのは、テディ・ボーイズが起こした「クラパム・コモン殺人

図8 テディ・ボーイズ
（写真：Joseph McKeown、1954）

事件」であった。数週間のうちに、国中のダンスホールには「エドワード王朝時代のドレスを着た若者は入場できません」「エドワード王朝時代の服、ゴム底の靴はお断りします」と張り紙された。[71] このテディ・ボーイズは当時流行していたエルビス・プレスリー、ビル・ヘイリー、スキッフルの人気と結びつき、戦後の英国で音楽、ファッション、セックスが結びついた、初めてのサブカルチャーとなったのである。[72]

第7章　ガレージ

ブリティッシュ・ロックの侵略以前、アメリカではインストゥルメンタル・ロックとガレージロックが生まれていた。この二つは後に、ブリティッシュ・インヴェイジョン・ロックとアメリカの前衛音楽とも結びついてパンクの一つの側面を形成した。両国のロックの歴史はアフリカ系移民の音楽をルーツとする点で共通し、相互に影響を与えつつも、異なる道筋を歩んできた。では、どのような経路でプロト《初期》パンクへと行き着いたのだろうか。

1950年代の終わりから60年代にかけてのアメリカのロックンロールシーンを振り返ると、そのブームはスキャンダルと共にあり、批評家たちによって、熱狂は一旦、収束したととらえられた。例えば、57年に同性愛者であることをカミングアウトし、人種主義と同性愛差別に公然と立ち向かったリトル・リチャードは、後に返り咲くも牧師へと転身した。

翌年の58年にはエルビス・プレスリーが徴兵され、しばらくシーンから姿を消した。ジーン・ヴィンセントは財政難によって家とバンドを失い、ジェリー・リー・ルイスは13歳の幼い従妹と結婚したことでラジオ放送局の間でブラックリスト入りした。59年になるとアイオワ州で飛行機が墜落し、リッチー・ヴァレンス、ビッグ・ボッパー、バディ・ホリーが死去した。チャック・ベリーは、14歳の少女を「不道徳な目的」で州境を越えて移送した罪で逮捕され、1960年にはエディ・コクランがイギリスでの交通事故により他界し、同乗していたジーン・ヴィンセントは大怪我を負った。

このような負の遺産を残しつつもビル・ヘイリー、ファッツ・ドミノ、ボ・ディドリーのようなロックンローラーたちはヒット曲を生み出していたが、徐々にビルボードはティーンアイドルや白人のポップシンガーにとって変わられた。この変貌の要因は、アメリカの人種差別政策にもあった。

すでに戦前のアメリカにおける人種差別政策には触れてきたが、差別は戦後も続いており、政府補助の住宅ローン制度や金融機関が黒人が居住する地域を融資対象から除外した「レッドライニング」を引いていた。また、白人が郊外に移り住んだのは、単に「より広い空間」や「子どものためのより良い環境」のためだけではなく、戦後のアフリカ系アメリカ人の「大移動時代」に、政治家や不動産開発業者が「アフリカ系アメリカ人が自分の地域に移り住むと、生活の質が低下し、マイホームの資産価値が下がる」という恐怖を煽ったことにあった。[73]そのため、白人が都市部から郊外に移り住み、黒人の住む都心部が白人の郊外リングに囲まれるという現在でもみられる人種分布的な構造ができ上がったのである。結果、「隔離が進むにつれ、郊外の白人が演奏する音楽は、黒人との実際の物理的交流や共同作業とはあまり関係がなくなっていった[74]」という。

こういった環境の中での当時のスタイルの変化では、ヴォーカルの代わりにオルガンやサックス、ギターでメロディーを奏でるインストゥルメンタル・ロックの台頭があった。歌詞のないインストゥルメンタル・ロックは、エネルギッシュな演奏と斬新なサウンドでリスナーの注意を引き付ける必要があったため、「イントロ」には、有名な歌のカバーや、特殊な効果音（シャウト、口笛、笑い声、キャットコール）などが用いられた。

ほとんどのインストゥルメンタル・ロックの曲は基本的に同じスタイルを踏襲していたが、リー・アレンが1957年にヒットさせた「ウォーキン・ウィズ・ミスター・リー」のように泣き叫ぶサックスが特徴的なものや、1959年にビルボードで1位となったデイヴ・ベイビー・コルテスの「ザ・ハッピー・オルガン」、ジョニー&ザ・ハリケーンズの「レッド・リヴァー・ロック」など、オルガンが主役となるものもあった。その中でも大きなインパクトを残したものが、リンク・レイの「ランブル」や、1958年にヒットしたデュアン・エディーの「レベルー・ラウザー」などのギターを使った曲だった。[75]

エディはテクニックとサウンドエフェクトによる「トゥワンギー」な音を作り出し、レイも、ギターでディストーション、パワーコード、極端なトーンといった実験を行い、エレクトリック・ギターのサウンドを革新的な技術で改変し、「ギター・ヒーロー」の地位に上り詰めた。

この当時、インストゥルメンタル・ロックに限らず、ロックンロールをアメリカの若者に広めた他の要因の一つに、バラエティ番組にミュージシャンが出演したことがあった。1957年に全国放送を開始したABCTVは、MTV[76]の原型である番組『American Bandstand』を開始した。他にも、テレビドラマ『陽気なネルソン』の主人公が、ファッツ・ドミノの「I'm Walkin」のカバーを歌い、大ヒットしたことで、ミュージシャンとしてもデビューし、アメリカのティーンに大きな影響を与えていた。

このロックンロールの流行は、1950年代から60年代にかけてのアマチュア・ミュージシャンの数、楽器の売上げの増加にも表れた。『ビルボード』誌に掲載されたレポートによると、その数は1950年では300万人だったものが、1967年には約5倍の1540万人に増えている。演奏に使われる楽器の売れ行きもそれに比例した。[77]

この背景には、日本からの安価な輸入品楽器の流入と、ギターは演奏を簡単に習得できるという理由があった。[78] バンドは「誰かの家のガレージで練習するのが一般的で、そのサウンドはガレージの未完成な内装のように粗野で洗練されていないことが多かったため、後付けで「ガレージ」のレッテルを貼られるようになった」。[79]

このブームによってアメリカでもＤＩＹ精神が醸成された。

ガレージシーンの台頭

１９５０年代後半にガレージシーンの中でも最も早く評価されたバンドが、インストゥルメンタルを中心に構成されたワシントン州タコマのザ・ファビュラス・ウェイラーズ（The Fabulous Wailes）である。彼らは自身のレーベル「Etiquette Records」を創設し、自らレコーディングを行い、ライブ会場を借り、宣伝のためのポスターを印刷した。そして「ウェイラーズ・ハウス・パーティー」を主催するためにコカ・コーラの販売機まで手配した。[80] まさにバンド自身の手によるＤＩＹの先駆けである。

１９６０年3月、当時のロック・バンドがほとんどＬＰをリリースしていなかった時代にアルバム『ザ・ファビュラス・ウェイラーズ』をリリースした。

日本でも人気のあるベンチャーズは、後に、このアルバムから4曲をカバーした。さらに、『ヒット・パレード』誌はこのアルバムを「モダン・ブルースやサンフランシスコ・シーンが登場する前の、白人ロック・インストゥルメンタル・グループによる最高のＬＰ」と評している。[81]

このアルバムの売り上げは低調だったものの、アメリカでのガレージブームを後押しした。

このウェイラーズの影響を超え、後にパンクの始祖と評価されることになるのが、ワシントン州シアトルのガレージサウンドを最も過激に極めたザ・ソニックスであった。近くの空軍基地から発せられる航空機の衝撃音、ソニックブームから借用されたザ・ソニックスは、「Etiquette Records」がめぼしいバンドを探し求めていた時に発見され、すぐに契約することになった。

ザ・ソニックスのガレージを訪れたウェイラーズのメンバーは、これまでにない激しいサウンドとボーカルの叫び声に触れ、衝撃を受けた[82]。

1964年11月にシングルとしてリリースされたザ・ソニックスの「The Witch」は2万5000枚以上を売り上げ、音楽史上、初めてパンクの原型が現れたといわれている。

ポピュラーミュージック音楽史家のピーター・ブリーチは、ザ・ソニックスの曲の一つ「Strychnine」を取り上げ、マイナースケールのコード進行による不気味な雰囲気の中、ドラッグの快楽についての歌詞に、ハードでスピーディーなロックサウンドをのせたと説明し、「誰もその呼び方を知らないうちにパンク・ロックを発明した[83]」と評している。さらに、この根拠のひとつとして、世界で最も多くカバーされたロックソング「Louie Louie」をザ・ソニックスが荒々しくカバーしたことを、「その後の10年を経て現れるパンクの先駆者であるイギー&ザ・ストゥージズ、MC5、ニューヨーク・ドールズ、パティ・スミス・グループ、ザ・クラッシュ、ブラック・フラッグがザ・ソニックスの「Louie Louie」に間違いなくオマージュを捧げていた[84]」と指摘している。

このザ・ソニックスの「野蛮」なサウンドと「サイコチック」な歌詞のスタンス

図9　ザ・ソニックス

はイギー・ポップやジョーイ・ラモーンだけでなく、カート・コバーンにまで言及されている。[85]

ブリティッシュ・インヴェイジョン

アメリカのガレージバンドは、１９６４年のビートルズの侵略に伴うメディアの熱狂によるセカンドウェーブが起きるまで、しばらく全国的な注目を集めることができなかった。[86] ブリティッシュ・インヴェイジョン・ロックの歴史をもう一度整理してみると、１９５０年代初頭から中期にかけてのスキッフル、そして１９５０年代後期のロカビリーの影響を受けた音楽へと連なり、１９６０年代にはR&Bやエレクトリック・ブルースが加わるというのが基本的な流れである。つまり、イギリスのロックンロールは、アメリカのロカビリースタイルの直接的な模倣から、それをR&Bをベースとしたスタイルへと修正する方向に進んだのである。

この二つの様式の違いは、国家の織りなす社会的成層の違いと音の構成にあった。ジェームス・ペローネはブリテッシュ・インヴェイジョン・ロックスターたちの成功に関して、アメリカとは異なる性質をいくつか挙げている。

一つは、ブリティッシュ・インヴェイジョンを構成したミュージシャンたちは、概して労働者階級の出身であり、かれらはスキッフルや初期のロックンローラーから学んだDIY精神で自らの環境を整え、そして、シーンで成功することを、貧困からの脱却ととらえていた。[87] 二つ目としてイギリスにはアメリカと異なる社会階級制度があり、労働者階級の彼らは社会の主流から疎外されていることへの共感をアフリカ系アメリカ人に見出し、ブルース・ミュージックへの評価と親近感を抱いていた。[88]ブリテッシュ・インヴェイジョン・ロックスターたちは、歌の中で貧困やイギリスの社会階級制度に内在する差別を明確に扱うことはしなかったものの、様々な制約から脱却したいという願望があり、それは、戦後間もない50年代に成長したティーンたちが楽器を手にする重要な原動力であった。

三つ目は、バンドたちがイギリス国内のクラブだけでなく、ロンドン周辺の軍事基地を定期的に回ったことや、ドイツのハンブルグにライブのために長期滞在したことで、特定の曲に限らず、多種多様な観客が求める、あらゆる種類の音楽に精通する必要に迫られたことがあった。[89]この経験が彼らのスタイルに多様性をもたらしたのである。[90]

そして、音の構成に関しては、ブリティッシュ・インヴェイジョン・ロックの曲は「リズムギターによる和音演奏は、分割された一連の音、しばしば一小節で一つの音に分割、演奏され、それにお決まりのゆったりしたベースと切れのよいドラムを背後に伴っている。これにより、ロックの一枚岩的な特徴とはまったく異なる効果が生まれている。ロックのリズムセクションでは、一つの楽器が他の楽器と重複することによってではなく、三つの楽器の相互作用によってビートが生まれるのだ。リバプール・ビート（ブリティッシュ・インヴェイジョン・ロック）のこの柔軟性は、ロックに比べてより広い範囲の拍子や曲のスタイルに対応しうることを意味した[91]」とデイヴ・レインは説明している。

メディアと資本

アメリカのポップカルチャーの中で、ブリティッシュ・インヴェイジョン・ロック・ミュージシャンをスターダムへと押し上げた要因の一つが、テレビ番組への出演であった。これはイギリスから始まっていて、何百万人もの視聴者が彼らのパフォーマンスと、熱狂した聴衆を目の当たりにしていた。1964年の2月にビートルズがアメリカのエド・サリバン・ショーに登場した際には、総人口の60％以上の約7300万人が視聴したといわれている。[92] そして、1964年から65年にかけてブリティッシュ・インヴェイジョン・ロックがアメリカのラジオを席巻すると、インストゥルメンタルがチャートから姿を消し、ガレージバンドが台頭した。

ビートルズの成功は、特定のレコード会社だけでなく、音楽業界全体に利益をもたらした。レコードの売り上げは全体的に上昇し、世界の音楽市場におけるイギリス企業の価値を高め、1970年代に入ると、アメリカのメジャーレーベルにとってイギリスは、アメリカの音楽を売る市場というよりも国際的なスターの可能性を秘めた人材を釣り上げる「タレントプール」としての役割を果たすように変化した。そのため、多くのアメリカのレコード会社は、それまでのライセンス供与をやめ、イギリスに支社を設立した。

1970年代のポピュラーミュージックの構造はビートルズによって基礎付けられ、レコーディングのプロセスそのものにも影響を与えた。世界的にヒットすれば、莫大な報酬が得られるため、メジャーレーベルはアーティストや作品の制作に多額の投資を惜しまず、その多くは、レコーディングスタジオに費やされた。その結果、ミュージシャンにとっての成功は、品質の優れた音楽を録音するためのスタジオ費用を十分に調達できる、メジャーレーベルや大規模なインディペンデント・レーベルに、自分の作品が商業的に成立することを納得させる方向へとシフトした。[93]

これは、パンクが生起する反動の一つとなった「プログレッシブ・ロック」を産む土台となる。つまり、プログレッシブ・ロックというジャンルは「生演奏よりも録音された音楽の優位性を強調し、音楽の素晴らしさを、録音スタジオにおける細部への細心の注意（時間がかかり、それゆえに費用がかかる）と、技術資源を最大限に活用すること」で、「大手企業の優先順位にミュージシャンを従わせる支配力によって、「資本集約的」な道を歩むこと」になったのである。[94]

このプログレッシブ・ロックは、ジョニー・ロットンの「ピンク・フロイドなんて大嫌い」というTシャツや、上述した技術力や資産力によってパンクの対抗的なジャンルとして描かれることがしばしばだ。しかし、初期のパンク・ミュージシャンの多くは1970年代後半から1980年代前半といったパンクシーンが主流を占めた時代でも、パンクバンドよりも、AC／DC、チープ・トリック、ジミー・ヘンドリックスといった主流のハードロックを聴いていたことを公言しており、ドン・ボレス（ジャームス）、キース・モリス（ブラックフラッグ、サークル・ジャークス、オフ！）、ジャック・グリシャム（T.S.O.L.）らはプログレッシブ・ロックの大ファンであった。[95]

アメリカの前衛

民俗音楽学者で、パンク研究も行っているエヴァン・ラポールは、アメリカのパンクを「前衛的な手法を用いて人種差別や郊外生活を批判・風刺し、ベトナム戦争やヒッピーの理想主義の失敗、工業化や郊外化によってもたらされたアメリカの生活の変容、そして戦いに傷ついた市民運動に直接反応する、国産の実験主義の一部」[96]と表現している。この実験主義を担ったのが、レジデンツ、キャプテン・ビーフハート（ドン・ヴァン・ヴリート）、DEVO、クローム、ペル・ウブ、ロサンゼルス・フリー・ミュージック・ソサエティ（L.A.F.M.S）といったバンドたちで、彼らが、アメリカにおけるポピュラーミュージックの素材を解体し、ユーモアのセンスを加えたり、レコード産業からの独立などを通じて、パンクへの道を切り開いたとされている。

　このバンドたちは、ビーフハートをインスピレーション源として結び付き、ＤＥＶＯ、レジデンツ、クロームといったバンドたちはカリフォルニア、オハイオ、ミシガン地域のシーンに集結していた。そして、このネットワークには、スロッビング・グリッスルやキャバレー・ヴォルテールといったイギリスのバンドも含まれていて、１９７０年代後半から１９８０年代前半にかけて、イギリスのパンクシーンと結びついていった。これらのバンドは、パンクジン『Search & Destroy』で取り上げられたことでさらに関連視されるようになった。また、美大とも関係が深く、例えば、L.A.F.M.S.のメンバーや、クロームのデーモン・エッジはカリフォルニア・インスティテュート・オブ・ザ・アーツ（カルアーツ）でハプニングの創始者といわれる、アラン・カプローから現代アートを学んでいた。ＤＥＶＯのマーク・マザーズボー、ジェラルド・カザレも、ケント州立大学で、アラン・カプローが学内の木にドル札を貼り付けた「Graft」や、ロバート・スミッソンの「Twenty Truckloads of Earth on an Abandoned Woodshed」「Partially Buried Woodshed」といった作品をみて、実験的な手法を用いた現代アートを認識していた。[97]

　ビーフハートの１９６９年のアルバムはブルースをベースとしつつも、フリー・ジャズや民俗音楽、現代音楽の不協和音が混成していた。視覚的にもパンクの先取りが垣間みえており、トラウト（鱒）のマスクのレプリカというアルバム名、トラウトのマスクをつけたビーフハートのアルバムのジャケット、そしてバンドメンバーには偽名が使われていた。

1970年代前半に活動を始めたレジデンツも、ダダからインスパイアされた衣装や、ポピュラーミュージックにおける資本主義と人種主義の絡み合った特徴として、ファシストの図像、人種的に明らかな声色の使い分け、イデオロギーのシンボルを露骨に流用するなどした。彼らは当時のロックンロール文化における「真面目さ」や「本物」をパロディ化したのである。このシーンの中のバンド、ペル・ウブはそのバンド名からもわかるとおり、ダダやシュールレアリズムへ影響を与えたアルフレッド・ジャリの戯曲『ユビュ王』から借用されている。

ケント州銃乱射事件をきっかけに結成されたDEVOは、脱進化を掲げ、資本主義、ユートピア主義、ブルジョア社会に対するダダの反応になぞらえ、アメリカの白人郊外に蔓延していた誤った理想を風刺した。

1973年に結成されたミシガン大学を拠点とするアンチバンド・アート集団、Destroy All Monstersは、現代アーティストで、正常、異常の境界を問うたマイク・ケリーが参加しており、実験的なノイズを奏でていた。

前衛の持っていた、難解な音楽スタイルもパンクへの影響があり、例えばジョニー・ロットンはたびたびビーフハートのアルバムの影響を挙げ、PiLのスタイルにはそれが表れている。また、ストゥージズの最初のレコードに収録されている「We Will Fall」は10分以上あり、ハーフ・ジャパニーズの最初のアルバムは実験音楽に近い3枚組であった。このスタイルの影響は、ニューウェーブ、DNAといったノー・ウェイヴ、ローファイ・ミュージック、グランジにも受け継がれていく。

ノイズ

70年代前半から半ばにかけて前衛的なロック・ミュージシャンに強い影響を与えた要素は、ノイズであった。具体的には、シンセサイザーで生成されたホワイトノイズや、1960年代の「ニュー・シング」や「フリー・ジャズ」の演奏から流用されたサックスの即興演奏である。これらは、白人の住む郊外の対極にある放置された都市空間や、アメリカの中西部のラストベルトの衰退に対するサウンドトラックとして転用された[98]。

アメリカの前衛音楽は、ポピュラーミュージックとアメリカが作り出した白人神話、居住者のほとんどが白人で占められている郊外の環境とそこにおける文化の欠如、そして消費主義が白人の主観を作り出していることについての問題も提起していた。換言すれば、前衛音楽のもつ批評性の奥底には、アメリカの抱える人種差別の問題も含まれていたのである。

パンクとガレージ

1965年5月、ローリング・ストーンズのヒット曲「(アイ・キャント・ゲット・ノー) サティスファクション」がきっかけとなり、ファズトーンがギターのエフェクトとして用いられるようになった。これ以前にもガレージバンドたちはスピーカーに負荷をかけたり、荒々しい音色作りにいそしんでおり、1960年代初頭にはリンク・レイが「ランブル」のレコーディング前にアンプに穴を開け、ザ・ソニックスのラリー・パリーパもそれに追従した[99]。このファズトーンも後に「パンク」という概念と結び付けられるようになる。そして歌詞には、「協調性のない女の子」や「面倒な親」「社会的な制約」が歌われていて[100]、エフェクトを利かした大胆で騒々しい音楽を演奏しながら、自らの疎外感と不満を表明していた。

当時の批評家は、この60年代のティーンエイジャーを中心としたガレージロックのミュージシャンを指して「パンク」という未熟さの意味も持つ言葉で彼らを蔑称した[101]。

20年以上ガレージシーンについて研究を行っているマイク・マルケシッチは、『Who Put the Bomp』１９７１年秋号でのグレッグ・ショーの記事を引用し、パンクという呼称は「60年代半ばに10代のバンドが作った白人ハードロック音楽」を分類するために使われた「パンクロック」という言葉に起因すると説明している[102]。

１９６６年後半になると、アメリカ西海岸に起きたヒッピー・ムーブメントの影響により、ガレージミュージックにサイケデリックな性質が現れるようになる。このシーンは、ガレージに求められていた踊るための音楽（ボディ・ミュージック）から、内省的な聴くための音楽（ヘッド・ミュージック）へと移行させた。歌詞は、外部への反抗から、心の状態を考察するものになった[103]。

１９６７年以降、ガレージバンドはミュージシャンたちの大学進学や結婚、出産、ベトナム戦争での徴兵などにより減少していった。内陸部に住む多くのローカルバンドは、１９６８年から70年代初頭まで、初期のスタイルで演奏し続けたが、自分たちのコミュニティの外に出ることはなかった。しかし、これで完全に廃れたわけではなく、ＭＣ５、ストゥージズ、ドアーズなどが所属していたレーベル、Elektra Records の創設者、ジェイ・ホルツマンが、60年代のガレージシーンのコレクションを１９７２年に企画した。ホルツマンはパティ・スミス・グループのギタリスト、レニー・ケイに依頼し、『ナゲッツ：オリジナル・アーティファクト・フロム・ザ・ファースト・サイケデリック・エラ 1965–1968』を編集し発売した。売り上げは芳しくなかったが、R.E.M.、トーキング・ヘッズ、ラモーンズなどが、このアルバムから大きな影響を受けた。実際、このアルバムはストゥージズやヴェルヴェット・アンダーグラウンドの作品と共に、パンクやニューウェーブの主な始祖の一つとして言及されることも多い[104]。

プロトパンク

アメリカでは1960年代後半から70年代前半にかけてガレージとは異なる新しい領域に踏み込んだ「プロトパンク[105]」と後に呼ばれるバンドたちが現れていた。彼らはアウトサイダーを自覚しており、「ラブ&ピース」に抵抗して郊外の疎外感と都市の荒廃を表現し、剝き出しで洗練されていない美的感覚をロックに導入した。

ポップアートの巨匠、アンディ・ウォーホルによってプロデュースされたヴェルヴェット・アンダーグラウンドは、60年代のガレージロックに回帰しつつも、前衛的で、実験的なサウンドに付して同性愛、性的倒錯を歌い、プロトパンクにとどまらず、その後のインディーミュージックやロックの展開にも影響をもたらした。

その少し後、デトロイトではボビー、ダニス、デヴィッドのハックニー3兄弟によるアフリカ系アメリカ人による最初のパンクバンド「デス」が活動を始めた。同地では、マネージャーのジョン・シンクレア[106]がホワイト・パンサー党に関与してい

図10　CBGB

たことから、ロックンロールの革命家としての評価を得たＭＣ５も活躍する。シンクレアによれば、パンクの本当の祖先は、ＭＣ５やストゥージズではなく、同時代のパンクバンド、ザ・アップだとしている。[107] そしてストゥージズは、ヴェルヴェット・アンダーグラウンドのジョン・ケイルのプロデュースによりデビューし、ステージパフォーマンスでの奇抜な行動や歌詞が注目を集めていた。

オクラホマ州では、サイケデリックなアート・パンク・ロックと呼ばれたデブリスが誕生した。ニューヨークではマルコム・マクラーレンがマネージメントに関わった、ニューヨーク・ドールズ、パフォーマンス・アートやノイズを導入したスーサイド、セックス・ピストルズへの誘いを断り、後にハートブレイカーズを結成するリチャード・ヘルが参加しているテレビジョンが登場する。さらに彼らの重要な舞台となり、それに続くパンクスたちのステータスのシンボルとなるライブ会場、ＣＢＧＢが１９７３年にニューヨークにオープンした。

また、１９６５年にすでにオープンしていたマクシズ・カンザス・シティでもプロトパンクスが演奏を始めていた。後述するラモーンズは１９７４年に結成され、ＣＢＧＢを舞台に活躍することになる。

オハイオ州クリーブランドでもこのブームが起きており、ロケット・フロム・ザ・トームズ、ミラーズ、エレクトリック・イールズといったバンドが、怒りに満ちたプロトパンクを演奏していた。[108]

このプロトパンクは、１９７５年、76年頃に前衛と深く結びついて一つの方向性とスタイルをもったムーブメントにまとまり、「ニューウェーブ」とも呼ばれるようになる。「パンク」と「ニューウェーブ」という言葉は当時ほとんど同じ意味で使われ、両者は、それまでのメインストリーム・ロックに取って代わる新しいシーンと見なされた。この名称は１９７５、６年以降、イギリスとアメリカで異なる意味合いをもつようになる。[109] 1975年にニューヨークを拠点とするレッグス・マクニールとジョン・ホルムストロムがパンクジン『Punk』を創刊したことでパンクがジャンルとして認知されたことや、[110] イギリスでセックス・ピストルズが引き起こした様々な暴挙によって一部のミュージシャンが「パンク」から離れ、自分たちの作品を「ニューウェーブ」に分類し直すことで汚名を返上し、メディアやライブのチャンスを確保しようとしたことが要因であった。[111]

イギリスのプロトパンク

ブリティッシュ・インヴェイジョン・ロックによってガレージシーンが再燃し、その後、プロトパンクがアメリカを席巻し始めた頃、パンクへと展開するイギリスのミュージックシーンはどのような状況にあったのだろうか。

1970年代初頭にはイギリス人の生活空間の一部であるパブでパブロックが演奏されていた。パブロックはイギリスのパンクシーンの土台の一つといわれている。しかし、パンクへの連続性よりもむしろ、親近性とシーンを取り巻く環境がパンクに影響を与えていた。

パブロックのスタイルは1970年代初頭のメインストリームであったポップソングや、高い演奏技術と高品質の機材のあるスタジオで作り込まれたロック、そしてミュージシャンと観客の間の距離への対抗といわれている。音楽的には、さまざまな種類があったが、共通していた点はアフリカ系アメリカ人の音楽スタイル、アメリカの黄金期のロックンロール、そしてビートルズやローリング・ストーンズといった、ライブを主として活動していた頃の美徳[112]への回帰があり、技術よりも演奏のダイナミズムに重点が置かれていたことである。そして、それぞれの独自の表現がそこに加わっていた。プロトパンクや初期のパンクに影響を受けたパブロックバンドは、激しさと速さを組み合わせており、パンクジン『スニッフィン・グリュー』のマーク・ペリーがパブロックのいくつかをパンクの一部に分類していたことにも表れている。

パブロックの初期のバンドには、ビーズ・メイク・ハニー、ブリンズリー・シュウォーツ、ドクター・フィールグッド、そしてエディ&ザ・ホット・ロッズがいた。その後は、イアン・デューリー、エルヴィス・コステロ、パンクに衝撃を受けてザ・クラッシュへと分岐するジョー・ストラマーが所属していたThe 101'ersが活動していた。

パブロックの会場は、レコード業界に無視、軽視された様々なタイプの音楽のためのオープン・スペースとしての機能も持っており、この時期の約10年ほど前に、フォーク・クラブがジャンルに限らず多種多様なミュージシャンに会場を提供したことと共通していた。実際、パブロックの重要な会場であるナッシュビル・ルームでは１９７６年初頭になると、セックス・ピストルズ、ストラングラーズ、ダムドが演奏する[113]。

パブロックがもたらしたパンクへの影響は、音楽とステージのみならず、その後に続く、重要なパンクレーベルの先駆けとしての在り方にも現れていた。

元々パブロックのレーベルとして始まったチズウィックとスティッフは、このシーンで商業的に成功できなかったため、分野を広げることになり、結果としてパンクバンドを多くリリースすることになる。これらのレーベルは大手レーベルが必要とした、高価なプロダクションやプロモーションスタッフなどチャート重視の諸経費を必要としなかったため、シングルで２０００枚という「損益分岐点」での仕事を可能とするインディペンデント・レーベルの経済学を誕生させた。このやり方は、後に続く、ベガーズ・バンケット、ロー、ラフ・トレード、ズームといった重要なイギリスのインディペンデント・パンク・レーベルの先駆けとなった[114]。

パブロック以外でパンクに影響を与えたイギリスのミュージックシーンでは、サード・ワールド・ウォーがＭＣ５のような左翼的で革命的な「一種のマルクス主義的ヘビーメタル」[115]を表現していた。他にもハリウッド・ブラッツがニューヨーク・ドールズに対するイギリスからの返答といわれ、ダダから引用されたキャバレー・ヴォルテールは電子機器を組み入れた音響実験を行っていた。そして、スロッピング・グリッスルの前身であるパフォーミング・アート集団、クーム・トランスミッションは１９６９年には既に始動していた。このように、イギリスでもアメリカと並行した活動が同時期に行われていたのである。

パンクの形成

パンクの標準的なストーリーは、イギリスとアメリカの白人からの観点である、ブリティッシュ・インヴェイジョンの流れに沿い、無視、あるいは過小評価されていたアメリカの音楽がイギリスに渡り、非常に大きな成功と影響力を持ち、新たに「パッケージ」（アメリカ人がイギリス人の音楽を表現するのによく使う言葉）化された後、またアメリカへと戻るというものであった。

イギリスのパンク・ロックと、それに先立つアメリカの「パンク」という概念との間には、大規模産業と化したポピュラーミュージックやロックの現状に対する敵意という共通点があったが、両者の違いはどのようなものだったのだろうか。

アメリカのニューヨークでは、プロトパンクから、「プロト」が外れた「パンク」としてラモーンズやニューヨーク・ドールズが迎えられていた。

1976年7月4日にラウンドハウスで行われたラモーンズ、ザ・フレイミン・グルーヴィーズ、ストラングラーズのライブには、ザ・クラッシュやセックス・ピストルズのメンバーが観客として参加しており、イギリスのパンクシーンを生み出すきっかけ、あるいは第一の火種とみなされている[116]。

ラモーンズはイギリスのパンクの音楽性に影響を与えた「小節に合わせて8つのリズムを刻んだ[117]」、ポップで疾走感に溢れた短くシンプルな構成で、プログレッシブ・ロックの複雑さと対置するかのようなスタンスであった。

ファッションスタイルにおいても、統一されたレザージャケット、Tシャツ、破れたジーンズ、スニーカーといった現在まで続くミニマルなパンクスタイルの原点となった。さらにラモーンズの曲はイギリスのパンクジン『スニッフィン・グリュー』のタイトルにも引用され、創刊号の「1976年のパンク・ロックとは何か」では旗手とされていた[118]。この影響は90年代のメロコアやポップパンクにも現れていて、現在まで続くパンクシーンのフォロワーを見る限り、計り知れないものがある。

ザ・クラッシュのジョー・ストラマーは1972年にニューヨーク・ドールズがイギリスのテレビ番組で行ったパフォーマンスがパンクの「種をまいた」と指摘する。じじつ、「スリッツのパルモリヴとアリ・アップはこの公演で女性だけのバンドを結成することを決め、レインコーツのアナ・ダ・シルヴァとシャーリー・オラフリンは洗礼を受けた気分で公演を後にした[119]」と振り返っている。

図11　ラモーンズ

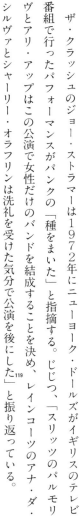

グラムロックの影響を受けていたニューヨーク・ドールズは、ハイヒールを履き、口紅を塗り、ジェンダーフリーなファッションを身にまとい、薬物、アルコール乱用と暴力沙汰でアメリカの評論家から「新しいパンク」と称されていた。後にセックス・ピストルズのマネージャーとなるマルコム・マクラーレンは、1975年にニューヨーク・ドールズのマネージャーを引き継ぐためイギリスからアメリカに渡った[120]。

マクラーレンは、彼らを中国の文化大革命のイメージに置き換えた。ボーカルのデビッド・ヨハンセンが小さな赤い旗を振ってステージに登場するも、すぐに解散する。このニューヨークのパンクシーンを目の当たりにしたマクラーレンは、同年イギリスに戻り、「セックス・ピストルズ」を組織することになる。この後、蔑称として付けられたパンクという呼称は、一つのジャンルとなりイギリスを席巻し、世界にも衝撃を与えることになった。

一方で、アメリカのパンクシーンへのイギリスからの影響として、1977年4月にCBGBで行われたダムドのパフォーマンスがある。ザ・プラネッツのビンキー・フィリップスによれば、これが「パンクがアメリカで正式に誕生した夜」であり、そのライブにはヴェルヴェット・アンダーグラウンド、ニューヨーク・ドールズ、ラモーンズ、すべてのニューヨークのバンドが観客として訪れていたという。このライブを目撃したザ・シミュレーターズのデニース・メルセデスは、ダムドの演奏が始まった瞬間、「これこそ自分がやりたいことだと思い、人生が変わった」と語っており、ニューヨーク・ハードコアの契機の一つともいわれている[121]。

このようにイギリスとアメリカは常に相互に影響を与えあっていたが、イギリスのパンクシーンがアメリカと異なる点として挙げられるのが、アメリカのパンクスのほとんどが中流階級育ちであったの対し、イギリスは「より自覚的にプロレタリア的」なものだったことがある。また、アメリカのパンクスは、イギリスに比べ、階級に関する怒りよりも、郊外という環境を拒絶する表現であると理解されていた点にあった。

DEVOのジェリー・カザレは、「子どもには遊ぶためのおもちゃがたくさんあり、父親が欲しいもののために資金を出してくれる」アメリカに対し、「はるかにファッション意識が高く、貧しかった」イギリスは、不況に見舞われた人々の共鳴があったと述べている。つまり、アメリカでのパンクファッションは自由と個人的な表現の一側面であり、イギリスのような労働者階級の背景や、アイデンティティの反映、グループ識別のためのコスチュームに縛られるものではないと考えられていた。また、イギリスのパンクスがアメリカの黒人の源流を自らのルーツとして認めていることに対して、アメリカのプロトパンクスの多くがアフリカ系アメリカ人の源流を認めず、イギリスを起源として位置付けることを好んでいた[122]。

次は、このイギリスで起きたパンクシーンの影響について、これまでの先行研究を挙げながら、比較検討しつつ進めていく。

第8章　パンク

パンクの何が世界に影響を与え、問題を提起し、人々の心をここまで惹きつけてきたのだろうか。白人という観点から見たパンクの音楽的なルーツは、アメリカのガレージシーンから発生した。しかし、マルコム・マクラーレンがアメリカからイギリスへと持ち帰り、セックス・ピストルズとして結実したものは、国境、言語、世代を超え、ジャンルを横断し、音楽だけの文脈にとどまらず、アート、ファッション、文学、さらに生き方にまでに引き継がれている。ここでは、セックス・ピストルズを起点としつつも、パンクがイギリスでどのように現れ、何が新しく、どういった影響を社会に与えたのかを振り返り、その意味とパンクの拠り所について紐解いていきたい。

しかし、マルコム・マクラーレンやヴィヴィアン・ウエストウッド、セックス・ピストルズといったパンクの中心人物たちの物語は、すでに多く書かれており、パンクファンにとっては定番と化している。したがって本章では、これまで国内ではあまり紹介されていない、パンクやパンクが引き起こした社会的な影響が、どのように分析されてきたのかを主に紹介したい。

はじめに、先行研究者がどのようにパンクを分析してきたかを理解してもらうために、パンクというサブカルチャーを初めて真面目に取り上げた「カルチュラル・スタディーズ」と呼ばれる学問の説明から始めよう。

カルチュラル・スタディーズ

カルチュラル・スタディーズが、サブカルチャーを分析的なアプローチで取り上げたのは、シカゴ学派と呼ばれるアメリカの社会学者たちの研究が最初であった。[123] 彼らの研究は、都市の文化における、ギャングや逸脱行為に焦点をあてたものだが、初めから「若者文化」に着目したわけではなかった。１９５０年代にティーンエイジャーが台頭し、彼らが独自の文化としてのサブカルチャーを表現し、同時に現れた非行性について、人々が懸念を抱くようになったことで、若者の分析も含まれていく。シカゴ学派で社会学者のＡ・Ｋ・コーエンは、社会の中で個人がステータスを欠いている場合、彼らは集団化し、新しい規範を作り、自らの地位を主張するためにハイカルチャーとは異なる代替的な様式を身につけることを指摘した。

イギリスでは１９６４年にリチャード・ホガード、スチュワート・ホールによって設立された文学を研究するバーミンガム大学現代文化研究センター（ＣＣＣＳ）で、マルクス主義の階級闘争におけるアントニオ・グラムシ[124]の理論である文化的ヘゲモニー（覇権）を通してサブカルチャーを研究する動きが現れた。グラムシによれば、文化とは異なる階級がヘゲモニーを獲得するために、常にせめぎ合い、調停される闘争の場なのである。

カルチュラル・スタディーズの分析対象は、文学から大衆文化にまで押し広げられ、多角的な視点から分析された。社会学、メディア論、文化人類学、記号学、そして階級闘争の文脈で社会をみたマルクス主義の政治、経済学が用いられ、戦後のハイカルチャーやエリート文化、ブルジョア文化に対抗するサブカルチャーも射程に含まれた。そこでは戦後、イギリスに現れたテッズ、モッズ、スキンズ、パンクス、ラスタといった視覚的にも特徴的な労働者階級の若者の社会的少数集団を、現行の社会、政治、経済、高尚文化に対する「象徴的抵抗」の場として解釈する先駆的な理論が生み出されていった[125]。

この理論の中でサブカルチャーは、若者が自らを表現する方法として、行動パターンやファッション、バイクといったアイテムを通して、独特のスタイルを築いていると定義されている。このようにカルチュラル・スタディーズは、サブカルチャーの音楽、ファッション、言語、社会的空間がどのように形成されたのかを検討、分析したのである。本書の主題であるパンクをはじめに研究対象として取り上げたのが、カルチュラル・スタディーズの代表的な理論家のひとりであるディック・ヘブディジ[126]である。

ヘブディジは、サブカルチャーの中にヘゲモニーに対抗する「さりげない体制拒否の意思表示」を見出した。若者のスタイルの変容は「自然に抗し」「平準化」プロセスを拒絶し、「声なき多数者」に対する挑発的な抵抗の身振りであると指摘した[127]。

しかし、ヘブディジは後にセックス・ピストルズのシド・ヴィシャスとナンシー・スパンゲンの破滅的な交際とその後の死について振り返り、若者文化と抵抗との関係性を否定しながら、「反体制的サブカルチャーという概念はパンクと共に成長し、パンクと一体化し、そしてパンクと共に死んでいった[128]」とその後の可能性について放棄してしまった。

本当にパンクは死んだのだろうか。

これは当初のカルチュラル・スタディーズが見過ごしてしまった、人種、性差、性的マイノリティへの眼差しと重なっているようにもみえる。またアナキズムとパンクの意識的な接合についてはどうだろうか。

本書は、この「パンクの死」に対して異義を投げ掛けるものでもある。この問題は、本書第4部以降で検討していく。

とはいえ、このカルチュラル・スタディーズは依然として影響力を保っており、当時の政治的・文化的な歴史の一部を形成しただけでなく、サブカルチャーが潜在的に抵抗のスタイルを供与しているという主張は、現代におけるパンクの読み解き方を形作ることにも大きく貢献している。[129]

それではこの理論を用いて分析されたパンクに関する諸説を参照しつつ、イギリスで発生したパンクシーンをみていこう。

セックス・ピストルズ

セックス・ピストルズはチェルシー地区のキングスロードにあったマルコム・マクラーレンとヴィヴィアン・ウエストウッドが経営するブティック「SEX」を拠点として始動した。マクラーレンは、この店に出入りしていて、後にセックス・ピストルズのドラマーとなるポール・クック、ギターのスティーブ・ジョーンズから、何度もバンドに関わるように呼びかけられたことから始まった。[130]

マクラーレンは、ブティックでバイトをしていたアートスクールの学生、グレン・マトロックをこの二人に紹介し、ベースが加わることになる。

セックス・ピストルズには、マクラーレン、ウエストウッド以外に、クリエイティブな面で関わった重要な人物が他にもいた。マクラーレンの旧友で、彼らと共同でアイディアを考えていた、アートスクール出身者のバナード・ローズとセックス・ピストルズのデザインを担当した、同じくアートスクール出身者のジェイミー・リードである。

ローズは店に出入りしていたジョン・ライドン（ジョニー・ロットン）に声をかけ、ボーカルのオーディションを受けるきっかけを作った。ライドンの参加が決まると、4人のメンバーは1975年11月6日にセントラル・セント・マーチンズ・スクール・オブ・アートでセックス・ピストルズとしてデビューをする。

セックス・ピストルズの曲の一つ「アナーキー・イン・ザ・UK」は、反キリスト、アナキストが宣言され、テロリストの頭文字（IRA、UDA、MPLA）を連呼し、最後に「イギリスかと思ったぜ」と大英帝国史を皮肉った。またエリザベス女王の即位25周年を祝うムードの中で出された曲「ゴッド・セイブ・ザ・クィーン」では反君主制を唱え、保守政権を水爆とファシストになぞらえ批判し、「イギリスには未来がない」と喝破した。

一見、ニヒリスティックに響くこの歌詞は、彼らの現状への怒りであるが、それはネガティブなだけではなかった。なぜなら、若者が体験している困難な状況の要因を露わにし、その破壊へと人々を扇動したからである。これがセックス・ピストルズが生み出した政治性の一端である。

この背景について文化研究者のポール・ギルロイは、1976年のノッティング・ヒル・カーニヴァルで起きた黒人による暴動[131]の影響からとらえている。

暴動は、戦闘的なレゲエビートを流すサウンドシステムの前で行われ、音楽という文化的表現と政治行動の結びつきを白人の若者へと示したという。また、若い黒人集団が警察を打ち負かした都市の叛乱者だと彼らに印象付けたことも、パンクスの感受性に羨望とインスピレーションをもたらしたと指摘する。じじつ、この羨望は後にザ・クラッシュによって「白い暴動」として歌われている。

セックス・ピストルズのボーカルであったロットンは、幼少期に患った髄膜炎の後遺症から、焦点を合わすために大きく目を見開き、猫背の影響か、手長ザルのようにマイクに覆いかぶさるスタイルで労働者階級のアクセントを叫んだ。このロットンのスタイルは、それまでのブリティッシュ・ロック・シンガーの標準的なアプローチであった、アメリカの黒人ブルースの声の模倣への決別であった。このスタイルは、ブリティッシュ・パンクの最も明白で劇的な変化だといわれている。

さらにロットンのスタイルは、周囲を威嚇しているかのようであり、時に挑発的な態度で観客を罵倒し、乱闘が引き起こされた。セックス・ピストルズのライブは、この暴力と緊張感を常に孕んでいた。

セックス・ピストルズは活動中に様々な事件を起こしたが、パンク＝ならず者といった印象を決定づけたのが「グランディー・ショー事件」と「ゴッド・セイブ・ザ・クィーン事件」である。

グランディー・ショー事件は、１９７６年12月1日にロック・バンド、クィーンの代役としてセックス・ピストルズのメンバーと彼らの取り巻き、ブロムリー・コンティンジェントが急遽生出演したテレビ番組「Today」の中で起きた。番組の司会者である、ビル・グランディーがメンバーを煽り、ジョーンズがそれに応えて放送禁止用語を連発したため、直後に視聴者から抗議が殺到した。翌日の新聞でも大々的に報じられ、この影響によって、セックス・ピストルズはＥＭＩから契約を解除され、メンバーは常にメディアに追われることになる。

ゴッド・セイブ・ザ・クィーン事件は、１９７７年のシルバー・ジュビリーの祝典の同時期、５月下旬にリリースされたシングルをきっかけとして起こった。リードのデザインした女王を中傷するスリーブに包まれていたシングル・レコードは、業界の策略によってチャートのトップになるのを阻まれ、ラジオは放送を拒否し、多くの小売業者も仕入れをとりやめた[132]。セックス・ピストルズはこのシングルのプロモーションのため、テムズ川で「クイーン・エリザベス号」に乗船してライブを行った。しかし、川辺で待ち受けていた警察と小競り合いが起き、コンサートを企画したマクラーレン、ウエストウッド、リード、バンドの関係者を含む11名が停泊後に逮捕された。

超党派の議員グループによって「ゴッド・セイブ・ザ・クィーン」は販売禁止運動に晒され、セックス・ピストルズのメンバーと関係者は、右翼の暴漢に襲われ負傷した。この二つの事件はマスメディアによって大々的に書き立てられ、一般大衆のモラル・パニックを加速させた。

ジョン・サヴェージは、ゴッド・セイブ・ザ・クィーン事件の影響を、あらゆる媒体の阻止にもかかわらず商業的な面で成功したことを挙げ、セックス・ピストルズが「統計的にみれば少数だが、人口の重要な層（若者）が自分の懐と夢を賭けて投票する結集点を作り出し、それに世界が注目した[133]」と称えている。つまり、レコードを選んで買うことが、社会を変えるような政治的行為という「消費を通した抵抗」となったのである。

一方でデイヴ・レインは、このモラルパニックが、パンクが私的には簡単にアクセスできる反面、公的には隠されるという対比によって「排他主義」というパンク・コミュニティの独立した傾向を強めたと指摘する[134]。セックス・ピストルズの登場は、主流派のミュージシャンがこれまで辿ってきた成功へのステップとは別のルートを生み出したが、同時に保守的な傾向も生まれ、パンクに対する白人異性愛者の音楽というイメージもついていく。また、彼らのＤＩＹの呼びかけや、メインルートを迂回した方法は、現在まで続く、独自のマーケットシーンを形成することにも繫がった。この傾向は、アメリカとは、どのように異なっているのだろうか。

パンク・マーケット

サイモン・フリスによれば、アメリカでは、1970年代中期にパンクの曲がDIYにより全国市場へと到達するためには、イギリスよりもずっと多くの出費が必要であり、ラジオへのアクセスはさらに限られていた。そのため、アメリカのメジャーレーベルは、商業的な成功を第一の目標とし、イデオロギーとしてのパンクを効果的に排除したという。[135] 換言すれば、アメリカのパンクはメジャーレーベルによってコマーシャーライズされたのである。

一方、イギリスでは、作り手が買い手をコントロールするアメリカとは異なり、レコードを買うことは、客の表現であるという考えが根底にあった。例えばラフ・トレードといったオルタナティブなレコード会社は、オルタナティブな店舗を持っており、そこで、オルタナティブなレコードを売るという「スモール・イズ・ビューティフル」な生産システムを構築していた。[136] またラジオに関してもBBCから絶大な信頼を得ていたジョン・ピール[137]によって、多くの無名パンクバンドが発掘されていた。このようにアメリカと比較するとイギリスでは、コマーシャルに限らず幅広い様々な音楽がメインストリームと並行して存在していた。

そしてレコーディングに関しても、これまでのポピュラーミュージックが主に録音された音楽であり、レコード自体がライブよりも大きな経済的報酬をもたらすという前提に対し、イギリスのパンクは、この優先順位を逆転させ、ライブを通じてアイデンティティと評価を確立していったのである。

パンクと社会背景

セックス・ピストルズはマトロックが作曲し、ロットンが歌詞を書き、マクラーレンがそれらをマネージングした。ロットンが歌詞の中で何度も繰り返し強調した否定の接頭辞は、グリール・マーカスが表現する「否定とは、常に政治的なもの」[138]という社会の混乱と不況の時代に即した感性をストリートにもたらした。

この政治性は、ロットンだけのアプローチではなく、マクラーレン、ウエストウッド、ローズ、リードも抱いていた。[139]後にマクラーレンから離れたローズは、ザ・クラッシュを通して自らの左翼思想を描き直すことになる。この急進的な政治性は、1968年5月にフランスのパリで起きた五月革命や、後述するシチュアシオニスト・インターナショナルの影響もあったが、当時のイギリスの社会情勢も少なからず影響していた。

1970年代のイギリス社会は「英国病」に侵された「ヨーロッパの病人」という陰鬱なイメージによって形容されていた。[140]第二次世界大戦後、これまでの保守、労働の二大政党による、合意点を見出しつつ折り合いをつけながら政策を検討していく「コンセンサス・ポリティクス」と、資本主義が引き起こす格差への是正として「大きな政府」が積極的に介入し、「福祉国家」へと途を開いた「ケインズ主義」という二つの潮流が行き詰まりを見せていた。

その理由としてあげられているのが、インド、南アフリカから始まったイギリスの旧植民地国の独立である。また戦前と変わらぬ大国としての地位を維持するため、過剰な軍事費を出費したことや、福祉の面でも「ゆりかごから墓場まで」という政策を掲げ、財政負担が増加したことも要因となっていた。

産業の分野でも、戦後に復興し急成長を遂げていた日本や西ドイツに対して遅れを取っていた。この経済面での打開策として、これまでのアメリカ重視の姿勢から、ヨーロッパへと経済関係の比重を分散することも余儀なくされ、ヨーロッパ共同体（ＥＣ）へとイギリスは加盟した。さらに、１９７３年には、第四次中東戦争を機に起きた、オイルショックが経済面で追い打ちをかけ、インフレが加速し、失業率が増加していた。

70年代のイギリスは、相対的に見れば他の先進国と同様に経済成長はしていたが、国際的な地位から凋落し、大英帝国は終焉を迎えたという感覚が人々にもたらされていた。[141]

この動揺はこれまでの二つの歩みを揺るがし、すべてを市場原理主義へと還元する新自由主義路線へと導いていく。そして１９７９年、保守党のサッチャー政権が政治舞台へと登場する。

このような社会情勢の変化において、最も影響を被ったのは労働者階級や移民であった。セックス・ピストルズのメンバーは、全員が労働者階級を公言していた。個々の物語にはグラデーションがあり、中流、労働者階級と一括りに一般化はできない。しかし、多くの歴史家が指摘するように、イギリスは歴然たる階級社会である。じじつ、歴史家のセリーナ・トッドは「一生懸命働きさえすれば誰でも成功できる「実力主義」からはほど遠く」現在でも「努力よりも生まれが重要な社会[142]」だと指摘している。そして、格差の拡張と共に人々はさらに分断されつつあることを懸念している。[143]

一方でアメリカのパンクスは、そのほとんどが中流階級の郊外出身者で、人種問題の比重が大きく、階級意識は希薄であった。

このイギリスの環境について、文化研究者のディック・ヘブディジは「パンクスたちは、増加する失業率、道徳基準の変化、貧困の再発見、不況などに直接対応しただけでなく、ロック・エスタブリッシュメントの一般的なレトリックとは対照的に、紛れもなく適切で地に足の着いた言語を構築することによって「イギリスの衰退」と呼ばれるようになったものを劇場化した[144]」と明確に表現している。換言すれば「セックス・ピストルズは、ほとんどのロック・アーティストが作り出すファンタジーの世界ではなく、カウンシルフラット（低所得者向けの公営住宅）での生活をそのまま反映[145]」していたのだ。

サヴェージもまた、ある意味でイギリスでは1977年まで第二次世界大戦が続いていたとし、その理由を「私たちが生活している経済システム—商品資本主義—は、第二次世界大戦中のアメリカ経済を「平時」に適応させた直接の産物である」と説明する。その状況を「（商品）回転の速さ、即座の陳腐化（購入した製品がすぐに旧モデルになり消費を促すことを指している）、大量生産が軍備ではなく、使い捨てにされる消費者に表現されている」と指摘した。そして、パンクは、戦後のコンセンサス・ポリティクスがもたらした忍耐を美徳とし、同調圧力をもった精神に対して、現実に起きているイギリスの衰退を大衆の顔につき返したと、その契機をとらえている[146]。

じじつ、セックス・ピストルズのメンバーはインタビューで自らの非行を臆面もなく語り、ヒッピー、長髪、パブロック、保守性といったものを否定し、「故意に冒瀆し、進んで自ら追放者を引き受けた[147]」。

しかし彼らは、ただすべてを否定していたわけでない。例えばロットンは、「おれたちをみて何かを始めてほしい、そうでなければ時間を無駄にするだけだ」と人々に自律を呼びかけた[148]。多くの若者はすぐに応答し、イギリス中でパンクバンドが結成され、多くのレコードがセルフリリースされた。このようにセックス・ピストルズはパンクを通して、DIY精神を普及させたのである。

パンクのネーミング

パンクと他のポピュラーミュージックとの違いに、バンドやメンバーの特徴的な名称がある。それは「既成の意味や価値観のヒエラルキーを何らかの形で覆すこと」[149]を目的としていた。例えばセックス・ピストルズのメンバー、ロットン（腐った）、ヴィシャス（意地悪）といった名前を見れば明らかなように、パンクスは「選ばれしもの」の名前ではなく、「呪われし者」の名前を好んで付けていた[150]。これはバンド名にも共通している。また、「パンク」それ自体も語源を遡ると、ネガティブと反逆的な意味を持っていた。少し長くなるが、レインの緻密な研究調査を引用してみよう。

「この言葉の最も古い用例は1596年の「売春婦」である。その後、腐った木片、花火の火種、中国のお香、そして20世紀に入ってからアメリカでは、価値のないもの、特に同性愛者を指すようになった（1917年）。ユージン・F・ランディは『アンダーグラウンド辞典』で「パンク」の意味として、「弱い者、同性愛者、卑怯な方法で報復する者」の3つを挙げている。そして、「パンク」が現代まで生き残ったのは、アメリカ英語の中にであった。イギリスでの唯一の用法は、サマセット州の子ども向けのハロウィンの風習にみられる「民俗的」なものの中であった……。

1976年に『メロディ・メーカー』に寄せたヴァル・ウィルマーは、黒人刑務所の囚人の間で同じ意味が流行していたと述べている。「パンク」がこうした専門的で周縁化された言説から「スラング」としてアメリカの言語学的に主流なものへと移行する際にも、言葉のみずみずしさは保持された。ダシール・ハメットやレイモンド・チャンドラーの世界である１９３０年代から１９４０年代の探偵・ギャング文学では、若さあふれるガンマンが「パンクス」と揶揄されることがあった。

この「逸脱した」セクシュアリティの言説から侮辱の言葉への移行は、イギリス英語における「Bugger」という言葉の歴史と並行していた。そして「Bugger」がその侮蔑的な用法において、愛情という要素で和らげられることがあったように、「パンク」はより中立的な感情的意味合いをもつようになった。それゆえ、この言葉は１９５０年代のジェームズ・ディーンやマーロン・ブランドといった新種（ニューブリード）の若い俳優を表現するための言葉の一つとなったのである。これらの俳優とエルビス・プレスリーのようなロックンローラーとの間にしばしば指摘される関係が「パンク」をポピュラーミュージックのスタイリスティックな用語の一部としたのである[151]」。

このように、パンクはネーミングにおいても、既存の価値の転換が込められていたのだ。それは、ファッションにもあてはまった。

図12　セックス・ピストルズ

パンクファッション

マクラーレンとウエストウッドが作り出したフェティッシュかつショッキングなファッションは、

セックス・ピストルズを通してストリートへと持ち込まれた。

二人のブティック[152]は、バンドを文化的、政治的な記号の数々で包むことで、パンクを破壊と混乱の場として位置付けることに貢献した。[153]このブティックから生まれた服や小物は、あからさまな性的表現やフェティシズム、ナチス、マルクス、スペイン内戦時のアナキスト、ブエナベントゥーラ・ドゥルティ、シチュアシオニストやキング・モブといった急進的かつ、過激な政治思想、反宗教、バイカー、ロックンロールが混在しつつ、並列に扱われていた。中でも性的な表現に関してマクラーレンは、シチュアシオニストやカウンターカルチャーの世界で再評価されていたドイツの精神分析家ヴィルヘルム・ライヒの、社会の問題の根底には性的抑圧があるといった言説を取り上げ、「英国生活に焼き付けられた抑圧的な態度に正面から立ち向かう理論的根拠を与えた[154]」とその影響を振り返っている。

彼らの用いた洋服の生地は「カットアップ」されて縫い戻され、裏返され、穴が開けられ、安全ピンで繋がれ、鋲が打たれた。素材は、ビニール、レザー、ガーゼといったシースルーのものや、大きな網状に編まれたモヘアニットといった身体が露出するものが用いられ、アクセサリーは安全ピン、剃刀の刃、工業用のチェーン、ビニール、プラスチックが使われ、鮮やかに染められた髪、スパイクヘア、後にモヒカンといった特徴的な身体表現と組み合わされていく。

例えば「アナーキー」シャツは、レーニンが着ていたピンホール・ラウンド・カラーシャツを裏返し、強制収容所風のストライプで脱色し、シチュアシオニストの68年5月のスローガン「Only Anarchists are Pretty（元はAll the revolutionaries are pretty）」がステンシルされ、カール・マルクスと卍のワッペン、「カオス」の腕章で飾られた。ウエストウッドはこのスタイルを「対立の装い[155]」

と呼び、ディック・ヘブディジは「商品の再配置と再文脈化[156]」と名付けた。つまりパンクは、シチュアシオニストのように交換価値のない生活用品をファッションへと転用したり、ダダのコラージュのように組み合わせた「下品なデザイン」や「派手な色」そして正反対のイデオロギーのシンボルを掛け合わせることで、音楽と共に「ノイズ」や「カオス」を社会に投影したのである。それは「禁じられた事柄（階級意識、差異意識）」を「禁じられた形式（服装や行動規範の違反、法律違反など）[157]」で表現する「リボルティング（不快な）・スタイル」を生み出した。

ロラン・バルトの記号学の観点に引きつけてみると、モード（流行）が「健康であり、道徳」であるならば、パンク・ファッションは、意図的な「流行遅れ」であり、「病い、もしくは堕落」であった[158]。つまり、この「リボルティング・スタイル」は「社会階級の数と同じ数の衣服が存在する[159]」という「衣服の文法」をも撹乱させたのである。

このルーツは前衛芸術グループ、レトリスムのメンバーが着用していた「ザズー」と呼ばれる、ぶかぶかのズートスーツや、破れた衣類、直接書き込まれたメッセージ[160]に辿り着く。

そして、ウエストウッドとマクラーレンは、スコットランド出身でシチュアシオニストのメンバーであった、アレキサンダー・トロッキのポルノ小説や、マクラーレンが参加していたアナキスト・アーティスト・コレクティブ、キング・モブの機関紙からのフレーズを借用し衣類に描き付けていた。

余談だが、このパンク・ファッションは当時の日本にも影響を与えており、「セックス・ピストルズがシャレー（パリのクラブ・ドゥ・シャレー）に出演した頃、コム・デ・ギャルソンの東京1号店をオープンした川久保玲、また、山本耀司も、新しい服が入荷すれば、すぐに買い占めるほど熱心で、マクラーレンやウエストウッドの作品に注目した日本人デザイナーだった[161]」と指摘されている。

このパンクのファッションスタイル全体を貫く、身近な素材で作られた「ブリコラージュ」は、ファッションだけでなくパンクのデザインや、ギグやレコード店で販売、交換されたジンにもみられた。[162]

パンクグラフィック

パンクにおいて、重要な視覚芸術としての役割を果たしたグラフィックデザインは、マクラーレンの旧友であるジェイミー・リードが担っていた。

リードは、父親が英国の全国タブロイド紙『デイリー・スケッチ』の編集長を務めたジャーナリストで社会主義者であったため、幼少期から核軍縮キャンペーン（CND）を支援する抗議デモに家族で参加するなど、政治的な家庭環境で育っていた。マクラーレンとはシチュアシオニストへのオマージュとして行った、クロイドン・アート・スクールでの座り込みで共闘したことをきっかけに親交を深めた。

リードはアートスクールを卒業後、友人たちと共に、「英国で最初のコミュニティ兼リバタリアン兼アナキスト出版社の一つ」[163]と自ら評したサバーバン・プレス社を1970年に設立し、1975年までに6号を発行した。この間にリードは元SIで、キング・モブのメンバーのひとり、クリストファー・グレイの翻訳したSIのテキスト『Leaving the 20th Century』のデザインを担当した。[164]また、シャルル・フーリエ[165]、ウィリアム・モリス[166]、最左翼党派ディッガーズ[167]の指導者、ジェラード・ウィンスタンリー[168]といった英国におけるアナキストの思想家や、公民権運動、フェミニズム運動を支援するためのパンフレットや雑誌のデザインも手がけた。この際には、新聞の切り抜き、雑誌のイメージ、水彩画、インク、レタリング、リトグラフ、コラージュといった技法を用いて表現していた。

1976年、リードはマクラーレンから、「この連中（セックス・ピストルズのメンバーを指している）を捕まえた。また一緒に仕事がしたい。（Got these guys; interested in working with you again）」と短い電報を受け取る。リードはマクラーレンの構想するセックス・ピストルズについて理解すると「左翼政治からのメッセージを受け取っていない人々に直接アイディアを伝えるための完璧な手段[169]」ととらえ、「反体制的で、理論的で複雑なアイディアを明確に表現できる」作品の制作を決意した。

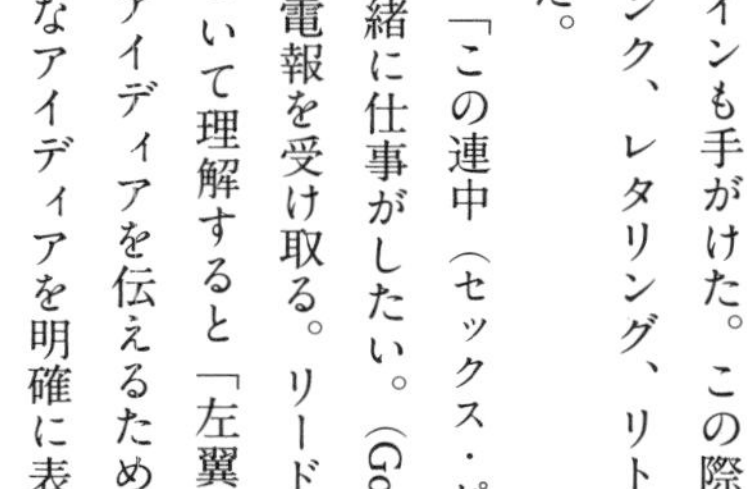

図13　《アナーキー・イン・ザ・UK》
セックス・ピストルズ
（デザイン：ジェイミー・リード、1976）

リードは、ベルリン・ダダのモンタージュや、未来派のタイポグラフィーの影響がみられるサバーバン・プレス時代の手法を用い、セックス・ピストルズのレコード・スリーブを中心として次々にデザインを発表する。デビューシングルの「アナーキー・イン・ザ・UK」では、英国の国旗であるユニオンジャックを焼いて汚損し、それをバラバラに破いて真ん中に穴を開け、全体を安全ピンでとめ直し、その上に「セックス・ピストルズ」と「アナーキー・イン・ザ・UK」の文字をクリップで取り付けた。

このイメージは、歌詞の「おれはアナキストだ」という宣言を連想させると共に、このシングルが出る少し前に起きたアナキスト集団の「怒れる旅団」による連続爆破事件を人々に彷彿させた。また、「ゴッド・セイブ・ザ・クィーン」では、ロイヤルブルーとシルバーカラーを用いて女王のポートレートを使用し、目と口を犯罪予告に似せたタイポグラフィーで覆った。このリードのデザインの影響は、今日でもパンクシーンのみならず、ファッションやデザインにも現れている。

パンクジン

（ファン）ジンの起源は１９３０年代に遡る。アメリカやイギリスのＳＦファンが、物語や批評を愛好家間で共有しようとして作ったものだ。その後、漫画、スポーツ、映画、セクシュアリティ、宗教など、さまざまな文化圏で非商業的、非専門的なジンが出現した。特にミュージックシーンはジンの活動に適した場となり、１９５０年代まで特定のジャンルやアーティストに集中した出版物が存在していた。

初期のパンク系ジンの多くは「ニューウェーブ」についてのものが多く、スタイルも、これまでの伝統に従っていた。しかし、１９７６年から77年にかけて現れたパンクをテーマにした膨大な数のジンは、それらが音楽に付随した単純な副産物以上のものとなり、１９６０年代のカウンター・カルチャーの出版物や、より長いラディカルな伝統に根ざしたサミズダート風（地下出版）のパンフレットとの区別が曖昧になっていく[170]。

初めて作られたパンクジンは前述した「パンク」の呼称を決定づけたアメリカのジン『Punk』だが、イギリスでは元銀行員で当時19歳だったサイモン・ペリーが発行した『Sniffin' Glue ...and Other Rock 'n' Roll Habits（スニッフィン・グリュー）』が１９７６年に登場したのを皮切りとしている。当時の『メロディー・メーカー』『ＮＭＥ』『レコード・ミラー』『サウンズ』といった音楽誌に代わる視点を提供した『スニッフィン・グリュー』は、労働者階級の罵り言葉、文法ミス、スペルミス、タイプミス、乱丁、訂正のための打ち消し線がそのまま残されていた。ヘブディジはこれを「緊急性と即時性……最前線からのメモ」と分析している。さらに、ジン『Sideburns』に描かれた、三つのギターコードの図と「これはコードだ。これは別のコード。これが三つ目。さあ、バンドやろうぜ」が添えられたイラストや、『スニッフィン・グリュー5』で呼びかけられた「おれたちが書いたもので満足するな。そして、パンクの言葉で市場を埋め尽くせ」は、ジンのDIY精神を象徴的に表したものだ。

パンクジンは「パンクがメディアから受けていた敵対的な、あるいはイデオロギー的に屈折した報道に対抗するために、サブカルチャー自体の中に代替的な批評空間を提供しようとした、労働者階級中心の若者文化による初めての試み[171]」であった。また「ジンは、NMEなどに否定されたバンドやシーンをカバーし、メディアの歪曲に反論し、文化的アイデンティティを再確認するために、既存の音楽プレスに代わる現実的な選択肢を提供した[172]」。

『スニッフィン・グリュー』以降も、代表的なジンとして、ジョン・サヴェージによる『London's Outrage』、また『London's Burning』『Anarchy in the U.K.』『Bondage』『Sideburns』『Fishnet stockings』、グラスゴーの『Ripped & Tone』が出版された。このジンを通したパンクスのネットワーク・コミュニティはアメリカ、隣国のフランスとも繋がり、フランスのジン

図14　『スニッフィン・グリュー』
サイモン・ペリー、1976－77

『I Wanna Be Your Dog』『Malheureusement』はロンドンにも流通した[173]。そして、アメリカでもニューヨークの『New York Rocker』、ロサンゼルスの『Flipside』『Thrasher』、サンフランシスコの『Serch & Destory』『Maximumrocknroll』、ミネソタ州のアナーコ・パンクジン『Profane Existence』が生まれた。

パンクス・スピリットの芽生え

インディペンデント・レーベル、マクラーレンとウエストウッドによるブティックや手作りのファッション、ダダやシチュアシオニスト的な手法で表現されたグラフィック、ジンは、その制作の過程も含めて、レディメイドの生産プロセスとは異なる、個々の本来持っている創造性と自律空間を日常に取り戻す、というパンクが言明したＤＩＹ精神を端的に表していた。換言すれば、資本主義のシステムから要請される労働に求められる特性とは異なる、個々のユニークなアイデンティティを立ち上がらせたのである。

さらに、パンクは若者を中心とした新たな政治的な主体も創り出した。これによりパンクスだけに限らず、サブカルチャーを生きる人々にとっても、自らのスタイルと生を肯定するものとして作用した。

セックス・ピストルズから発生し、あらゆるスタイルへと波及した「逸脱」や「反逆」の美学は、多くの共感を生み、全世界へも波及していったのである。

第3部では、パンクへと結実した、もうひとつの系譜である現代アートの歴史を追っていく。

1 「ネグロ（黒人）」という呼称は、1909年の「全国有色人向上協会」を機にカラード（有色）へと変化し、その後1950年代の公民権運動で自らを「黒人（Black）」と呼んだことで、ブラックが定着した。さらに、1970年代に「アフロ・アメリカン」、80年代後半から90年代にかけて「アフリカン・アメリカン」へと政治的な配慮により変化した。本書では、このような歴史的な流れを配慮しつつ、奴隷解放までの期間におけるアフリカ系アメリカ人は、「奴隷」と記し、それ以降は主に「黒人」、また、現在形で示す場合は、「アフリカ系アメリカ人」と記す。北村崇郎『ニグロ・スピリチュアル　黒人音楽のみなもと』みすず書房、2001、参照。

2 エリック・ウイリアムズ『資本主義と奴隷制』中山毅訳、ちくま学芸文庫、2020、p.39.

3 アミリ・バラカ（Amiri Baraka または、リロイ・ジョーンズ LeRoi Jones 1934-2014）は、詩人、批評家、大学教員、活動家。バラカのキャリアは52年近くに及び、音楽、黒人解放運動、人種差別まで多岐に渡る。マルコムXの暗殺された後、アミリ・バラカへと改名した。1967年のニューアーク暴動で逮捕された際に、法廷で裁判官によって読まれた彼の詩の中に「Up Against the Wall Motherfucker」があり、後述する前衛芸術のメンバーによってグループ名に流用された。

4 Scott, James C., *Domination and the Arts of Resistance: Hidden Transcripts*, Yale University Press,1990,p.158.

5 白人俳優が、顔を黒く塗り、黒人を貶める人種差別的な演出を行なった「ミンストレルショー」で、俳優、トーマス・ライスが演じたキャラクターの名前にもとづく人種主義制度。

6 ヘンリー・フォードは、白人の力を取り戻すという社会運動の一環として、純粋なアングロ・アメリカンの音楽形式を保存し広める運動の先頭にも立っていた。Peterson, Richard, A., *Creating Country Music: Fabricating Authenticity*, The University of Chicago Press, 1997, p.59.

7 里中哲彦、ジェームス・M・バーダマン『はじめてのアメリカ音楽史』筑摩書房、2018、pp.69-70.

8 W・E・B・デュボイス（William Edward Burghardt Du Bois 1868-1963）は、「全米黒人地位向上協会」の創始者のひとりであり、全世界での黒人解放のためのパン・アフリカ会議を主導し、アフリカ系アメリカ人の歴史上、最も早い時期に、政治的な直接行動による人種差別の撤廃を訴えた。

9 W・E・B・デュボイス『黒人のたましい　エッセイとスケッチ』黄寅秀・木島始・鮫島重俊訳、未来社、1965、

pp.314-315。

10 中野耕太郎『戦争のるつぼ：第一次世界大戦とアメリカニズム』人文書院、２０１３、p.148。

11 リロイ・ジョーンズ（アミリ・バラカ）『ブルース・ピープル――白いアメリカ、黒い音楽』飯野友幸訳、平凡社、２０１１、p.190。

12 チャールズ・カイル『アーバン・ブルース』高橋明史・浜邦彦訳、北川純子監訳、ブルース・インターアクションズ、２０００、p.70。

13 「19世紀末から南部の黒人コミュニティで、バラッド、ワークソング、ブルース、伝承曲など多彩な歌をレパートリーとしていた弾き語りの歌い手」。チャールズ・カイル、前掲、p.401。

14 薬の行商を目的とした香具師による、興行。

15 Territoryと呼ばれ、州に属さない地域。

16 チャールズ・カイル、前掲、p.73。

17 同書、p.79。

18 口誦伝承による歴史的な出来事や個人的な悲劇といった詩を、一つの旋律を何度も繰り返すメロディーにのせた歌。
Starr, Larry. and Christopher Waterman, *American Popular Music: The Rock Years*, Oxford University Press, 2006, p.12.

19 Ward, Ed., *The History of Rock & Roll: 1920-1963*, Flatiron Books, 2016, p.19.

20 Starr, Larry. and Christopher Waterman., *op.cit.*, p.12.

21 True, Everett., *Nirvana: The True Story*, London: Omnibus, 2006, p.147.

22 Rimbaud, Penny., *Shibboleth: My Revolting Life*, Edinburgh and San Francisco: AK Press, 1998, p.96.

23 水町勇一郎『労働法入門』岩波書店、２０１９、p.12。

24 P・レンショウ『ウォブリーズ――アメリカ・革命的労働運動の源流』雪山慶正訳、社会評論社、１９７３、p.42。

25 同書、p.44。

26 Burgess, David., *Workers and Racial Hate*, [May 19,1910] Published in Industrial Worker [Spokane],vol.2, no.11(June 4,1910), p.4. https://www.marxists.org/history/usa/unions/iww/1910/0519-burgess-workersandracialhate.pdf

27 後述するマルコム・マクラーレンも一時期所属していたキング・モブの理論的な支柱として活躍したチャールズ・ラドクリフ（ＳＩを除名された後に、キング・モブに参加）と共闘した。

28 Rosemont, Franklin., *Joe Hill: The IWW & The Making of a Revolutionary Working Class Counterculture*, Charles H Kerr, 2003, p.45.

29 ジョー・ヒル（Joe Hill 1879-1915）は、スウェーデン系アメリカ人の労働活動家、ソングライター。

30 Rosemont, Franklin., *op.cit.*, p.148.

31 シカゴ・シュールレアリズム・グループのフランクリン・ロズモンドはＩＷＷのメンバーであり、「リトル・レッド・ソングブック」を新たに編集し直し、「ビッグ・レッド・ソング」を発行している。また、ジョー・ヒルの伝記も執筆している。

32 Rosemont, Franklin., (et al.), *Big Red Songbook: 250 + IWW Songs!*, PM Press, 2016, p.13.

33 Ibid., p.365.

34 Ibid., p.12.

35 Ｐ・レンショウ、前掲、p.33。

36 １９２２年11月５日から12月５日までソビエトロシアのペトログラードとモスクワで開催された。ＩＷＷのメンバーでもあり、後にハーレム・ルネサンスの中心人物となる詩人のクラウデ・マッケイ、アメリカ共産党の黒人創立会員のオットー・フイスウッドがアメリカから参加し、人種問題を議題に挙げた。https://www.marxists.org/history/international/comintern/4th-congress/index.htm

37 Roy, William, G., *Reds, Whites, and Blues: Social Movements, Folk Music, and Race in the United States (Princeton Studies in Cultural Sociology)*, Princeton University Press, 2010, p.80.

38 Ibid., p.80.

39 Cohen, Ronald, D., *Depression Folk: Grassroots Music and Left-Wing Politics in 1930s America*, Univ of North Carolina Press, 2016, p.4.

40 Fredrickson, Mary., *Looking South: Race, Gender, and the Transformation of Labor from Reconstruction to Globalization*, University Press of Florida, 2011, pp.114-117.

41 Roy, William, G., *op.cit.*, p.96.

42 Ibid., p.96.

43 カール・マルクス『マルクス・コレクション５――資本論第一巻　下』今村仁司・三島憲一・鈴木直訳、筑摩書房、２００５。第23章「資本的蓄積の一般法則」を参照。

44 Cohen, Ronald., *op.cit.*, p.2.

45 Ibid., p.61.

46 メルヴィル・J・ハースコヴィッツ（Melville J. Herskovits 1895-1963）は、アメリカの人類学者。アフリカ系アメリカ人の文化の中にアフリカからの文化的連続性を見出し、探求し、文化相対主義の概念形成に与した人物。

47 Cohen, Ronald., *op.cit.*, p.87.

48 エド・ロビンはガスリーとの回顧録『わが心のウディ・ガスリ――アメリカ・フォークの源流』（矢沢寛訳、社会思想社、１９８６）を書いている。

49 Cohen, Ronald., *op.cit.*, p.117.

50 Roy, William, G., *op.cit.*, p.137.

51 Ibid., p.136.

52 Ibid., p.130.

53 Ibid., p.17.

54 https://cdm15138.contentdm.oclc.org/digital/collection/highlander/id/1918

55 https://highlandercenter.org/our-history-timeline/

56 Roy, William, G., *op.cit.*, p.184.

57 Schwartz, Roberta, Freund., *How Britain Got the Blues: The Transmission and Reception of American Blues Style in the United Kingdom (Ashgate Popular and Folk Music Series)*, Routledge, 2007, p.1.

58 Brocken, Michael., *The British Folk Revival:1944-2002*, Routledge, 2021, p.20.

59 Schwartz, Roberta, Freund., *op.cit.*, p.18.

60 Ibid., p.18.

61 Ibid., p.51.

62 Frith, Simon., and Home, Howard., *Art into Pop*, Routledge, 1987, p.72.

63 Schwartz, Roberta, Freund., *op.cit.*, p.58.

64 Ibid., p.59.

65 Ibid., p.65.

66 Bragg, Billy., *Roots, Radicals and Rockers: How Skiffle Changed the World*, Faber & Faber, 2017, p.382/647(ebook, Apple book)

67 Perone, James, E., *Mods, Rockers, and the Music of the British Invasion*, Praeger Pub Text, 2008, p.8.

68 Schwartz, Roberta, Freund., *op.cit.*, p.67.

69 Lerner, Murray & C, Paul(Directer), Amazing Journey: The Story of The Who [DVD], 2007,Universal Pictures 参照。

70 Bragg, Billy, *op.cit.*, p.170/647.

71 Ibid., p.174/647.

72 ジョン・サベージ『イギリス「族」物語』岡崎真理訳、毎日新聞社、１９９９、p.33。

73 Rothstein, Richard., Private Agreements, Goverment Enforcement. *The Color of Law: A Forgotten History of How Our Government Segregated America*, Liveright Pub Corp, 2017. 参照。

74 Rappport, Evan., *Damaged: Musicality and Race in Early American Punk (American Made Music Series)*, University Press of Mississippi, 2020, p.8.

75 Bovey, Seth., *Five Years Ahead of My Time: Garage Rock from the 1950s to the Present*, Reaktion Books, 2009, p.12/336 (ebook. Apple books)

76 １９８１年８月１日に開局した24時間ポピュラーミュージックのビデオクリップを流し続けるアメリカの音楽専門チャンネル。

77 https://teachrock.org.

78 Bovey, Seth., *op.cit.*, p.22/336.

79 Ibid., p.22/336.

80 Ibid., p.24/336.

81 Ibid., p.28/336.

82 Blecha, Peter., *Sonic Boom: The History of Northwest Rock, from 'Louie Louie' to 'Smells Like Teen Spirit'*, Backbeat Books, 2009, 位置No.1874/3376 (ebook. Kindle)

83 Ibid., 位置No.1836/3376.

84 Ibid., 位置No.2001/3376.

85 Ibid., 位置No.2029/3376.

86 Bovey, Seth., *op.cit.*, p.83/336.

87 Perone, James E., *Mods, Rockers, and the Music of the British Invasion*, Praeger, 2008, pp.5-6.

88 Ibid., pp.5-6.

89 当時のビートルズのマネージャーであったアラン・ウィリアムズが以前マネージングをしていたバンドからハンブル

クのクラブの盛況を聞き、ビートルズを送りこんだ。

90 Perone, James, E., *op.cit.*, p.52.

91 Laing, Dave., *The Sound of Our Time*, Quadrangle Books, 1970 pp.115-16.

92 Szatmary, David, P., *Rockin'in Time: A Social History of Rock-and-Roll*,6th edn, Upper Saddle River, NJ, 2007, pp.110–11.

93 Laing, Dave., *One Chord Wonders: Power and Meaning in Punk Rock*, PM Press, 2015, p.12.

94 Ibid., p.12.

95 Rapport, Evan., *op.cit.*, 2020, p.18.

96 Ibid., p.63.

97 Ibid., p.83.

98 Ibid., p.89.

99 Bovey, Seth., *op.cit.*, p.112/336.

100 Laing, Dave., *op.cit.*, p.22.

101 Bovey, Seth., *op.cit.*, p.113/336.

102 Ibid., p.227/371.

103 Ibid., p.129/336.

104 Ibid., p.209/336.

105 この「プロトパンク」という名称は、１９７８年頃にポストパンクという言葉と共に一般的に使われ始めたが、ラポールは、プロトパンクという呼称が主体化し、その背後にあるアフリカ系アメリカ人を不可視化するという歴史的な誤導をもたらすことを指摘している。Rapport., Evan, *op.cit.*, p.41.

106 ジョン・シンクレアが政治活動によって不当逮捕された際、ジョン・レノンとヨーコ・オノによってシンクレアの名前を冠した曲が作られ、シンクレアの支援コンサートで披露され、後に彼を解放へと導いた。

107 Joynson,Vernon., *Fuzz, Acid and Flowers: Comprehensive Guide to American Garage, Psychedelic and Hippie Rock*, Borderline Productions, 1995, p.1016.

108 Bovey, Seth., *op.cit.*, p.209/336.

109 Ibid., p.213/336.

110 Bimson, Joan., *Hard Wired for Heroes: A Study of Punk Fanzines, Fandom, and the Historical Antecedents of The Punk Movement,* http://

simbiosismusikalisme.blogspot.com/2012/06/more-than-just-media-essay-on-usage-of.html ＣＢＧＢの支配人であるヒリー・クリスタルは、パンクを「ストリート・ロック」と呼ぼうとしていたが、「パンク」という言葉がこのジンによって定義され流行した。この雑誌の普及に拍車をかけたのは、セブン・イレブンでの販売であり、深夜のショッピングセンターでの取り扱いもあって、『パンク』は瞬く間に1号あたり3万部を発行するまでになった。イギリスの音楽新聞はこの新しい音楽を報道し、『パンク』はイギリスでも入手できるようになった。

111 Laing, Dave., *op.cit.*, p.51.

112 Ibid., p.17.

113 Ibid., p.18.

114 Ibid., p.20.

115 Ibid., p.42.

116 Rapport, Evan., *op.cit.*, p.146.

117 Laing, Dave., *op.cit.*, p.80.

118 Rapport, Evan., *op.cit.*, p.146.

119 Perry, Mark., *Sniffin' Glue: And Other Rock 'n' Roll Habits*, Omnibus Press & Schirmer Trade Books, 2009.

120 マクラーレンがニューヨーク・ドールズのマネージャーだったという意見には賛否両論がある。メンバーは認めていないものの、かつてニューヨーク・ドールズのマネージャーであったシルヴェイン・シルヴェインは認めており、彼らの共産主義ルックに関してはマクラーレンのアイディアという意見が強い。

121 Rapport, Evan., *op.cit.*, p.146.

122 Ibid., p.139.

123 Cohen, K, A., *Delinquent boys; The culture of the gang*, Free Press, 1955 or Whyte, Foote, William., *Street Corner Society: The Social Structure of an Italian Slum*, University of Chicago Press, 1943. 参照。

124 アントニオ・グラムシ（Antonio Gramsci 1891-1937）は、イタリアのマルクス主義思想家、イタリア共産党創設者のひとり。カルチュラル・スタディーズの源流。

125 Hall, Stuart(ed.), *Resistance Through Rituals Youth Subcultures in Post-War Britain*, Routledge, 1975, 参照。

126 ディック・ヘブディジ（Dlck Hebdige, 1951-）は、イギリスのメディア論、社会学者。

127 Hebdige, Dick., *Subculture: The meaning of style*, Routledge, 2002 [1979], p.18.

128 Hebdige, Dick., *Hiding in the Light*, Routledge, 1988, p.8.

129 上野俊哉、毛利嘉孝『カルチュラル・スタディーズ入門』筑摩書房、２０００、参照。

130 Savage, Jon., *England's Dreaming*, St. Martin's Griffin, 1992[1991], p.71. または、Gorman, Paul., *The Life & Times of Malcolm McLaren: The Biography*, Constable, 2020, p.212.

131 警察による人種差別をきっかけとして１９７６年にノッティングヒルカーニヴァルで起きた暴動。３００人以上の警察官が負傷し、35台の警察車両が破損し、いくつかの店が略奪され、60人が逮捕された。

132 ロンドン・ウィークエンド・テレヴィジョン（ＬＷＴ）、テムズ・テレビジョン、ラジオ局は広告を拒否し、放送禁止となった。ＢＢＣは「極めて悪趣味」という理由で放送を拒否した（ジョン・ピールは2度流したが）。独立放送協会（ＩＢＡ）は「善良な風俗に反する、または犯罪を助長、扇動し、騒乱を引き起こす恐れがある」として、ＩＢＡ法の第４条（10）（Ａ）に違反しているため、商業ラジオ及びテレビ局での放送を禁止するよう指示した。ウールワーズ、ブーツ、Ｗ．Ｈ．スミスは販売を拒否した。Savage, Jon., *op.cit.*, p.349.

133 Savage, Jon., *op.cit.*, p.350.

134 Laing, Dave., *op.cit.*, p.51.

135 サイモン・フリス『サウンドの力――若者・余暇・ロックの政治学』細川周平・竹田賢一訳、晶文社、１９９１、p.191。

136 同書、p.193。

137 イギリスのラジオ・パーソナリティー、ＤＪ。１９６７年からＢＢＣ１において「ピール・セッションズ」という番組をもち、世界中の最先端の音楽をかけ、多くのバンドを発掘したことで知られている。

138 ＫＡＷＡＤＥ夢ムック『セックス・ピストルズ』河出書房新社、２００４、p.19。

139 Savage, Jon., *op.cit.*, pp.1-105.

140 現在は、「危機や混乱の時代」といった観点に対し、完全雇用と平等化にもとづく民衆の文化の開花と自己決定権、自己実現を追求できた時代であったという歴史家からの新しい解釈も行われている。長谷川貴彦『イギリス現代史』岩波新書、２０１７、p.99。

141 デヴィッド・キャナダイン『イギリスの階級社会』平田雅博・吉田正広訳、日本経済評論社、２００８、p.231。

142 セリーナ・トッド『ザ・ピープル――イギリス労働者階級の盛衰』近藤康裕訳、みすず書房、２０１６、p.15。

143 同書、p.399。

144 Hebdige, Dick., op.cit., 2002 [1979], p.87.

145 Laing, Dave., *op.cit.*, p.146.
146 Savage, Jon., *op.cit.*, pp.354-355.
147 Hebdige, Dick., *op.cit.*, 2002 [1979], p.109.
148 Worley, Matthew., *No Future Punk, Politics and British Youth Culture, 1976–1984*, Cambridge University Press, 2017, p.4.
149 Laing, Dave., *op.cit.*, p.62.
150 Ibid., p.62.
151 Ibid., pp.55-56.
152 １９６９年から70年、ロンドンのチェルシー地区キングスロード４３０番地のブティック「パラダイスガレージ」の裏手にマクラーレンと友人のパトリック・ケイシーによって露店が開かれた。71年、「パラダイスガレージ」の権利をマクラーレンが手に入れ、ウエストウッドと共に店を「レット・イット・ロック」と名付けた。「レット・イット・ロック」は、シュールレアリストのジャック・ヴァシェがアンドレ・ブルトンへの「戦争中の手紙」で使用し、キング・モブの「アートスクールは死んだ」のビラで引用され、ワイズ兄弟の雑誌『イクテリック』に掲載された言葉である。店のウィンドウには、50年代初頭にパリで自らのスローガンをあしらったズボンを履いたレトリストたちのスケッチが飾られていた。１９７３年には「Too Fast To Live, Too Young To Die」、74年には「ＳＥＸ」へと店名を変え、ＳＭといったフェティッシュなものからゲイ、レズビアンを取り上げたスタイルへと変貌し、内部には過激なフェミニストで、ウォーホルを銃撃したヴァレリー・ソラナスのSCUM Manifestoが描かれていた。１９７６年店名は「Seditionaries」となり、１９８０年には「World's End」となった。Vague, Tom, King Mob Echo: From Gordon Riots to Situationists and "Sex Pistols", AK Press, 2000, Savage, Jon., England's Dreaming,Faber & Faber,[1991]2005, Black Acrylic Blog, https://0black0acrylic.blogspot.com/2014/03/sex.html 参照。
153 Worley, Matthew., *op.cit.*, p.3.
154 Gorman, Paul., *op.cit.*, p.207.
155 Hebdige, Dick., *op.cit.*, 2002 [1979], p.107.
156 Ibid., p.102.
157 Ibid., pp.91-92.
158 ロラン・バルト『ロラン・バルト　モード論集』山田登世子訳、筑摩書房、２０１１、p.42。
159 同書、p.36

160 ＳＩ『アンテルナシオナル・シチュアシオニスト１　状況の構築へ』石田靖夫・黒川修司・田崎英明・原山潤一・安川慶治訳、小倉利丸・杉村昌照・木下誠監訳、インパクト出版会、１９９４、p.18。メンバーはジャン＝ミッシェル（メンション）、フレッド（オーギュスト・オメル）。

161 Gorman, Paul., *op.cit.*, p.320.

162 Hebdige, D., *op.cit.*, 2002 [1979], pp.102-106.

163 Maguirep, Vicki., *Shamanarchy: The Life and Work of Jamie Macgregoor Reid*, 2010, p.149.

164 時にリードには「シチュアシオニストという呼称が首からぶら下がっているが、私の仕事はグラフィカルに、特にシチュアシオニストによって使われた多くの政治的専門用語を単純化することだった」といい、「私は、彼らが書いたものの半分も理解できなかったので、シチュアシオニストと全面的に関わったことはない」と述べている。Vague, Tom., *op.cit.*, p.53.

165 シャルル・フーリエ（Charles Fourier 1772-1837）は、フランスの社会思想家で、アナキストやＳＩに影響を与えた。

166 ウィリアム・モリス（William Morris 1834-1896）は、イギリスのデザイナー、マルクス主義者。ジョン・ラスキンの影響のもと始めたアーツ・アンド・クラフツ運動は各国に大きな影響を与え、20世紀のモダニズム・デザインの源流を作り出した。

167 イギリスの清教徒革命における最左翼党派で、社会主義思想の先駆的な存在とされている。

168 ジェラード・ウィンスタンリー(Gerrard Winstanley 1609-1676）はイングランド連邦時代のプロテスタント派の宗教改革者、政治哲学者、活動家。

169 Savage, Jon., *op.cit.*, p.205.

170 Worley, Matthew., *History Workshop Journal, Volume 79, Issue 1, Spring 2015*, Oxford University Press p.80.

171 Hebdige, D., *op.cit.*, 2002 [1979], p.111.

172 Worley, Matthew., *op.cit.*, p.84.

173 Dunn, Kevin, C., *Global Punk: Resistance and Rebellion in Everyday Life*, Bloomsbury USA Academic, 2016, p.169.

第3部
パンクのアートにおける系譜

第9章　DADA（ダダ）

現代アートの起こり

現代アートに関連する西洋の歴史的背景は、市民革命や産業革命といった近代化と深く結びついている。市民革命以前は、西洋の人々がアーティストとして生きていくためには、その時代の権威であったキリスト教、王様、貴族といった特権階級に認められ、彼らの意向に寄り添いながら制作する必要があった。もちろん、日常生活の中では、自由気ままに表現した人は数知れない。しかし、わたしたちが美術館で目にすることのできる近代化以前の西洋の絵画や彫刻は、そのほとんどが、歴史上の表舞台や宗教、神話を題材としているし、オランダのような覇権を取った国で好まれた、肖像画や風景画、静物画も、資産家によって注文されたもので豪華絢爛を嫌ったプロテスタントの意向も反映していた。

こういった美術制度も、産業革命によって現れたブルジョア階級の勃興による権力関係の変化や、市民革命による封建主義の崩壊と、個人に付与さえた様々な権限によって変化していく。アーティストもこれまでのお抱えをやめ、自分自身のために表現するものが現れたのである。もちろん、引き続き芸術アカデミーという保守的な組織に所属し、伝統的な作品を作るアーティストもいたが、現代アートの基盤を作ったアーティストたちは、当時の社会変革と共に、これまでの決まり事をやめ、自主自律的に新しい表現を試みたのである。そして、発表の場もアカデミー（サロン）ではなく個展や、無審査のアンデパンダン（独立）系の展覧会を自由の場とし、また、それが保守化すれば、すぐに新たな場を立ち上げ、各々にあった理想を追い求めていった。

このような背景によりアーティストは、自由な表現を求めてさまざまな実験と挑戦を試みたのだが、中には自らの表現の延長に過激な政治思想や活動を見出すものもいた。それが、芸術活動と一体となり、「アヴァンギャルド（前衛）」や「モダン」といわれるラディカルな表現形態が生み出されていった。

例えば日本でも人気の高い印象派のマネや、天使を描いてほしければここに連れてこいといったクールベは、フランスでの19世紀後半のアカデミーや、王侯貴族、宗教者という権威に対する反抗としての現れでもあり、当時は一大スキャンダルとしてとらえられ、前衛部隊という意味の軍事用語であった「アヴァンギャルド」が充てられた。このように、アートは時代ごとの社会に対するアーティストの認識と反応を物語る役割も果たしてもいる。

この前衛のアートシーンが盛況を迎えた20世紀初頭のヨーロッパの社会情勢を見ると、国民を総動員させた第一次世界大戦の前後にあたり、アーティストもその影響を強く受けていた。

20世紀最初のアヴァンギャルドといわれ、これまでのアートを否定し「われわれは、唯一の衛生である戦争、軍事主義、愛国主義、アナキストの破壊的行為、死に値する美しい思想、女性軽視を賛美したい」[1]というナンセンスな宣言と共にファシズムの政治運動とも連携したのがイタリアの未来派であった。こんな未来派であるが、そのスタイルは実験音楽やタイポグラフィーといったデザインにも影響を与え、世界に波及した。

戦争による大量殺戮の遂行を賛美し盲信する未来派や、「内面化、精神的深化という口実のもとに」「評価を憧憬し、名誉あるブルジョアの認知を志願する」[2] 表現主義の態度に対し、「一切の意味の否定」を宣言し、公然と立ち向かったのが、永世中立国であったスイスのチューリッヒに集まった移民と難民、脱走兵によるダダであった。このダダこそが、現代アートからのパンクの系譜における出発点だと言われている。[3]

ダダは1916年2月にアナキストで詩人のフーゴ・バルと、同じく詩人でパフォーマンス・アーティストのエミー・ヘニングスがチューリッヒで開店したキャバレー・ヴォルテールを舞台として始まった。ここに集まったアーティストのハンス・アルプ、マルセル・ヤンコ、詩人のトリスタン・ツァラ、リヒャルト・ヒュルゼンベックによってダダは結成された。当時のスイスには戦禍を逃れた多くの知識人がすでに住んでいた。

キャバレー・ヴォルテールには、前衛的な絵画が展示され、ドラムや笛が鳴る中で複数の言語で同時に詩が朗読されるパフォーマンスや、アフリカの仮面からインスピレーションを受けたマスクをつけて踊るもの、また奇妙な衣装をまとい、言語を音にまで解体した音響詩を朗読したり、「ブルジョアを苛立たせる」といったダダの目論みが展開されていた。

同年6月にダダは同名の雑誌を刊行し、世界各地にいたアーティストに衝撃と共感をもたらした。その後、ダダは世界中の都市を中心に結成されたが、その中でも特にパンクに影響を与えたのがベルリンで起きたダダであった。

ベルリン・ダダ

第一次世界大戦の開戦とされる1914年、ドイツは短期決戦を目論み、フランスへ進軍して打ち破り、そのままロシアを叩くつもりでフランスに宣戦布告した。しかし、予定は狂い、イギリスやアメリカの参戦も招いたことで、4年間の長期戦という泥沼にはまっていく。

この大戦は技術的な進歩と相まって、それまでの人類史上最も多くの死者数と惨劇を招いた。中産階級の知識人や政治家たちは産業革命から第一次世界大戦までの間、テクノロジー、この当時でいう「機械」が暴力や貧困、病気、格差といった社会問題を解決して、ユートピア社会を実現させるという見解を抱いていた。しかしこの楽観主義は戦争により打ち砕かれた。

ドイツ国内では軍需優先の統制経済と食糧配給制度によって国民の不満が増大し、ストライキ、暴動が頻発していた。戦争の末期の1918年、海軍兵士、労働者が軍港で蜂起し、各地で「労兵評議会」が設立された。ミュンヘンでは社会主義政府が起こり、ベルリンでは共和国宣言がなされ、皇帝は亡命した。またロシアではボリシェヴィキ革命が成功し、アメリカでは大統領のウィルソンによって民主主義と新しい自由が唱えられた。

その後のアメリカとソヴィエトの二つのイデオロギーによる志向は、後の世界を二分することになる。そしてドイツは、地政学上、この二つの国の世界覇権への重要な拠点とみられていた。

図15　《ネヴァー・アゲイン》
ジョン・ハートフィールド、1932

1917年にチューリッヒからベルリンへと戻ったアーティストのヒュルゼンベックは、戦争による友人の死、人々の絶望を目の当たりにし、近代文明への怒りを吐露している。[4] 他のアーティストたちも同様で、作品の政治性を先鋭化させ、1918年にはクラブ・ダダが結成される。同年12月にはベルリン・ダダのほとんどがドイツ共産党のメンバーとなった。[5]

このメンバーには、後にパンクに視覚的に多大な影響を与えた、ジョン・ハートフィールド、ゲオルグ・グロス、ハンナ・ヘーヒ、ラウル・ハウスマンら、そして、キング・モブ、ブラック・マスク、マルコム・マクラーレンに引用されるヨハネス・バーダーがいた。

ベルリン・ダダが起こした芸術様式における革新的なものの一つが、イギリスのパンクバンド、スージー・アンド・ザ・バンシーズやディスチャージのアルバムに代表されるフォトモンタージュの手法である。ハートフィールドから借用された技法は、現在までアナーコ・パンクが用いるアートワークの定番の一つのスタイルとなっている。

この複製できる写真を使用した技法は、元来、高尚な芸術のもっていた「作品の素材の価値を貶め」さらに、それまでのアートが纏っていた誰が、どこで、どのように制作したのかといった「アウラを破壊」[6] しただけでなく、ハウスマンがいうようにプロパガンダとしての力も所有していた。[7] つまり、当時のファシズム、軍国主義、イデオロギー、資本主義の共犯関係と、そこに潜む欺瞞、腐敗を、手軽に作れるモンタージュによって暴露したのである。

一方、建築士でもあり、無政府的な運動の指導者を示唆するオーバー（日本語では、長官と訳されている）[8]・ダダと呼ばれたヨハネス・バーダーは、1906年にはフーリエの「ファランジュ」を進化させ、コンスタント・ニューヴェンホイスによるニュー・バビロンに先駆けた、戦争や民族の分断にもとづき作られた記念碑ではなく、国際的なコミュニティである神殿『全人類のためのモニュメント』を構想した。[9] この建造物は建設に100年かかり、高さはなんと1500メートルというピラミッド型のもので、「少数の優秀で、財力を持ち合わせた人のものではなく、生きている共同体全体に奉仕し、多くの人々の経済的な繋がり」で成立するアナーキーなものであった。

他にも友人のハウスマンと共に、兵役拒否をキリスト教の殉教と結びつけた脱走兵を保護する「キリスト社」を設立したり、ベルリン新聞にノーベル平和賞への要望を掲載するなどした。また1918年には革命後、初のベルリン大聖堂が開館された日曜日に、皇帝の最高牧師だったエルンスト・フォン・ドラインダーの説教を待ち望んでいた信者を前にして、「イエス・キリストはわれわれにとって何の意味もない！」と叫んだ『キリストはあなたがたにソーセージを』というゲリラ・パフォーマンスを行い、刑務所に収監された。

バーダーは、このように社会に関与する一連のパフォーマンスを先駆的に展開し、後のレトリスム、シチュアシオニスト、キング・モブ、ブラック・マスク、マルコム・マクラーレンへと引き継がれていく。

1920年には、ベルリン・ダダイストの主導により、「第1回国際ダダ見本市」展がベルリンで開かれた。そこではハートフィールドとシュリヒターによる注意書きで「革命により絞首刑」と記された豚の顔の将校の人形が天井から吊るされたオブジェや、戦争に関する新聞記事、鼠取り、火薬樽、アセチレン灯、マネキンを組み合わせたアッサンブラージュ『The Great Plasto-Dio-Dada-Drama』が展示された。

この見本市の直後、個人的な対立によりベルリン・ダダは内部分裂を迎えたが、個々の活動と運動は拡張し、その後、多大なフォロワーを生んでいく。

第10章　レトリスム

レトリスムは、国内ではダダ、シュールレアリズム研究で著名な塚原史の文献以外では、ほとんど取り上げたものがなく、あまり知られているアーティストグループではない。一方で、欧米での評価は高く、フランス語圏はもちろん、最近ではソーシャリー・エンゲージド・アートの観点からの美術史の再構成の中で、英語圏でも取り上げられるようになっている。[10]

彼らもまた、ダダの起点と同じように主に移民、特にユダヤ人の集合体で形成されており、キリスト教中心主義史観に対してアートを用いて激しい抵抗とその在り方を問うたグループであった。ここでは、このレトリスムを結成したイジドール・イズーを中心に、ダダからどのような変化を起こし、彼らの何がＳＩ、そしてパンクへと受け継がれていったのかを明らかにしたい。

イジドール・イズー

１９２５年、ジャン・イジドール・ゴールドステインはルーマニアのユダヤ人家族に生まれた。同じルーマニア出身でユダヤ人のサミュエル・ローゼンストックがトリスタン・ツァラとチューリッヒで名乗ったように、彼もまたフランスでイジドール・イズーと名乗ることになる。イズーが青春時代を過ごしたルーマニアも、第二次世界大戦によりホロコーストという狂気と惨劇を引き起こした。フランスがドイツに敗戦したことを契機にルーマニアはドイツへの追従を強め、軍事政権が誕生する。この政権には、ルーマニアの親ナチ極右政党「鉄衛団」[11]の団員が多く参加しており、反ユダヤ主義が推し進められていた。1941年、イズーは鉄衛団に捕まり拷問を受け、翌年にはユダヤ人専用の強制労働に動員された。この経験は後にイズーをシオニスト活動やユダヤ神秘主義へと傾斜させ、作品も政治的に先鋭化させた。

イギリスがアラブ、ユダヤ間で迷走し、新しいユダヤ人国家がシオニストを中心に模索されていた当時、イズーも新しい世界をどう築き上げるか思索していた。その最中、誤訳された単語を目にし、そこにツァラ、ランボーの詩との近似性を見出し、文字による詩というレトリスムの発想を思いついた[12]。

1945年、イズーはルーマニアを出てフランスへと向かう。到着してすぐ、セーヌ左岸[13]にあるガリマール出版社を訪問し、ガストン・ガリマールにインタビューをするため、ブカレストからきたと嘘を言って面談へとこぎつける。そして書き溜めた原稿、「新しい詩と音楽への序論」を渡すことに成功した。原稿はガリマールによってフランス文学を代表する文芸誌『新フランス評論』（NRF）編集長のジャン・ポーランへと渡された。後に、イズーは、ポーランの紹介により小説家のアンドレ・ジッドと出会い、「私は今、レトリストである！」と宣言された返礼の手紙を受け取った。ちょうどジッドがノーベル文学賞を受賞する一年前であった。

イズーの到着した戦後間もないパリは、ナチスへの復讐と身内から協力者を出したという自己嫌悪から、対独協力者の粛清裁判「エピュラシオン」と、その後の「野放図な追放」が吹き荒れた混沌とした時期であった。スパイと疑わしきもの、情報提供者、闇商人は捕らえられ、ドイツ兵と過ごした女性は剃髪され見せしめにされた。それは、時に群衆によるリンチを生み出した。

イズーは「戦争という血生臭いゲームの幕が下り、新しい悲劇が始まる」といい、ユダヤ人の「将来について幻想を抱くことはない」と日記に記している。[14]

パリのユダヤ人街に身を置いていたイズーは、そこで顔見知りとなった同じユダヤ人のガブリエル・ポムランとコーシャ食堂[15]でロートレアモン[16]の書籍を通して交流を深め、行動を共にするようになる。母親をホロコーストにより亡くしていたポムランは前衛的な詩、特にアルチュール・ランボーを究極の反逆者として賞賛し、権力との妥協を嫌った。

彼らは、「レトリストの独裁」を宣言するアジテーションやビラ配り、ポスター貼りという活動を開始する。左岸にたむろしていたレジスタンスの著名な詩人たちを、「自らを反逆者として神話化する利己的な美的反動主義者」と非難し、レトリスムの行動の指針として「唯一の自己防衛は攻撃だ」を唱えていた。[17]

行動と出版

レトリストたちは1946年1月、ジャン＝ポール・サルトルの実存主義運動の本部になっていたヴィユー・コロンビエ座で、トリスタン・ツァラの劇詩『逃走』がミシェル・レリスの講演付きで上演されることを聞きつけ、ゲリラハプニングのターゲットとした。『逃走』の上演中、突然大声で「レリスさん、我々はダダイズムのことを知っている、もっと新しい運動、例えばレトリスムについて話してください」「ダダは死んだ、レトリスムが乗り越えたのだ！」と叫んだ。終演後、壇上に上がったイズーは、「レトリスムの独裁」を宣言し、「ダダがフレーズから言葉を切り離したのに対して、レトリスムはさらに一歩進み、言葉から文字を切り離すのだ」と、レトリスムの詩を読み上げた[18]。

当時アルベール・カミュが編集長を務めていた雑誌『コンバット』でジャーナリストとして活動していたモーリス・ナドーが「レトリストたちがツァラを逃走させた」と書いたことでセーヌ左岸で反響を呼び、ガリマール社から『新しい詩と音楽への序論』と、イズーの自伝『一つの名前とひとりのメシアのアグレガシオン』の出版が決まった。

また同年、ポムランの講演を聞いた弱冠16歳で後に音響詩を代表するアーティストとなるフランソワ・デュフレーヌもレトリスムに共感し運動に参加する。

イズーは出版した『新しい詩と音楽への序論』の中で、レトリスムの定義について以下のように説明している。

「文字のために語の破壊を開始する。文字が語とは別の用途をもつという状況を理解させることが重要」であり「現状を転覆する力の源泉に向かって前進すること」「未知なるものを秘めた暗黒の深部へ誰よりも先に突き進むこと」が、「詩人の役割」であるとし、それによって、「新しい記号を用いた詩人のメッセージが現われる」と予言した。そして、「こうした文字の配置こそが「レトリスム」と呼ばれるのだ[19]」と宣言した。

この説明はかなり抽象的でわかりづらい。ここで少し言語学の力を借りつつ私なりの解釈を試みたい。

スイスの言語学者、フェルナンド・ソシュールは、私たちの普段用いる言語を分析するために、語を記号として「シニフィアン」と「シニフィエ」にわけて考えた。

例えば「パンク」や「亜無亜危異」という語、本書を読んでいる読者であれば、音楽の「パンク」と日本のパンクバンド「アナーキー」を連想すると思われる。しかし、一般の方は、タイヤの「パンク」を連想するかもしれず、「亜無亜危異」の方は読めないかもしれない。

このように、意味がわからず、音や形だけがわかる状態を「シニフィアン」とソシュールは呼んだ。一方、「亜無亜危異」を読めなくとも、「アナーキー」という発声音を聞いた人は「危険」「相互扶助」「テロ」「仲野茂」とそれぞれに多様なイメージを思い浮かべるだろう。

こちらをソシュールは「シニフィエ」と呼んだ。この「シニフィアン」と「シニフィエ」とが合わさったものを「シーニュ（記号）」とし、個人それぞれの考えや、文化間の差異を考慮した上で言語構造を分析した。

それでは、イズーの考える「レトリスム」にたち戻ろう。

ダダの「意味の否定」は、すべてを無に帰してしまうので、相対化したニヒリズムに陥ってしまう。それに対しイズーは、言語を一度解体、再構築し、人体から発するノイズやリズムを加え、新しい詩の形態を模索しようとした。この形式の革新とは別に、もう一つの側面を私なりに考えてみると、理性とロゴス（論証や言語）を中心として発展してきた西洋文明が戦争とホロコーストという残虐な行為に行き着いたことに対しての批判にも見えてくる。つまり、フッサールが明らかにしたように、言語は文化ごとに差異があるだけで優劣はない。しかし、第二次世界大戦へと行き着くまでの西洋における帝国主義や植民地主義の根幹にあったものは、西洋以外は劣っているといった西洋＝キリスト教が作り出した価値観だった。そこには差異を優劣化し、優れたものは異なるもの、劣ったものを支配、排除してよい、という思考があり、それがホロコーストを生んだとも考えられる。だとすれば、この悲劇は言語を中心とした合理性の帰結であるともいえる。イズーはユダヤ人としてのホロコーストの体験から、このような世界を批判的に解体、新たに再構築することを試みたのではないだろうか。また、イズーは、西洋社会が自らの根底にあると信じる民主主義についても「民主主義は常に失敗し、ユダヤ人にとっては殺人という破局に終わるもの[20]」と、多数者支配によるマイノリティ排除の矛盾を喝破している。

レトリスム映画

イズーの出版を契機に、レトリスムの活動は左岸を中心としてパリで広く認知され、多くの若者のフォロワーを生み出した。この時期、モーリス・ルメートルが加入する。ルメートルはアナキスト連盟に属し、機関誌『ル・リベルテール』に寄稿していた活動家でもあった。

その後、ギル・J・ウォルマン、ジャン＝ルイ・ブラウ、セルジュ・ベルナ、ミッシェル・ムーレといったメンバーも新たに参加した。この新メンバーによる初めての活動がノートルダム寺院でのゲリラハプニングであった。

神父に変装したミッシェル・ムーレが、セルジュ・ベルナが書いたカトリックと西洋批判、そして神の死を宣言するテキストをミサの日に読み上げた。異変に気がついた人々がムーレに飛びかかったが、信徒に扮してノートルダム寺院に潜り込んでいたメンバーと共になんとか逃げ出した。すぐにメンバーは捕らえられてしまうも、駆けつけた警察に捕まったことで難を逃れることになる。このスキャンダルはフランス語圏で大々的に報道され、新聞では、この種の極めて意図的な冒瀆行為やフーリガニズムは、左岸で自由に暮らす若者の非道徳的で反抗的な態度の必然的な帰結であるという見解が示された。[21]

イズーは自分たちを殺そうとした反ユダヤ主義の「キリスト教徒」に対する復讐と、レトリスムのメッセージが人々に伝わったことを喜んだ。

1950年、イズーは助監督にルメートルを起用し『涎と永遠についての概論』という、イズーにとって新しい芸術形態である映画制作に取りかかった。

映画はディスクレパン（矛盾した、食い違った）映画と呼ばれ、映像と音声が同期しておらず、ニュース映画からの「ファウンド・イメージ」で構成され、時にフィルムに直接描かれた絵や、引っ掻き傷が表出する反映画的な作品であった。

スタイルは、「観客に、これは現実の生活ではないこと、映画が作り出す幻想の現実を破壊することができるという、二つを同時に認識させる[22]」ことを意図していた。

『涎と永遠についての概論』は、カンヌ映画祭のコンペに出品されていないにもかかわらず、レトリストたちが一週間も関係者の会議を妨害するなどして、上映権をもぎ取り、ヴォックス映画館で上映された。

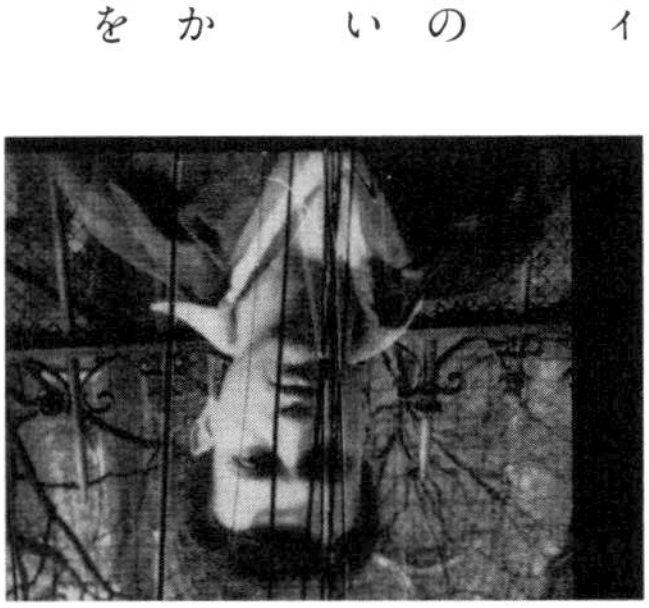

図16　《涎と永遠についての概論》
イジドール・イズー、1951

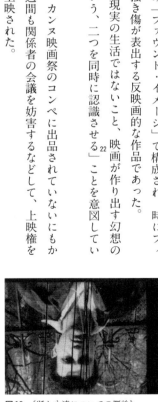

カンヌの審査員であったジャン・コクトー、クルツィオ・マラパルテらによって『涎と永遠についての概論』はアヴァンギャルド観客賞という特設の賞を受賞することになった。映画は後にパリのシャンゼリゼ近くのスタジオ・デトワールで一週間に渡って上映され、後の現代アート、特に90年代以降のビデオアートに大きな影響を与えたアラン・レネ、クリス・マルケル、そして、ジャン・リュック・ゴダール、さらにはアーティストのイブ・クラインが訪れた。

レトリスムの分裂

カンヌでの成功に触発されたイズーとルメートルは、コクトーからの後押しを受け、活動の重点を映画へと移していく。ルメートルは翌年、『映画はもうはじまったのか?』を制作する。約4分弱でルメートルがナイフでスクリーンを切り裂き、抽象的なシーンが荒々しく飛び交い、画面がオレンジ、ピンク、赤、緑に染まる生きた絵画のような作品であった。ディスクレパン映画に感化され、レトリスムに参加したのが、後にシチュアシオニスト・インターナショナルの指導者的な役割を担うギー・ドゥボールであった。ドゥボールは、カンヌで出会ったレトリスムのメンバー、マルク・オー（本名マルク＝ジルベール・ギヨミン）を介してイズーと出会い、パリに移住する。

マルク・オーは『イオン』という新しいレトリスト雑誌への寄稿をドゥボールに依頼し、イズーやドゥボールはレトリスム映画の革新性について共著を編集することになる。

1952年、ギル・ウォルマンの『アンチコンセプト』、ジャン＝ルイ・ブラウの『現代生活の操作』、フランソワ・デュフレーヌの『最後の審判の太鼓』でレトリスムは再びカンヌ映画祭に乗り込んだ。カンヌ映画祭は前年の騒動により、レトリストの参加を拒否したが、これに怒った20人ほどのレトリストたちが、プレスルームを襲撃した。しかし、結局は追い出され、11人のレトリストたちが逮捕された。

ドゥボールも1952年6月30日に処女作『サドのための絶叫』という、フランスの民法やイズーの著書『Esthétique du cinéma』、ジョン・フォードの映画『リオ・グランデの砦』、ジェイムズ・ジョイスの作品を引用し、5人の声が断続的に語りかけ、何も映らない白黒の画面が20分ほど続く実験映像を発表した。しかし、観客がスクリーンに向かって罵声を浴びせ、さらにはイズーに酷評され、盗作扱いされてしまう。ここで、ドゥボールは自分の運動を始めることを決意する。

1952年7月、表向きには『涎と永遠についての概論』の上映を手伝うためブリュッセルを訪れたドゥボールは、ギル・ウォルマンを副官として、レトリスム・インターナショナルをひそかに設立した。これはレトリスム運動の「極左」となるもので、芸術制作よりも、ノートルダム寺院襲撃計画のような直接行動を目指していた。

レトリスム・インターナショナルが最初に注目されたのが、1952年10月29日のパリのリッツ・ホテルで行われた、チャーリー・チャップリンの記者会見への妨害工作であった。

チャップリンはレジオンドヌール勲章を授与されたフランス政府への返礼を兼ねて、最新作『ライムライト』のプロモーションのためにヨーロッパを訪れていた。チャップリンは当時、マッカーシー色が強かったアメリカへの再入国を禁止されたことで、反米左派の文化的英雄となっていた。リッツホテルの外で群衆の歓声と拍手に包まれる中、ベルナとドゥボールがホテルの入り口を塞ぎ、ウォルマンとブラウが警察の列をかき分け、チャップリンへの侮辱を叫び、「私たち、若くて美しい者にとっては、苦しみの唯一の終着点は革命だ」と書かれたパンフレット『平底靴はおしまいだ』を群衆の頭上にばら撒いた。

この数週間後、パリでイズーはドゥボールに飛びかかり、地面に叩きつけた。これを機にドゥボールとイズーの関係は相互非難の応酬へと向かい、レトリスムは完全に分断されていく。

レトリスムの作品とパンクへの影響

レトリスムの作品の特徴として挙げられるのが、これまでにない前衛的な手法を用いて作られた反映画である。しかし、映画以外にも絵画やドローイングといった媒体を通じ、そのコンセプトを示していた。

例えばポムランは、『Saint ghetto des prêts』という左ページに散文詩を、右ページに絵文字を配置した、視覚的なパズル「Rebus」[23]と呼ばれる書籍を作っている。そこにはコミカルかつ巧みに表現された、砂漠の島や少女、想像上の動物、アルファベット、数式といったイメージが表現されている。ポムランはこの本を「魔道書」と呼び、読者に変容をもたらす呪文や祈祷の本であるとした。アートの文脈でこの本は「メタグラフィック」と呼ばれ、文字を「音」として使い、次に「イメージ」に変換するレトリスム独自のアイディアであった。同年、イズーも『Les Journaux des Dieux』といった本の中で、同じような表現を試みている。イズーはさらにこの表現を拡張し、写真の上に文字を描く作品や、「ハイパーグラフィック・ノベル」といった様々な色彩のテキスト、ダイアグラム、ドローイングで構成された「読めない」ながらも魅力的な暗号パズルのような作品を発表している。また、マルキ・ド・サドに影響を受けた、イズー自ら「エロトロジー」と呼んだ愛と性に関する本やエッセイも定期的に出版していた。このシリーズは検閲にひっかかり、イズーは1949年4月に逮捕され、裁判を受ける前にラ・サンテの刑務所に1ヶ月間収監された。レトリスムの同志たちによって釈放運動が起こり、アンドレ・ブルトン、レーモン・クノー、ジャン・コクトー、シモーヌ・ド・ボーヴォワールといった著名人が、有罪判決を破棄するよう求める公開書簡に署名している。

レトリスムのパンクへの影響を見ると、イズーは著書『若者の蜂起、または原子核エコノミー』で、若者と階級についての鋭い指摘をしている。社会的カテゴリーにおける若者は、第二次世界大戦までは、スポーツ、健康、社会への奉仕、そして何よりも服従と結びつけられてきたとし、若者たちがすべきことは、啓蒙への信仰を拒絶することだと説いたのである。それは、バクーニンの無産階級を新しい革命階級としてとらえたものを引き継ぎながら、後述するアナキスト・アーティスト・コレクティブ、キング・モブやプロヴォにも通底していくもので、このアイディアはブルトンからも賞賛された。

パンクファッションへのレトリスムの影響は、当時、彼らが好んで取り入れた、ジャズシンガーのキャブ・キャロウェイのスキャット歌唱を冠した「ザズー」と呼ばれる、ぶかぶかのズートスーツがある。

レトリスムのメンバーは、ブリーチしたボサボサのヘアスタイルに破れた

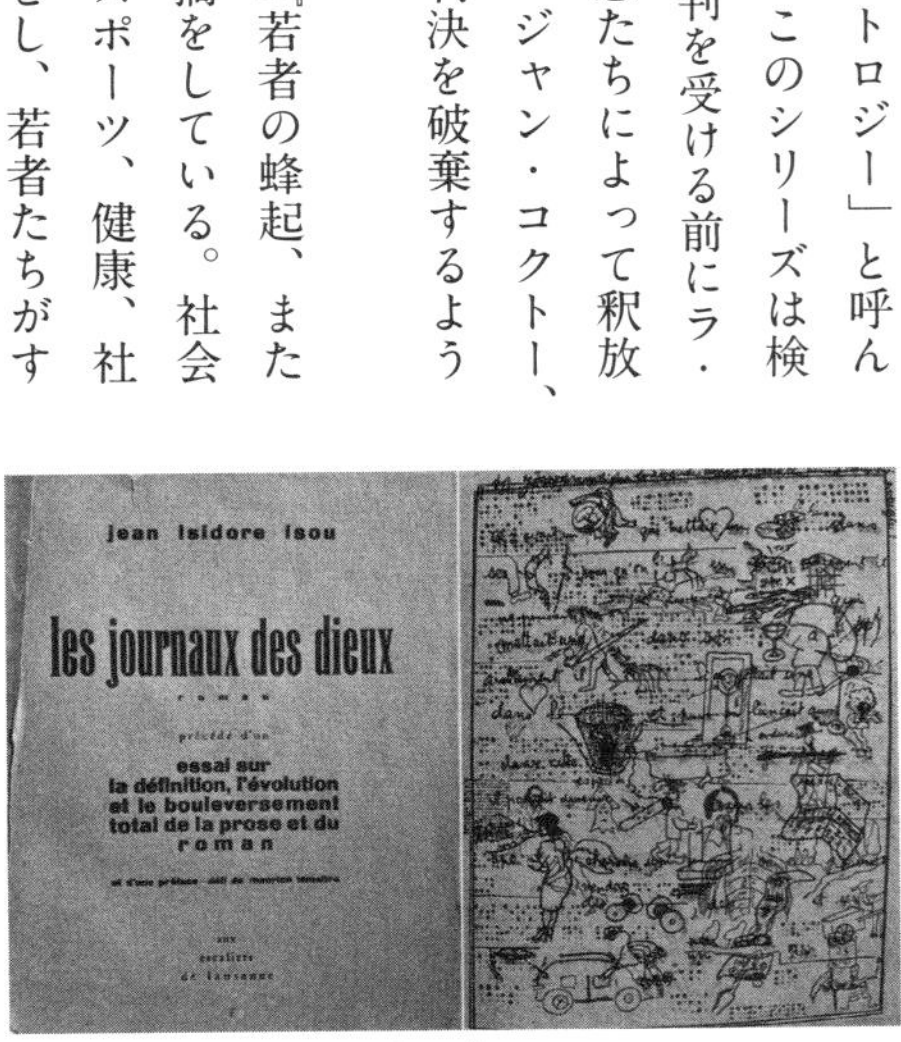

図17 《Les Journaux des dieux》
イジドール・イズー、1950

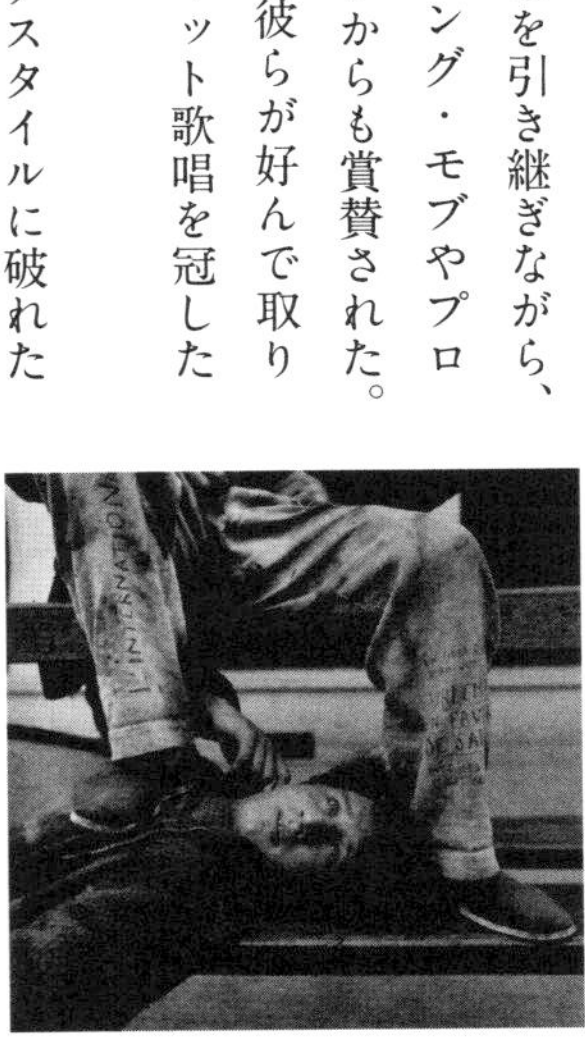

図18 《Jean-Michel Mension (Pierre) et Auguste Hommel (Benny)》
エド・ファン・デア・エルスケン、1953

ズートを合わせ、「シチュアシオニスト・インターナショナルを通すな」や「サドのための絶叫」とステンシルされたパンツを着用した者もいた。[24] そして彼らはパンクスがレゲエを好んだように、アメリカのジャズを好んで聴いていた。この当時の姿はパリに滞在していた写真家、エド・ファン・デア・エルスケンの作品を通して確認することができる。[25]

第11章 シチュアシオニスト・インターナショナル

私たちは街頭で様々な広告を目にする。高級時計に、高級車、高級住宅にリゾート地、はたまた整形手術まで。これらを購入でき、求められる基準の美しさに達することが、この社会でのステータスというのである。日々の生活に疲れ、息抜きや退屈な時にスマートフォンを覗けば、また広告が呼びかけてくる。私たちは資本主義と民主主義という二つのイデオロギーの間でなんとかバランスをとりながら生活をしているが、この当たり前の光景は、本当に当たり前なのだろうか。ひとりひとりには創造力があるはずなのに、みんなそれを押し殺し、社会に揉まれ、過酷な生存競争で燃え尽きている。

こんな当たり前に対して、鋭い分析のみならず、アートを使って戦いを挑んだ若者たちがいた。シチュアシオニスト・インターナショナル（国際状況主義連盟、ＳＩ）である。ここでは、このＳＩの通史を追いながら、彼らが具体的に、どのような方法を用いて社会変革へと人々を扇動してきたのかを紹介する。同時に、ＳＩから何がパンクに繋がったのかも明らかにしていきたい。

前章で紹介したイジドール・イズーを中心としたレトリスムは、レトリスト・インターナショナル（ＬＩ）、ウルトラ・レトリスム[26]へと分派した。ＳＩは、このＬＩと、前衛芸術グループ「ＣｏＢｒＡ」と、そこから派生した「イマジニスト・バウハウスのための国際運動（ＭＩＢＩ）」「ロンドン心理地理学委員会」の3組によって結成された。まずはレトリスムの直系である、LIからみていこう。

レトリスト・インターナショナル

LIはギー・ドゥボールを中心として、ミシェル・ベルンシュタイン、ジル・J・ウォルマン、モハメド・ダフ、アンドレ＝フランク・コノール、ジャック・フィヨンらで、機関紙『ポトラッチ』を発行していた。この名称通り、かれらはすべてが資本へと還元される貨幣経済ではなく、贈与経済を中心に秩序づけられた関係による世界を思い描いていた。メンバーは極めて不安定であり、設立から2年の間に12人が除名された。これは、シチュアシオニスト・インターナショナルの理論の統一化という名の下に続けられる、粛清と排除の歴史を予示している。

イジドール・イズーを中心としたレトリスムが芸術作品の新しいスタイルや、独自の文化理論を構築したのに対し、LIは革命を生き、日常生活を実践的に変革することをアートとし、都市への介入を通した社会転覆を企てた。

初期のLIにとって重要な概念は、ジル・イヴァン（本名イワン・シュチェグロフ）が1953年に記した「新しい都市計画のための理論定式」から始まったとされる。このエッセイは6年後の1959年に発行されたSIの機関紙『アンテルナシオナル・シチュアシオニスト1』に掲載された。

イヴァンはこの中で、当時の都市の生活について、人々が利便性を追求することで、自然から遠ざかり、過度の欲望は商品購入への「強迫的なイメージ」にまで転化されると指摘した。そして住居としての「建築は空間と時間を分節し、現実を変形し、夢を見させるための最も単純な方法」へと退転したと指摘する。その結果、すべては「凡庸化」し、「心の病が惑星全体に行き渡ってしまった」と批判した。そこでイヴァンが提案したのが、新しい欲望を喚起させる実験都市「アシエンダ」である。そこでは「誰もが自分個人の「カテドラル」」に住み、「われわれが日常生活で偶然に出会う様々に類別された感覚と対応しうる」「〈風変わり地区〉――特に住居専用の〈幸福地区〉――〈高貴で悲劇的な地区〉（行儀のよい子どもたちのための）――〈歴史地区〉（博物館、学校）――〈有用地区〉（病院、道具店）――〈不吉地区〉」があり、「住民の主要な活動は連続的な漂流となる」というものであった。[27]

壮大で、ユートピア的なこの構想はドゥボールのエッセイ「都市地理学批判序説」の中で心理地理学という概念によって、実践的な提案へと転用される。

ドゥボールは心理地理学を「地理的環境が諸個人の情動的な行動様式に対して直接働きかけてくる、その正確な効果を研究すること」と定義し、LIのメンバーとの共同エッセイの中で「影響波及的（アンフリュアンシエル）都市計画と、環境及び人間関係の技術とが、協力し合わなければならない」[28]と、都市の生活がもたらすコミュニティ喪失による、人間関係の希薄化と、それへの対応について提起した。

なぜ彼らはここまで都市にこだわったのだろうか。

パリはフランス革命以降、幾度となく繰り返された民衆の蜂起を弾圧するため、軍隊の移動と地区の監視に好都合な広く直線的な大通りが放射線状に配置されていた。マルクス主義地理学者のデヴィッド・ハーヴェイによれば、そのような形態に加え、戦後に施された復興では「官僚的に組織され」「ひとかけらの民主主義的配慮も、一グラムの想像的な遊び心もなしに、フランスの統制主義的国家によって実行され」「都市の物的景観そのもののうちに階級的特権と支配の諸関係が刻み込まれた」[29]という。実際、ＳＩが「強制収容所」とその都市構造を呼んだようにパリは「近代的な住宅やこれまで想像もできなかったような醜いニュータウンに覆われて」[30]おり、そこに当時爆発的な勢いで増産された自家用車が走り始めていた。さらに、その規制のため、「警視総監が宣伝映画を使って車を所有するパリ市民に公共の交通機関を利用するよう呼びかけるという見せ物」までが展開されていた。つまり軍事、統制目的で整備された都市は、資本と官僚にコントロールされ、人々の間には階級格差による分断が生み出され、それを国家権力が「スペクタクル」を用いて管理していたのである。

このスペクタクルという概念は、ドゥボールによって何度もその後用いられ、67年には『スペクタクルの社会』という、資本主義批判における重要な書物が出版される。ドゥボールは商品の生産と消費という物質的なプロセスとしての資本主義が、科学の発展や、サービス産業といった構造の変化により拡張され、前述した物神崇拝や物象化がこれまでとは異なる形で生成される高度資本主義の性質を分析、批判した。つまり、大量消費社会の到来により、当時の社会に広がり始めた雑誌、映画、テレビ、ニュース、新聞といったメディアにあふれた広告のイメージと戦略によって「商品」が市場を超え、家庭、学校、街路、地域コミュニティにまで侵犯し、人々を消費へと一方的に誘引していることを警告したのだ。換言すれば、再生産、消費、余暇、娯楽という何気ない普段の経験や日常生活にまで介入した「イメージに変ずるまでに蓄積された資本」は、今日の学歴主義や、有名企業に就職して金持ちになることが成功といった考え方や生き方にまで影響を及ぼしているのである。ドゥボールは、これら要因となるものをスペクタクルと形容して、それを生産し続けるブルジョア階級や、共犯関係にある国家権力による操作に対抗しようとした。さらにドゥボールは、国家に関して世界は、近代スペクタクル資本主義の支配下に統合されているとし、一方を資本主義、もう一方を社会主義という統治形態の違いで分別し、「拡散的スペクタクル」と「集中的スペクタクル」とに分けて説明した。「拡散的スペクタクル」は、選挙で代表者を選択する見かけ上の自由を反映した、商品と消費文化の豊かさの競争によって特徴付けられるものとし、「集中的なスペクタクル」は、少数の支配者階級による集中的な管理によって実現される見かけ上の平等を反映した、画一的な再生産を維持するものとした。

ドゥボールはこれらスペクタクルに対し、「あらゆる手段を用いて、その危機を挑発せねばならない」とし、「生活を情熱的な完璧な遊びにしようという数々の提案」や、都市の中の「心地よい区域」や「悲しい区域」という中心と周縁の従属関係も取り上げ、その区域への先入観を取り除く必要も指摘した。つまり、ドゥボールは人々がそれぞれにもつミクロな物語や、日々の権力へのささやかな抵抗をも含む多様でかけがえのない日常が、「スペクタクルの時間」によって上書きされ、忘れ去られてしまう、という近代の「虚偽意識[31]」による歴史的な記憶喪失が広まることを懸念したのである。では、この現在までも続く「日常の植民地化」とドゥボールが呼んだ、難攻不落なスペクタクルに対して、ＬＩは具体的に、どのような対抗策を実践しようとしたのだろうか。

前述した自家用車については、ベルンシュタインがＬＩの機関紙『ポトラッチ第9‐10‐11』の中で「大量の廉価なタクシーを導入する」「自動的な逸脱（デペイズマン）」という対抗策を挙げている。ＬＩは、この他にも、都市への介入に関して実践的でユニークなアイディアの数々を『ポトラッチ23』で挙げている。

例えば、地下鉄の夜間運行、プラットフォームや通路の電飾の貧相化と明滅の継続。パリのビルの屋上に自由に行き来ができるように、必要に応じて梯子や狭い通路を設置し、開放する。公共の庭園は例外を除き、夜間も無灯火で開放する。街灯はすべてスイッチ付きにする。死者が神秘化されることへの懸念から、墓地の廃止。傑作とされる作品を酒場へと配置し、美術館を廃止する。刑務所は観光地化され、抽選で懲役刑を体験できるようにする。グラン・パレの廃止、いくつかの歴史的な像の台座の銘文や人名が付いた通り名の変更を提案した。

そして教会に関しては四つの異なる提案がなされ、ドゥボールは、すべての宗派の宗教的建物を完全に取り壊し、跡地は他の目的に使われるべきだとし、ヴォルマンは教会を取り壊すことはせず、子どもたちに解放するとした。ベルンシュタインは、部分的に取り壊し、残った廃墟は本来の機能を全く感じさせないようにし、ジャック・フィヨンは、お化け屋敷に変えることを提案した[32]。

これらが、後にシチュアシオニスト・インターナショナル（SI）において結実する「特別の感情を呼び起こす状況の実現」つまり実践としての「状況の構築」である。LIは「ポトラッチ」の中で、この「状況の構築」を「熟慮して選ばれた大いなる遊び（＝大博打）の連続的な実現」と定義し、その系譜に「シャルル・フーリエ[33]が示した、情念の自由な戯れにおける至高の引力」や、ヨハン・ホイジンガ[34]の「ホモ・ルーデンス」の「遊び」の概念を挙げている。

つぎに、SIへの統合に至る前に遡って、後にSIに合流することになる、アスガー・ヨルン、コンスタント・ニーヴェンホイスが参加していたCoBrA、イマジニスト・バウハウスのための国際運動（MIBI）、ロンドン心理地理学委員会、それぞれをみていこう。

CoBrA

　CoBrAの中心人物となったクリスチャン・ドトルモンは、シュールレアリズムの創始者アンドレ・ブルトンの神秘主義やオートマティスムへの傾倒に反して「シュールレアリズムの実験を刷新し、独立性と同時に、共同での行動の必要性を確認する」と宣言し、「革命的シュールレアリスト・グループ」を1947年に立ち上げる。[35] ドトルモンは同年出版されたアンリ・ルフェーヴル[36]の「日常生活批判」を引用し、「シュールレアリズム」の実験は日常生活の文脈の中で行われなければならないことを強調した。

　ドトルモンは、前年に出会ったオランダ人画家コンスタント・ニーヴェンホイスの紹介で、デンマークの画家アスガー・ヨルンと出会う。ヨルンもドトルモンと同じく、ブルトンを「反動的」と断じていた。そして、コンスタントもまた、「芸術の創造は既存の文化と戦いながら、同時に未来の文化を予告することになる。この二面性によって、芸術は社会の中で革命的な役割を担っている[37]」と宣言していた。

　1948年11月、パリでコンスタント、アペル、コルネイユ、ヨルン、ドトルモン、ジョゼフ・ノワレが結集し、署名式が行われ、コペンハーゲン（Copenhagen）、ブリュッセル（Brussels）、アムステルダム（Amsterdam）の頭文字をとったCoBrAが結成された。

　CoBrAの作品は「拘束のない欲望」という美学を反映させた、原始的、神話的、民俗的な要素や、子どもや障碍者の芸術（アール・ブリュット）からインスピレーションを受けた強烈な色彩とブラシストロークで描かれた画面構成を特徴としていた。

ＣｏＢｒＡは結成してすぐに、10カ国から50人ほどの画家、詩人、建築家、民俗学者、理論家が参加するまでに成長する。その機関紙の創刊号では、ル・コルビュジエの合理主義にもとづいたモダニズム建築に対抗し、建物が美術館の展示品であってはならないと断罪した。そして、新しい社会主義世界のために、環境と互いに交わり、統合された総合的な「都市」を創造すべきと、レトリスト・インターナショナルと同じく「統一的都市計画」を提案した。またコンスタントは『ＣｏＢｒＡ４』の論説の中で、欲望、未知なるもの、自由、革命に関する数々のテーゼを展開し、後にシチュアシオニスト・インターナショナルの重要なコンセプトへと引き継がれることになる。

ＣｏＢｒＡは１９５１年に内外の問題により解散したが、ヨルンはその後、53年12月に「International Movement For An Imaginist Bauhaus（イマジニスト・バウハウスのための国際運動、ＩＭＩＢ）」の結成を宣言する。

イマジニスト・バウハウスのための国際運動（ＩＭＩＢ）

アスガー・ヨルンはＣｏＢｒＡ解散後に結核を患い、静養の地として渡ったスイスに滞在していた際、バウハウスで教員をしていたスイス人建築家のマックス・ビルと知り合った。そして、アーティストと建築家の共同制作を望み、手紙でやり取りを交わしていた。しかし、ビルの合理性と、自らの衝動性が相容れず、技術指導を中心においたビルを批判し、芸術の様式に対する実験と集団での芸術活動を通した社会変革の下に「イマジニスト・バウハウスのための国際運動（ＩＭＩＢ）」を宣言する。

友人で核戦争をテーマとした「核芸術運動」の代表のイタリア人アーティスト、エンリコ・バイにIMIBの設立と共闘の手紙を宛て、参加を承諾される。バイは、トラウマを負った子どもが描いたかのような暗い雰囲気の画面に顔のあるキノコ雲や、驚いたような表情で目を見開くモンスターを描いていた。ヨルンはバイとのやり取りの中で、レトリスト・インターナショナルの機関誌『ポトラッチ』を知り、LIに手紙を出したことで交流が始まった。1955年には「人類に倫理的にコミットする芸術家像や考古学、遊牧民、大衆文化[38]」というヨルンと共通の関心を抱いていた、薬剤師で、左翼の無所属議員で、アーティストでもあったイタリア人のジュゼッペ・ピノ＝ガリツィオがIMIBへと参加する。ガリツィオは、70〜90メートルのキャンバスに描いた作品を1メートル単位で販売する「工業絵画」の制作を行っていた。ヨルンはCoBrA解散後も当時ロンドンで空間の研究と移動式建築を構想していたコンスタントやドトルモンとも連絡を取り合っており、彼らと共に、レトリスト・インターナショナルのメンバーと「統一的都市主義の支持を表明する」といった展覧会や共同宣言を通した交流を行っていた。

そしてLIは56年5月、IMIBに加盟する。彼らの活動は、トリノの南東に位置するイタリアの小さな町アルバでの共通のプラットフォームを探すための最初の会議「第1回自由芸術家世界会議」に向けて進展し、最終的には「シチュアシオニスト・インターナショナル」の結成へと繋がっていった。

ロンドン心理地理学委員会

レトリスト・インターナショナルの機関紙『ポトラッチ』で度々取り上げられた「心理地理学」を

具体的に実践したのが、イギリスのアーティスト、ラルフ・ラムニーである。

ラムニーは労働組合に所属していた父親から学んだマルクスの理論や、近所に住んでいた歴史家で『イングランド労働者階級の形成』を著したエドワード・P・トムスンの家に居候したことで、共産主義へと傾倒していた。その後、アートスクールに入学するも「コンセプト」がない教員から、技術を中心に学ぶことに嫌気がさし、中退してフランスに移り住んだ。そこで、ＬＩのメンバーや、ＩＭＩＢのメンバーと交流を深めていった。

ラムニーはシチュアシオニスト・インターナショナルの設立会議に招待され、会議中に考案した、唯一自身がメンバーの「ロンドン心理地理学委員会」の代表として「運動を国際的なものにするため」に組織として設立された。

この「ロンドン心理地理学委員会」は、ラムニーが戦後、爆撃で荒廃したロンドンの街並みが整備され、「ロサンゼルス」化していく光景を目の当たりにし、街を歩行者に解放するというコンセプトから発展させたもので、実際にイタリアのヴェネチアでプロジェクトが展開された。[39]

ラムニーはヴェネチアという複雑に入り組んだ「寄り道」の機会の多い地形の中から、「未知のルートを提案することで、ヴェネツィアを非スペクタクル化する」ため、「大運河から遠く離れた、誰も行かない場所を示すスケッチ」を記録した。[40]

この作品は１２８点の写真で構成されており、その中の92枚は、セクションごとに番号が振られ、撮影場所が特定できるように地図が掲載されていた。そして旅程は、１から６までの番号に振り分け

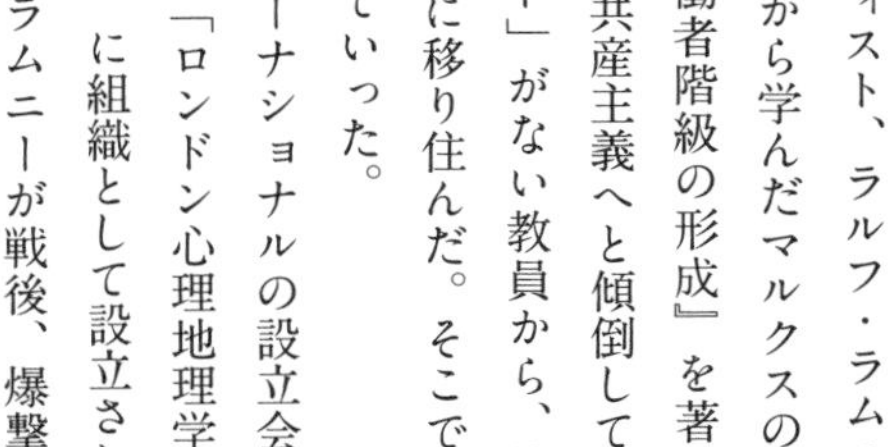

図19　《Psychogegraphic Map of Venice》
ラルフ・ラムニー、1957

られたルートで構成された。ラムニーは他にもヴェネチアの運河の特定の地点から着色剤を流し込んで、水の循環を観察する計画を提案したが、これは実験がうまくいかず実現されなかった。ラムニーは後にこのヴェネチアの報告書をドゥボールに宛てて送ったが、期限内に提出しなかったという不可解な理由でSIを除名されることになる。

シチュアシオニスト・インターナショナルの結成と活動

1957年7月にイタリアで開催されたシチュアシオニスト・インターナショナル設立のための会議で集まった「イマジニスト・バウハウスのための国際運動」「レトリスト・インターナショナル」「ロンドン心理地理学委員会」によって「シチュアシオニスト・インターナショナル（SI）」が設立された。この組織はイタリア、フランス、イギリス、ドイツ、ベルギー、オランダ、アルジェリア、スカンジナビアにメンバーを擁することになる。

同年、彼らの理論的な面において重要な影響を与え合い、政治的な組織としてのSIの発展へと寄与した、マルクス主義哲学者のアンリ・ルフェーヴルがナンテール大学で開いていたゼミナールにドゥボールと、1961年にSIに加入するラウル・ヴァネーゲムが参加した。

SIの急進的な政治面と、芸術的な側面は、実験と転用の名の下で4年ほど同時並行的に探求されていた。上述したとおり、ガリツィオは「工業絵画」ヨルンは蚤の市で古い絵画を購入して、その上に絵を描いた作品を発表していた。建築家でもあったコンスタントは、「ニュー・バビロン」と呼ばれるユートピア都市を設計していた。この構想はガリツィオの所有する土地に野営していたジプシーのための住居から考案されたもので、「自分たちでデザインしたものを背景にして、自分たちでデザインしたゲームをする」というコンセプトのもと、巨大な柱で地上から高く吊り下げられた屋根付きの都市構造物であった。そこでは全自動化された工場と鉄道網が地下に埋設され、自動車の走行は地上部分に限定される。その上には、それぞれ5〜10万平方メートルの巨大な多層構造物が連なっている。内部には「果てしない広がり」があり、そこには人工的な照明と空調が施され、光、音響、色彩、換気、質感、温度、湿度は自由に変化させられた。さらに、住人は好きな時に好きなだけ様々なリソースにアクセスし、可動床、パーティション、スロープ、はしご、橋、階段は、欲望が絶えず相互作用する「最も異質な形の真の迷宮」を構築するために使用されるとしている。この感覚的な空間は行為から生じるものであると同時に、行為を生み出すものでもあるとしていた[41]。

ドゥボールもまた、ヨルンと共に「捨象を用いた実験的な文章」と呼ばれる2冊のコラージュ集、『Fin de Copenhague』と『Mémoires』を制作した。『Mémoires』は、鮮やかな絵の具の飛沫の上に、新聞の切り抜き、写真、漫画、広告、マルクスやホイジンガ、大衆紙からの引用など、レディメイドによって構成されている。さらに、縦書き、横書きといった方向性を排除し、あたかも地図を辿るかのように、全方位から見ることを提案している。くわえて、カバーにはサンドペーパーが用いられており、両隣の本を傷つける仕掛けが施されていた。

直接行動に関しては1958年4月、ベルギーに世界中から美術批評家が集まった「国際芸術批

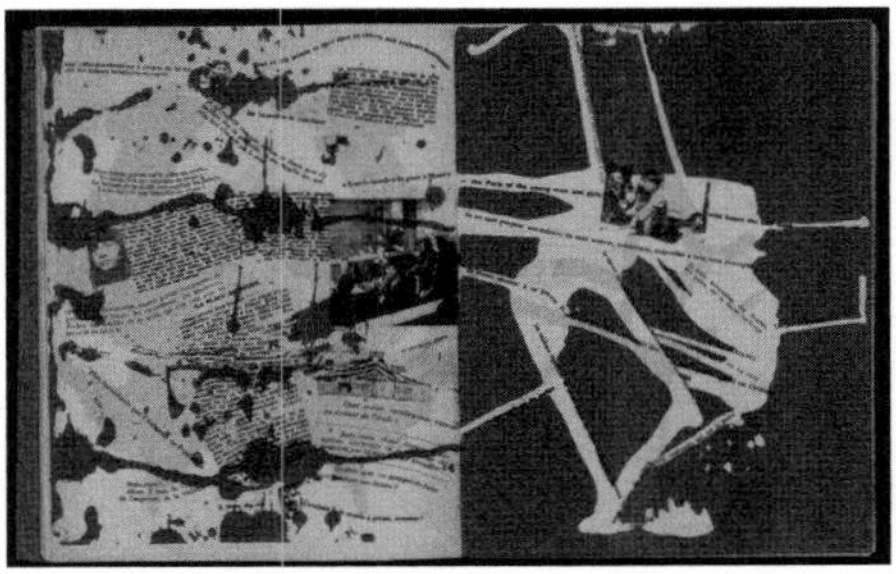

図20　《Mémoires》
ギー・ドゥボール、アスガー・ヨルン、1958

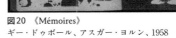

評家総会」に対して、パンフレットの配布とゲリラ活動で開始された。パンフレットでは参加者に向け、思想家や批評家が何一つ社会を変革せず、自らの活動を制度化し、物質に固執するアーティストの「番犬」に成り下がり、「古い世界のどうでもよい細部のチャンピオン」と化していると断罪した。この活動の期間中、ヨルンは同じベルギーで開催された「50 Ans d'Art Moderne」という展覧会に出展しており、この展示をきっかけとして世界的な名声を得て、SI脱退後も資金面で支えることになる。同年6月には、メタリックカラーに輝く機関紙『アンテルナシオナル・シチュアシオニスト』の創刊号が出版された。SIはここで闘争の戦略用語について改めて説明している。既に「状況の構築」「心理地理学」「漂流」「統一的都市計画」といった概念は紹介したので「転用」についてみていこう。

転用

転用はSIの定義によれば、「前もって作られた美的要素の転用、という言い方を省略して用いられる。現在のまたは過去の芸術生産物を環境のより高度の構築に統合すること……プロパガンダの方法であり、それはこれらの芸術領域の衰弱と重要性の喪失のあかしである」としている。

マルセル・デュシャンの「レディメイド」やシュールレアリストたちの「ファウンド・オブジェクト」に近いアイディアに思われるが、何が異なっているのだろうか。

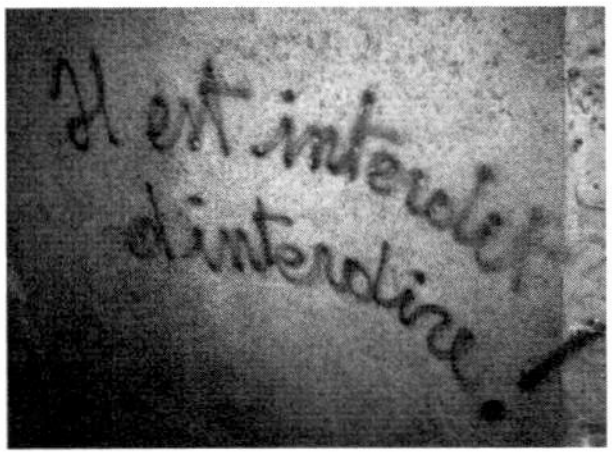

図21《禁止することを禁じる！》、SIに転用されたと言われている落書き、パリ、1968

例えばＳＩは、オリジナルのコミックの吹き出しや、映画のセリフ、詩を政治的な扇動の物語へと変化させた。詩は街路に落書きで表現した。これは、デュシャンやダダがアートワールドの中で、これまでの形式を否定し、あらゆるものが芸術作品になり得るという、芸術の領域の中での価値観の転換であったのに対し、ＳＩの転用は、芸術の用途自体を変えてしまうものであった。

つまり、レディメイドはデュシャンの便器のようにアートワールドのシステムに取り込まれることで付加価値がつけられ、スペクタクルと化してしまうが、「転用」は芸術それ自体の目的を社会変革にしたことで、芸術的な付加価値を防ごうとしたのである。[42]

これは高度資本主義のもたらすスペクタクルによって、反転した交換価値を使用価値へと正転させるスペクタクルの破壊であった。

実際、ドゥボールとヴォルマンは「転用の使用法[43]」の中で、「人類の文学的・芸術的遺産は、旗幟を鮮明にしたプロパガンダの目的に使用されるべきである[44]」と説き、デュシャンのモナリザにヒゲを書き込んだ作品「L.H.O.O.Q.」を例に挙げ、「元の絵以上に興味深い特質を提出することにはならない」と退けた。そして、マルクス主義者で劇作家のベルトルト・ブレヒトの政治性を持たせた教育演劇を引き合いに出し、「われわれの求める革命の成果に近い」としている。さらに二人は、ロートレアモンの「剽窃は必要である。進歩はそれを含みもつ」を参照しながら転用を、「プロレタリアートの真の芸術的教育手段であり、文学のコミュニズムの最初の萌芽である」と、その系譜と価値と意味

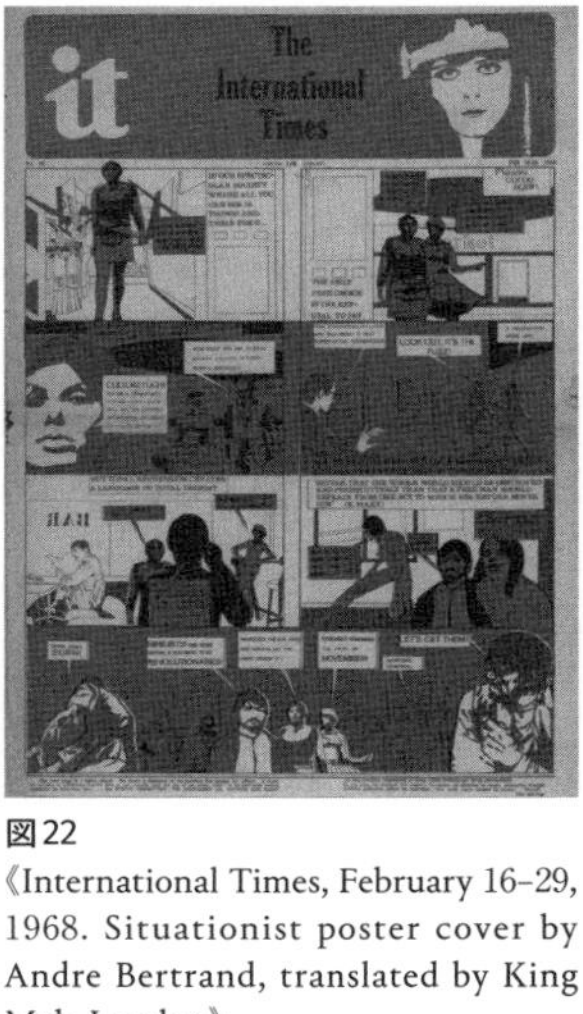

図22
《International Times, February 16–29, 1968. Situationist poster cover by Andre Bertrand, translated by King Mob, London》,
SIによるコミックを使った転用の一例

を強調した。

SIの分裂

1958年から1960年にかけて西ドイツのミュンヘンで結成された前衛芸術グループ「シュプール」がSIに合流した。

しかし、イタリア、オランダ、フランスセクションの間で、徐々に文化と政治という方向性の違いから溝が生まれ「イデオロギー的に受け入れがたい」勢力と協力しているという理由でガリツィオらが除名された。さらに、技術的な建築形式を重視していると批判されることに嫌気がさしたコンスタントが脱退する。

60年にはドゥボールが以前から接触を持っており、短期間参入していた「社会主義か野蛮か」というグループで知り合ったピエール・カンジュエール（ダニエル・ブランシャール）と連名でエッセイを発表する。このドゥボールが参加した「社会主義か野蛮か」は、ルフェーブルと同じようにSIの政治理論へと影響を与えたグループで、当時のフランス共産党がソ連に追従していることを批判したコリュネリュウス・カストリアディス[45]とクロード・ルフォール[46]らによって結成されていた。グループは社会主義の真の意味を、計画経済でも、単なる物質的生活水準の向上でもなく、人生と仕事に意味を与え、創造性を解放し、人間と自然を和解させる展望であると主張した[47]。そして社会主義と称するソ連が、それとは全く異なる国家資本主義かつ、全体主義的官僚制と化し、民衆への抑圧と搾取を行っていることを批判し、その原因を研究していた。

1961年には「個人的事情」により、ヨルンが脱退し、ドゥボールと共にSIの理論的支柱となったラウル・ヴァネーゲムが加入する。ヴァネーゲムは、同年、スウェーデンのイェーテボリで開催された大会で、「スペクタクルを破壊する諸要素が、SIの定義した新しい真正な意味で芸術的に練り上げられるためには、それら諸要素はまさしく芸術作品たることをやめねばならない」と基調報告を行い、さらなる文化=芸術と政治の分断を拡大させた。このような方向性の違いはドイツのシュプール、芸術派への排除を招き、第2シチュアシオニスト・インターナショナル（第2SI）が設立され『シチュアシオニスト・タイムズ』が刊行された。

一方、SIの活動では、分裂後スカンジナビア支部の全権を任されたデンマークのアーティスト、J・V・マルティンが直接行動によるインパクトを残していた。マルティンは、コペンハーゲンにある人魚姫の像の首を刎ね、英国のセックスワーカー、クリスティーン・キーラー[48]の写真に「ファシストと結婚するより売春婦になる方がましだ」という吹き出しをつけたコラージュの絵葉書を制作、配布したことで起訴されていた。

62年の終わりになると、SIは国ごとのセクションを廃止し、決定機関を統一中心機関（センター）のみとした。そして政治的な立場と理論を先鋭化させ、世界各地の革命運動との連携を強めていった。

図23
『Situationist Times 1』1962

分裂後のＳＩ

１９６３年にＳＩは、デンマークのオーデンセにあるギャラリーで、反戦活動家グループ「スパイ・フォー・ピース」が、核戦争が起きた際に英国政府が中央政府の要人を「Regional Seat of Government number 6（RSG-6）」と呼ばれる秘密のシェルターに収容する計画を立てたことを暴露した「Official Secret – RSG6 action」へのオマージュをタイトルにした展覧会とデモを先導した。これは、65年にＪ・Ｖ・マルティンらによる、ドイツ軍とデンマーク軍の合同演習を阻止した直接行動へと繋がっていく。

65年、ＳＩはアルジェリアで起きたクーデーターの際に、「自主管理された下部組織の攻撃的な抵抗運動にもとづいた革命のネットワークは一つも作られなかった」ことで、アルジェリアが官僚主義的社会主義へと陥ることを懸念し、『アルジェリアと万国の革命派へのアピール』という人民への連帯を表明したパンフレットを非合法で配布した。また、アメリカのロサンゼルスで、アフリカ系アメリカ人に対する人種差別から起きたワッツ蜂起に対して、「彼らに彼らの道理を与え、実践的行動がその探求をここに表しているような真理を理論的に説明するのに寄与すること」を目的に『「スペクタクル的」商品経済の衰退と崩壊』というタイトルのパンフレットを作成し、アメリカとイギリスで配付した。この死者３２名のうち、黒人が２７名、負傷者８００名以上、逮捕者３０００名という大規模な蜂起に対し、ドゥボールはその原因を人種主義だけにとどめず、「商品の尺度に位階秩序的に従った労働者―消費者と商品の世界に対する反乱」とし、それを作り出したスペクタクルにも要因を見出した。換言すれば、アフリカ系アメリカ人は「現代産業の生産物」でもあり、商品経済が固定化され、自己増殖化するために「普遍的な位階秩序化」を行使したことによって人種主義が生まれたと批判したのである。そして、「黒人は、アメリカ社会の遅れた層（セクター）ではなく、その最も進んだ層なのである。彼らは活動中の否定であり、「闘争を組織することによって歴史を作るような運動を産み出す〔この社会の〕短所」（『哲学の貧困』）である」と位置付け、共闘と節合の可能性を示唆した。

1966年11月、SIのシンパのストラスブール大学の学生数人が全国学生組合のキャンパス支部の指導者に選ばれた。彼らは『ドルッティ旅団の帰還』と称されるジン形式の予告ビラを撒いて、その後に全国学生組合の資金を使ったシチュアシオニスト・パンフレット（通称、学生生活の貧困）を印刷、配布し、キャンパス支部の解散を訴えた。パンフレットはSIのチュニジアのメンバー、ムスタファ・カヤティによって書かれたもので、当時の学生生活を皮肉と風刺で表現し、SIの思想の概略が示されていた。後に、このパンフレットからのフレーズはドゥボールの「決して働くな」やヴァネーゲムの「日々の生活について明確に言及することなく、また愛に関して何が反体制的であり、束縛を拒絶するのに何が有効かを理解しないまま革命や階級闘争を語る人々は、語るその口に屍体を咥えているのだ」と共に、フランス中の壁に落書きされることになる。このパンフレットは3万部を瞬く間に売り上げ、日本を含む世界中で翻訳され、結果として50万部以上が配布された。

この「ストラスブール・スキャンダル」によってSIの名はフランス中に知れ渡り、68年の五月革

図24　《学生生活の貧困》シチュアシオニスト・インターナショナル、1966

命を準備したとも指摘されている[49]。

1967年後半になると、SIの理論に関する二つの主要な書籍が出版された。前述したドゥボールの『スペクタクルの社会』とヴァネーゲムの『日常生活の革命（若者用処世術概論）』である。

この2冊は、相互に補完し合うと二人が認め合ったSIの理論的支柱となったものだ。『日常生活の革命』で展開されるのは、高度資本主義批判と主体化形成への呼びかけである。西洋が近代化したことで宗教的、王制的な価値観からの離反という世俗化があり、戦後は民主化も加わり、人々が自己意識をもって社会変革へと参加する自由が、ある程度確立された。そのため、自分が主体的になり、どうあろうとするのかを考えるべきだと説かれている。

ヴァネーゲムは現代社会を、権力やブルジョアジーによって押し付けられる、一見、合理的と思えるような経済的、社会的、政治的、法的な規範が、多くの人々を苦しめており、かつ、日常生活においても資本を通じて公平な刺激を行き渡らせることで管理していると批判した。つまり、この資本主義が生み出す従属関係は、人々の自由への無関心や、受動性の中での幸福しか生まないことを露呈させたのだ。そしてこれに対処するために例えば、以下のように尊ぶべき主体性のあり方を提言した。

「生存にとって食べること、住みかを見つけることが必要なように、真に生きるためには創造性、愛、遊びが必須である。自己実現の試みは、創造性にもとづいて初めて可能となる。コミュニケーションの試みは、愛にもとづいて初めて可能となる。参画への試みは、遊びにもとづいて初めて可能となる。この三つの要素は互いに切り離されると、権力側の抑圧的な団結を強めるだけである。ラディカルな主体性とは、真に情熱的な人生を送ろうという欲求をもつことであり、その欲求は殆どすべての人に存在するのだ[50]」。

デヴィッド・グレーバーは『日常生活の革命』を資本主義に対して公平性の担保を求めるものでなく、その土台自体が腐っていることを明らかにしたものだと評している。[51]

１９６８年には、パリ大学のナンテール分校のごく少数の学生が引き起こした蜂起を発端として五月革命が勃発した。ここから拡大した学生運動は、市民の同情と共感を呼び、さらには、労働者をも巻き込み１０００万人に及ぶ人々が長期間に渡り参加したゼネストへと至る。フランスの歴史上、１８７１年のパリコミューンに次ぐフランス全土を揺るがした歴史的な抵抗運動であった。

五月革命は、１９５０年代に浮上した軍拡競争に対する抗議活動や、アフリカ系アメリカ人の権利を求めた公民権運動をルーツとしていた。また当時は、戦後も続く家父長制とブルジョア的道徳観の支配によって、自分たちの価値観を反映しない社会を変革しようとする若者たちの間で起きた学生運動や、マイノリティの権利を求める解放運動の起きた時代であった。ＳＩのこれまでの活動を立証付けるような騒乱の中、彼らもまた、学生グループとの「占拠委員会」の結成による連帯や、さまざまな組織との共闘を模索した。しかし、彼らの名声に便乗したプロ・シチュ（ＳＩが呼んだ蔑称）が大量に現れ成果に結びつくことはなかった。

70年代に入り、ドゥボール、ルネ・リーゼル、ルネ・ヴィエネ、ジャンフランコ・サングイネーティが分派を結成し、ヴァネーゲムが脱退する。その後、リーゼルが除名され、ヴィエネが脱退したことで、ドゥボールは『インターナショナルにおける真の分裂』を出版し、ＳＩに幕を下ろした。

ＳＩの歴史は詩やアートと、社会活動や日常生活との分離を統合させ、ひとりひとりの創造的な潜在能力を実現させることを目指していた。そして、資本主義により受動的な生を生きる私たちに、自分の人生への能動的な参加を呼びかけ、スペクタクルを崩壊させようとした。このように、彼らの活動が他と異なったのは、賃上げや労働条件、国家権力への抵抗はもとより、人々が現在生きている経験全体を変革することにあった。この活動は後に続くパンクや、80年代のマンチェスターの音楽シーン[52]のみならず、オートノミズムや、マレイ・ブクチンのエコロジカルなアナキズム（グリーン・アナキズム）、そして現在のアーティストにも影響を与えている。デヴィッド・グレーバーはＳＩのパンクへの影響について「体制に対する完全な拒絶、戦闘的な芸術的介入への呼びかけ、それらが最終的に社会革命に貢献するであろうと信じ、大衆社会からの深い疎外感によって初めてパンクに惹かれ、それに対して何かをしようと決意した活動家にとって完璧な哲学である」と説明している[53]。

２０１６年、労働法の改革に対する抗議活動がパリで起きた際、「決して働くな」や『スペクタクルの社会』からの引用が路上に現れた[54]。２０１９年には、ロンドンでの環境破壊への抗議活動の際に、バンクシーによって『日常生活の革命』からの引用「この瞬間から絶望が終わり、戦略が始まる」が描かれた。このように、ＳＩは時代を超えて抗議活動に参照され、闘争へのインスピレーションを与え続けているのである。

しかし、反面、ＳＩの理論と実践の理想は独善的な面も孕んでおり、多くのメンバーの脱退や除名が相次いだのも事実であった。特にＳＩに短期間だけ所属し、すぐに除名、または脱退したセクションの一つが、１９６５年から始まったイギリス・セクションであった。

イギリス出身のＳＩメンバーは当初、アレクサンダー・トロッキとラルフ・ラムニーであったが、ラムニーは１９５７年に除名され、トロッキは１９６４年に脱退

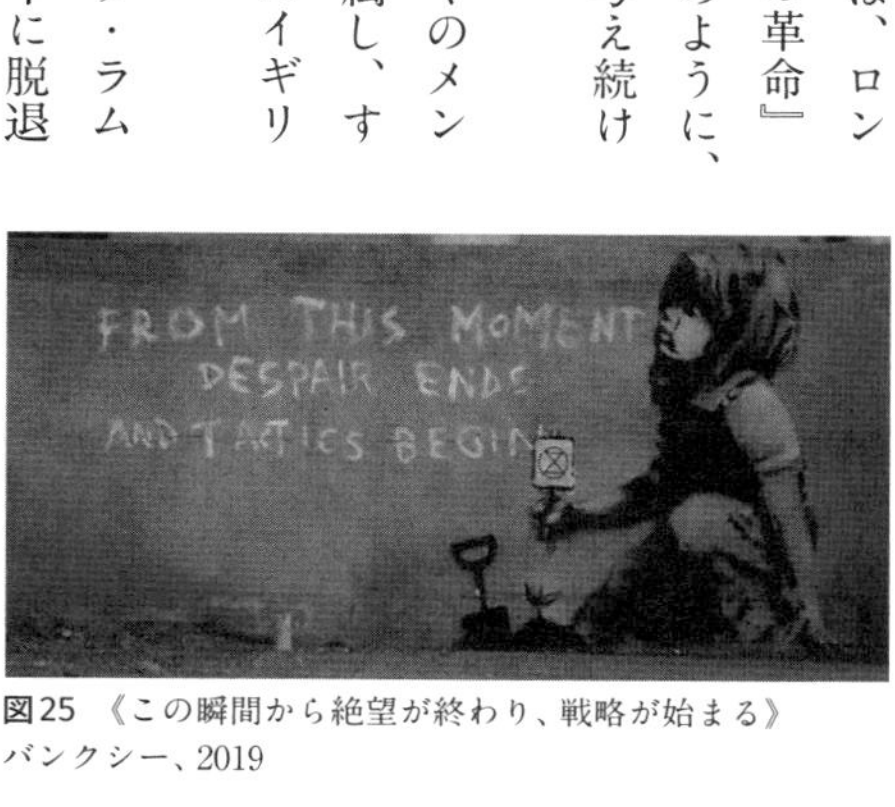

図25　《この瞬間から絶望が終わり、戦略が始まる》
バンクシー、2019

した。その後、1965年のドナルド・ニコルソン－スミスの参加からイギリス・セクションが始まった。このセクションは後に、パンクを仕掛け、ポップ・シチュアシオニストと呼ばれるマルコム・マクラーレンや、セックス・ピストルズの伝記を書いたフレッド・ヴァーモレルも参加するアナキスト・アーティスト・コレクティブ、キング・モブを組織することになる。このアナキズムを志向したキング・モブは、SIの理念をもとにアメリカの戦闘的アナキスト・アーティスト・コレクティブ、ブラック・マスクやIWWを引き継ぎながら、アンドレ・ブルトンと連携していたシカゴ・シュールレアリスト・グループ、そして、オランダのアナキスト・アーティスト・コレクティブ、プロヴォの影響も受けていた。

次に、このキング・モブと共に、彼らに影響を与えたコレクティブも紹介し、SIの思想とパンクがキング・モブによってどのように架橋されたのかをみていこう。

第12章 キング・モブ

キング・モブは1968年から1972年まで活動したイギリスのアナキスト・アーティスト・コレクティブである。

この名称は1780年に起きた英国史上最大の暴動、「ゴードン騒乱」の際に破壊されたニューゲート刑務所の壁に描かれた落書き「キング・モブ陛下万歳」から借りられた。[55] メンバーはイングランド北東部に位置する工業都市ニューキャッスルのアートスクールの教員ロン・ハント、双子のスチュワート&ディビッド・ワイズ兄弟らによるアナキスト・アーティスト・コレクティブ、イクテリク（Icteric）と、SIのイギリス・セクションのメンバーであった、ドナルド・ニコルソン－スミス、クリストファー・グレイ、チャールズ・ラドクリフ、ティム・クラークによってロンドンのノッティングヒル・ゲートを中心に組織された。

キング・モブは同心円状の繋がりで、時と場合によって様々なメンバーが流動的に関わっていた。また、SIや、その系譜としてのレトリスム、シュールレアリズム、DADAが国際的な連動を視野に入れていたのに対し、キング・モブはイギリスというヴァナキュラー《その土地固有》性を志向し、イギリスの収奪者[56]や義賊[57]、ロマン主義、ゴシック作家たちを自らの系譜に位置づけていた。このSIと異なる思想の中でも、特にパンクの系譜を辿る上で欠かせないものが、若者の非行やスタイル、ポップカルチャーに革命を見出した点である。

まずは、この系譜を辿るために、キング・モブが組織される前のSIのイギリス・セクションのメンバーの活動と、彼らに影響を与えたアナキスト・アーティスト・コレクティブからみていこう。

ヒートウェーブ

チャールズ・ラドクリフは「絶対的な自由と創造性が善であり、正義も民主主義も偽物だという漠然とした考えを持っていた」[58]少年時代、アナキズムのジャーナルに触れたことで、バクーニンに傾倒する。また、アナキズム系のジャーナルに自らもエッセイを投稿し、ロンドンのアナキスト活動にも深く関与していた。さらに当時、核戦争への懸念から勃興したCND（核軍縮キャンペーン）や、そのCNDに不満をもったイギリスの哲学者バートランド・ラッセル卿を中心に創設された100人委員会にも関わっていた。

ラドクリフはマーベル・コミックや、ロック、ジャズ、ブルース、ソウルといった音楽にも造詣が深かったため、ポップカルチャーに関する記事を寄稿したり、アメリカのミュージック・ジャーナルの編集者たちとも連絡を取り合っていた。この交流を介した荷物のやり取りの中に、シカゴを拠点とする、シカゴ・シュールレアリスト・グループのフランクリン・ロズモンドが編集した『レベル・ワーカー』や、IWWのメンバーによって結成された「リサージェンス・ユース・ムーブメント」のジャーナルが入っていた。

これらのジャーナルに感銘を受けたラドクリフはロズモンドと友好を深め、1965年の夏に出版された『レベル・ワーカー4』にエッセイを寄稿する。同年冬には、アメリカからロズモンド夫妻[59]がラドクリフを訪れたことで、SIの理念の源流となった思想や文化についての見解を深めあった。一方でロズモンド夫妻は、アフリカ系アメリカ人の歴史についてラドクリフから学んだ。[60]その後、夫妻はフランスでアンドレ・ブルトンや、SIを訪れ、ワッツ蜂起に関するパンフレット『「スペクタクル的」商品経済の衰退と崩壊』を持ち帰り、アメリカで紹介している。

ラドクリフは『レベル・ワーカー6』をロズモンドと共同で編集し、1966年の夏には「自身もそうである革命的な潜在力をもつ集団であるルンペンプロレタリアートへ直接訴える」[61]ため、『ヒートウェーブ』を出版した。

『ヒートウェーブ』はオランダのプロヴォというアナキスト・アーティスト・コレクティブを源流としたプロヴォタリアート[62]（挑発者階級）の紹介から始めている。ラドクリフによれば、労働者階級はブルジョア階級や政治家の奴隷に成り下がっており、「プロヴォタリアート」が「最後の反乱要素」として台頭した「階級の拒絶」をスタイルに持つ注目すべき存在だとしている。そして、「社会的破壊の種」の章では、英国の文脈の中で現れた「族《トライブ》」と称される、ビート・ジェネレーション、[63]モッズ、[64]ロッカーズ、[65]テッズ[66]など、サブカルチャーを分析し、国境を超えたこのプロヴォタリアートこそが、資本のもたらす疎外を我々に意識させ、消費を拒絶し、分権化された「コレクティブゼイション」を中心とした自治共同体を構想させる契機になるものだと訴えた。

SIにラドクリフと共に加入することになるクリストファー・グレイが『ヒートウェーブ』とヴァネーゲムの『当たり前の基礎事実（英訳では『子どものための全体性』）』の英訳をSIに送ったところ、

パリからムスタファ・カヤティが訪れ、ＳＩとの交流が始まった。ラドクリフとグレイは、同年10月、オランダのプロヴォ、ベルギーでラウル・ヴェネーゲム、最後にパリのＳＩを訪れ、ドゥボール、ベルンシュタイン、ルネ・ヴィエネ、アリス・ベッカー・ホー、同郷のドナルド・ニコルソン＝スミスと交流した。

ラドクリフによれば「心理地理学のレポートも、理論の試験もなく、ただリラックスしつつ、散歩やミーティング、ディスカッション、食事をしただけ[67]」でグレイと共に正式なＳＩのメンバーに迎え入れられた。

既にＳＩに加入していたニコルソン＝スミスはＳＩ除名後も多くの文献を翻訳し英語圏に紹介した人物であり、後に美術批評家として活躍するティム・クラークと共にＳＩのサマー・カンファランスに参加したことをきっかけとしてメンバーとなっていた。

クラークは、グラマースクール時代からＣＮＤに積極的に関わり、ケンブリッジ大学に入学後、露骨な階級社会を目の当たりにしたことや、イギリスの共産党に幻滅したことで、アナキスト活動に関与していた。大学ではニコルソン＝スミス以外にも、キング・モブで活動した、カルチュラル・スタディーズの先駆的な研究者で、スクワット運動のリーダー「ドクター・ジョン」として知られるフィル・コーエン[68]とも出会い、共にマルクス主義の正統派とは異なるアプローチを探求していた[69]。そのため、ＳＩは彼らにとって新しい革命の重要な存在として映っていたのである。

この関係により、「知的なグレイと感情的なラドクリフが互いにバランスをとっていたが、ドン

図26　『ヒートウェーブ』
チャールズ・ラドクリフ、1966

（ドナルド）とティムが加わったことで、三人の「状況派知識人」とひとりの直感的なアナーコ・コミュニスト」という英国のSIセクションが生まれた。[70]

このセクションと合流することになるニューキャッスルのアナキスト・アーティスト・コレクティブ「イクテリック」を紹介するまえに、ラドクリフの志向性を決定付けた、アメリカのシカゴ・シュールレアリスト・グループとオランダのプロヴォについて、確認しておこう。

シカゴ・シュールレアリスト・グループ

シカゴ・シュールレアリスト・グループは、ＩＷＷ（世界産業労働組合）とシュールレアリズムに親和性を見出した、フランクリン・ロズモンドを中心として組織されたアメリカ、シカゴを拠点とするアナキスト・アーティスト・コレクティブである。ロズモンドは少年期にビート・ジェネレーションに影響を受けた労働者階級の仲間と共に、急進的な政治活動誌『レベル・ワーカー（叛逆の労働者）』を発行した。

ＩＷＷは、既にフォークの章でも紹介した通り、労働組合の連合による、政府のない世界を構想した組織であり、レベル・ワーカーはこのＩＷＷの準組織としても開始された。レベル・ワーカーは、ＩＷＷの戦略である音楽も含め、アート、及び、アーティスティックな活動にも着目していた。

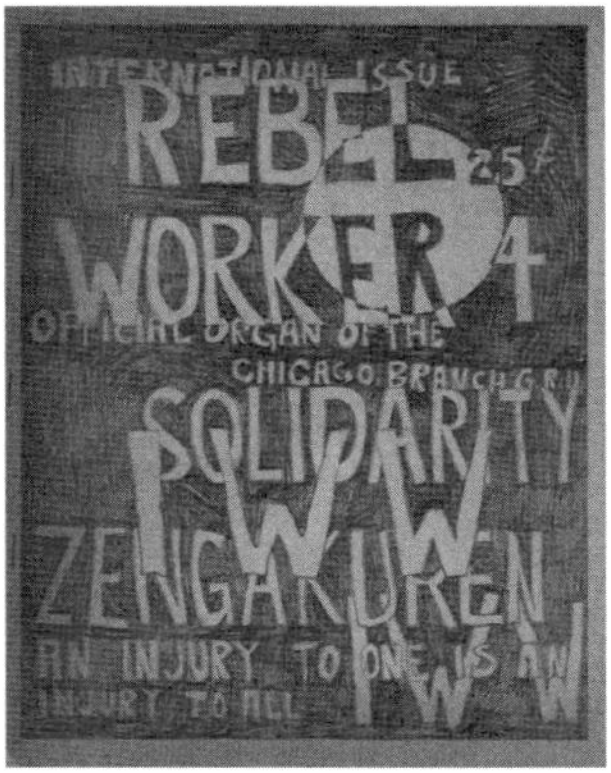

図27 『Rebel Worker 4』
フランクリン・ロズモンド、1963

主には労働者の余暇に焦点を当てつつも、後にインフラポリティクスと呼ばれるようになる[71]、支配者に対して被支配者が、気づかれないように行う抵抗の戦略を紹介したもので、具体的には職場の掲示板でのジョークや、落書き、スローダウン（仕事の能率をわざと落とす戦略）、いたずらといったサボタージュや、ジャック・ヴァシエ[72]の「内部からの脱走」の実践があった[73]。

このジャーナルの思想的な枠組みは、イギリスの「ソリダリティー（連帯）」フランスの「社会主義か野蛮か」グループや、シュールレアリズムへと影響を与えた精神分析学者のジークムント・フロイトやヘルベルト・マルクーゼといった「ある種のぐらついたアナーコ・フロイト主義[74]」で構成されていた。

『レベル・ワーカー』は1967年のニューヨークで開かれたアナキスト会議でマーレー・ブクチンに取り上げられ、イギリスの「ソリダリティー」「ヒートウェーブ」、ニューヨークの「ブラック・マスク」、日本の「全学連」、オランダの「プロヴォ」と連帯する。そして『レベル・ワーカー』はロズモンドらによって、ロックのライブ会場で定期的に売られたことで、ロックファンの若者も政治に巻き込んだ。

ロズモンドは自らの志向性を形作った原点として、フランスで起きたシュールレアリズムと共にこのIWWを挙げており、IWWという「他にない開放的で、想像力に溢れ、クリエティブで、詩に傾倒した、熱烈なユーモアを持ち得た革命的大衆運動」にシュールレアリズムを見出したと説明している。そして、シュールレアリズムの最新の動向を学ぶため、1965年冬、パートナーで同志のペネロペと共にフランスのブルトンの元を訪れ、ブルトンを含む、多くのシュールレアリストたちと交流した。翌年、フランクリン、ペネロペ、バーナード・マルザレク、トール・フェグレ、ロバート・グリーンによって、アメリカのシカゴを拠点として、シカゴ・シュールレアリスト・グループが設立された。彼らはシュールレアリズムの出版物や作品を英語圏に紹介し、シュールレアリズムの初動に携えていた政治性をもった運動をアメリカで始動させた。

プロヴォ

プロヴォは1965年5月25日に、ロッテルダムのアナキスト新聞『De Vrije（自由）』のスタッフのロエル・ファン・デュイン、マルティン・リント、ロバート・ハーツェマ（グルートヴェルト、ロブ・ストークのペンネーム）の署名で正式に発足した、アナキズムを信奉するアーティスト・コレクティブである。

メンバーのひとり、ロバート・ジャスパー・グルートヴェルトの儀式的なハプニング「アンチ・タバコ・キャンペーン」や、同名のジャーナルの発行による扇動で活動は開始された。アンチ・タバコ・キャンペーンは、タバコ会社の出資によってアムステルダムのスプイ広場に建立された銅像の前で、タバコの中毒性と現代社会における、消費主義、マスメディアに対する中毒性をなぞらえて批判したプロジェクトであった。

彼らの思想は、ミハイル・バクーニンのアナキズム、ポール・ラファルグ[75]、ドメラ・ニューヴェンホイス[76]らに根ざして始まった。さらに、CoBrAやシチュアシオニスト・インターナショナルで活動していた、コンスタント・ニーヴェンホイスの参与によって、ホ

図28
『Provo 1』プロヴォ、1965

ワイト・プランと呼ばれるゲリラ・ハプニングへと集約する。プロヴォもまた「これまでのアナキズムを刷新」し、ハプニングにより若者というルンペンプロレタリアートの中に入り込み、抵抗の主体になるよう呼びかけ、蜂起へと導いた。

彼らの過激なアクションの一例として、当時のベアトリクス王女が、元ナチスのクラウス・フォン・アムスベルクと結婚する際のロイヤル・ウェディング・パレードに対する発煙筒投下事件があった。しかし、パンクへと与えた影響はホワイト・プラン（白い計画）である。

ホワイト・プランはアナキズムをベースとしたユニークな直接行動とアイディアで資本主義の要請に対抗するもので、第一弾の「ホワイト・バイシクル《自転車》・プラン」は、「資本主義社会の私有財産に対する挑発[77]」にもとづき、誰でも自由に乗り捨てることが可能な、50台の白い自転車を共同交通機関として解放した。この計画はアムステルダム市計画局に中心部の交通問題や排気ガスの解決に大きく貢献すると好意的に受け止められ、企業によっては安価な新型自転車の設計に取り組んだ。

他にも「ホワイト・チムニー《煙突》・プラン」では、大気の汚染度によってそれぞれに税金を課し、深刻な汚染者の煙突を白く塗ることを提案した。また、望まない妊娠を減らす目的で、アドバイスや避妊薬を提供するクリニックのネットワークを構築する「ホワイト・ウーマン・プラン」や、横暴な警察に対する「ホワイト・チキン・プラン（チキンはオランダ語で警察への蔑称）」では、警察を武装解除して、ソーシャルワーカーへと変貌させることが意図され、警察は市長ではなく市議会の管轄下に置かれ、民主的に警察署長を選出するというプランであった。他にも色々とあるが、パンクスへと影響

図29　《ホワイト・バイシクル（自転車）・プラン》プロヴォ、1966

を与えたのが「ホワイト・ハウジング・プラン」であった。

「ホワイト・ハウジング・プラン」は、コンスタントの「ニューバビロン」とも結節されており、空き家のドアを白く塗りホームレスへと解放するもので、後のスクワット運動へと連動する。ダッチ・パンクスの黎明期にイギリスのパンクバンド、クラスと共闘したザ・ロンドスは、この思想を引き継いで、オランダのスクワット運動の先頭に立った。

プロヴォは近代化によって引き起こされた、消費主義、環境問題、家父長制、国家権力と暴力、理性規範を俎上に載せ、教育について人々に再考を促す直接行動を展開し、パンクスだけにとどまらず、オランダの先進的な生活環境にも影響を与えたコレクティブであった。[78]

イクテリック

ＤＡＤＡに倣って辞書から無作為に選ばれたイクテリック（Icteric＝黄疸の治療薬の名称）というアーティスト・コレクティブが、ニューキャッスル大学の美術学部の講師、ロン・ハント、ディビッド&スチュワート・ワイズ兄弟らによって組織された。活動としては、ジャズのコンサートの最中にステージに登って落書きをしたり、アートスクールの入り口に南京錠をかけて鎖でつなぎ封鎖するといったゲリラ・ハプニングや、「ストリートへの降下」という展覧会を企画するなど、ニューキャッスルのアートワールドで悪名を馳せていた。

１９６７年1月には同名のジャーナルを発行し、「適合主義的ではないイギリス」に意味付けられた「美学の破壊」[79]としての現代アートの歴史を掘り下げ、反体制的なヨーロッパの歴史に対する再評価、ロシアのニヒリズム、ダダの復興とシュールレアリズムの忘れられた革命的側面に焦点を当てた。

ハントはジャーナルを通じてニューヨークのロウアー・イースト・サイドで活動するアナキスト・アーティスト・コレクティブのブラック・マスクの活動を知り、メンバーのひとり、ベン・モレアにコンタクトを取った。すぐにモレアから参加要請の返信が来たことから、デイビッド・ワイズとメンバーのアン・ライダーがブラック・マスクを訪れ、ゲリラ活動に参加した。そしてイギリスに戻る際、モレアからSIのイギリスセクションの連絡先を渡されたことで、ロンドンのパブで会合をもつことになった。[80]

会合では「主にアメリカで起きていた、ワッツ、ニューアーク、デトロイトでの反乱や、過去の芸術や政治における最も破壊的な側面についての過激な理論を無限につなぎ合わせた[81]」討論や、「バクーニンが美術館から傑作を運び出し、1848年の革命の際にバリケードに吊るしたといった芸術家以外の人々によって展開された反芸術的手段」も話題とされた。そして「純粋な情熱と、金銭（株式市場の侵犯）と商品生産の社会的関係から自由な生活を送りたいという願望[82]」から、ストリートでの活動が緩やかに組織されていく。

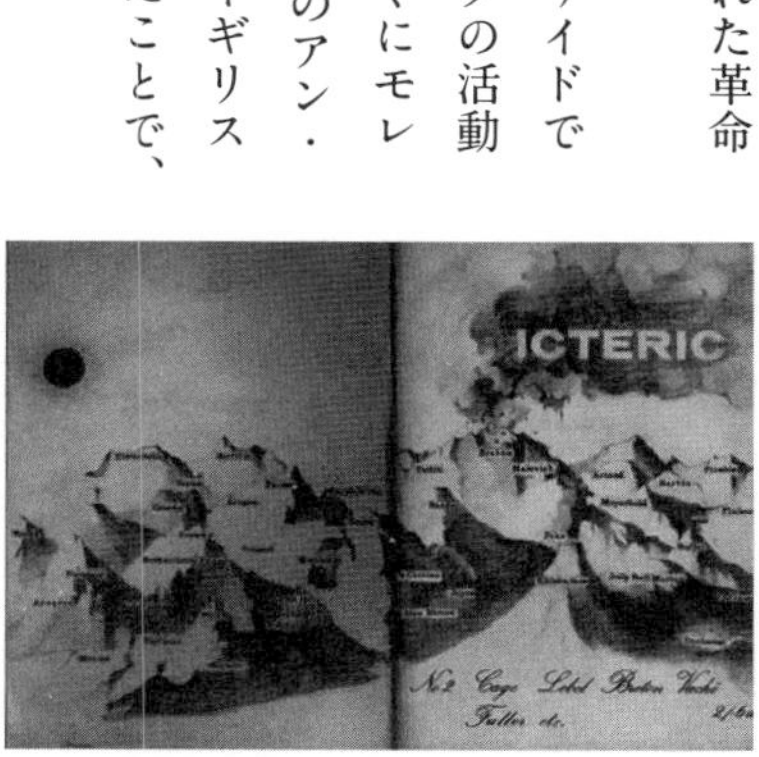

図30　『Icteric 2』
デヴィッド&スチュワート・ワイズ、1967

マレイ・ブクチン

イクテリックとSIのイギリスセクションとの交流が始まった当時、チャールズ・ラドクリフはS

Iが党是とする他組織との接触の禁止や中央集権的な姿勢に疑念を持ち、67年10月にSIを脱退する。ワイズ兄弟によれば、SIが豊富な資金を背景に「労働の拒否」を実行していたことに対して、ラドクリフはその資金が無いと語っていたことを指摘している。[83]

この時期、アメリカのアナキスト・アーティスト・コレクティブであるブラック・マスクに共感を抱いていたSIは、ラウル・ヴァネーゲムを代表として、彼らの元を訪れた。しかし、ヴァネーゲムがメンバーのひとり、アラン・ホフマンと面会した際に、『日常生活の革命』を神秘主義的な観点から解釈したことに疑念を抱いたSIによって、ブラック・マスク、イギリスセクションの間で論争が起こった。この件によりイギリスのメンバーは全員が除名され、ブラック・マスクは糾弾された。

ラドクリフは同時期、ニューヨークで活動していたアナキストで、後に生態学とアナキズムを交差させたソーシャル（エコ）・アナキズムを提唱するマレイ・ブクチンと出会い親交を深めていた。ブクチンはSIへの参加を求められたり、[84]ブラック・マスクやアップ・アゲインスト・ザ・ウォール・マザーファッカーとも関わりをもち、「ニューヨークのブラック・マスクとロンドンの新生キング・モブの間の仲介役のような存在であった[85]」。そして、カウンターカルチャーの中に社会変革の種子を見出したアナキストの理論家で、活動家でもあったブクチンの理論は、後にアナーコ・パンクスへも影響を与えた。

当時、高度資本主義経済による産業の発展は、自然破壊を世界規模でもたらしていた。そのため、人間と自然の関係に重点を置き、スピリチュアルなものへと憧憬の眼差しを向けた「ディープ・エコロジー」といった思想が現れていた。ブクチンはこの「ディープ・エコロジー」に対し、資本主義がもたらした能率性による、人間に優劣をつける位階層的な基盤に沿って組織される社会への批判がないことを問い、環境破壊の要因を「人間による人間の支配」に見出した[86]。そして、この問題を解決するためには、権力から個への抑圧を撤廃することが必要で、それによって個々の自発性と創造的潜在力の解放が可能であることを説いた。つまり、解放によって多面的で円熟した人間が創造され、自然と社会の間に調和が生まれることを提唱したのだ[87]。

ブクチンもまたSIとは友好な関係を築いていたが、除名した人間との交流の断絶を求める態度に全体主義を見て取り、参加を断っていた。

このようにイギリスのセクションの除名や脱退、ブラック・マスクを経由したニューキャッスルからの使者やマレイ・ブクチンという「空白と初期の戸惑い、そしてある種の再考を経て、キング・モブは生まれたのである[88]」。

ブラック・マスク

ブラック・マスクは、アメリカのニューヨークにあるゲトー、ロウアー・イースト・サイドでベン・モレアとロン・ハーネによって1965―66年[89]に組織されたアナキスト・アーティスト・コレクティブである。彼らの活動は同名のジャーナルの発行と共に開始された。

ブラック・マスクの中心人物であったモレアは、10代で薬物中毒になり刑務所に収監された。その際に読書に触れ、アートに興味を持ち、出所後、ビート・ジェネレーションを探求する中で、ザ・リビング・シアター[90]を組織していたアナキストのジュディス・マリーナとジュリアン・ベックに出会う。モレアはこの出会いを通して自分の抱いていた志向性がアナキズムであることに気がついた。さらに、イタリア系アメリカ人のアーティスト、アルド・タンベリーニや、当時アメリカに住んでいたベルリン・ダダを代表するアーティスト、リヒャルト・ヒュルゼンベックとも懇意になり、「美術館にアートがあるということは、アートを矮小化し、支配階級の道具にすることである[91]」といった制度批判的な指向を抱いた。また、アフリカ系アメリカ人の公民権運動にも強く影響を受け、「アートと政治がラディカルな形で共存できる場所」を求め、ブラック・マスクとして活動を開始する。

ブラック・マスクは１９６６年に発行されたジャーナル『ブラック・マスク』と連動した直接行動として「ＭＯＭＡ閉鎖」ハプニングを同年10月に宣告し、近代美術館（ＭＯＭＡ）を閉鎖に追い込んだ。

67年にはカナル・ストリート駅からウォール街までを全身黒づくめで、目出し帽とマスクを被り、巨大な頭蓋骨や「Wall St. is War St.」と書かれたプラカードを持って行進し、人々に大きなインパクトを残した[92]。

同年、詩人ケネス・コッホ[93]が教会で行った朗読会では、空砲で狙撃した。ニューヨーク市の衛生施設職員のストライキの際には、ロウアー・イースト・サイドのゴミが収集されず、高級住宅街であるアッパー・ウエスト・サイドにある総合芸術施設、リンカーン・センター周辺のゴミだけが収集されたことへの抗議として「文化的交流・ゴミからゴミへ」を決行する。メンバーはリンカーン・センターへとロウアー・イースト・サイドのゴミを運び込み、噴水に投げ込んだ。

図31
『Black Mask 4』ブラック・マスク、1967

この時期、メンバーの数人が、ブラック・マスクと呼ばれることを拒んだことや、マルクス主義者で詩人のアミリ・バラカが塀の中で叫んだ「アップ・アゲインスト・ザ・ウォール・マザーファッカー」という詩の掲載を提案したことで、組織は「アップ・アゲインスト・ザ・ウォール・マザーファッカー」と呼ばれるようになる。[94]

68年には、モレアと親交が深かったラディカルなフェミニスト宣言、ＳＣＵＭマニフェストを唱えたヴァレリー・ソラナスがアンディ・ウォーホルとリオ・アマヤを狙撃した。ブラック・マスクは「ダダの真の復讐」としてソラナスに対する擁護活動をＭＯＭＡで展開した。この時に使用されたビラは後述するキング・モブ・エコーにも転載される。

１９６９年ウッドストック・フェスティバルのフェンスを破り、人々へと解放し、会場の出店先からテントと寝袋を奪って配布した。反戦活動の際には、コロンビア大学の占拠、アメリカ国防総省のペンタゴンへ侵入し、政府を撹乱させた。彼らはゲリラ活動だけでなく、ロウアー・イースト・サイドで貧困層に向けて「ラットホール（Rat Hole）」と名付けた無料の宿泊場、食料配布プログラム、診療所、法律サービスなどの提供、徴兵逃れのための偽造ＩＤの制作といった活動も展開した。

ブラック・マスクの活動は、ネイティブ・アメリカンやジプシー、アフリカなど、西洋以外の文化を系譜としており、その戦術は、現在でもデモで匿名化のために、全身を黒ずくめにする「ブラック・ブロック」や、柔軟性と脱中心化のための少数での活動形態である「アフィニティ・グループ」の原型を作り、人々に「分析を伴うストリート・ギャング」と呼称された。

彼らは自らの行動の指針として「政治や文化の変革にとどまるのではなく、すべてを変えるという表明」である「トータル・レボリューション」を実践し、キング・モブへと影響を与えた。

キング・モブの活動は、主に１９６７年に創刊されたジャーナル『キング・モブ・エコー』での言説とストリートにおける直接行動が挙げられる。ブラック・マスクとは常に結び付けられ、キング・モブ・エコーで紹介された。次にキング・モブの活動を確認し、その後、パンクに影響を与えた主要な言説とイメージをみていこう。

キング・モブの活動

キング・モブはクリストファー・グレイがロンドンの西に位置する、ノッティングヒル・ゲートに拠点を移したことで、そこを中心として活動を開始した。彼らは壁にマルキ・ド・サドからのフレーズ「犯罪は官能の最高の形態である」や、地下鉄から見える壁に「毎日同じことの繰り返し‐通勤電車‐仕事‐夕食‐仕事‐通勤電車‐アームチェア‐テレビ‐睡眠‐通勤電車‐仕事‐これ以上どれだけ耐えられるのか‐10人に１人が発狂し‐５人に１人が崩壊する」といった落書きをし、日常生活の中の疎外を人々に意識させた。[95] また、当時の労働党のハロルド・ウィルソン首相が推進した「I'm Backing Britain」のキャンペーンを風刺したステッカーを配布し、路上の至るところに貼り付けた。

１９６８年の春にはノッティングヒルにあるパウイ広場でゲリラ・ハプニングを行った。

パウイ広場は資産家のレジャーのための広場であり、普段は閉鎖されていた。

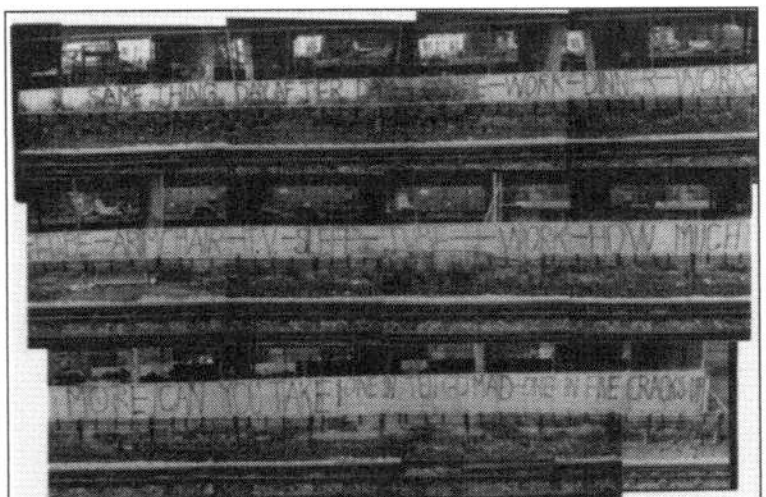

図32　《Same thing day after day.....》
キング・モブ、1970年代初頭

しかし、この近辺には子どもが遊べる場所がなく、路上で遊んでいたために交通事故が頻繁に起きており、ハプニングの直前には死亡事故が発生していた。キング・モブはゴリラと馬の着ぐるみを着て、街宣により地域住民を扇動し、大声で叫びながら広場の周りのフェンスを破壊した。すぐに駆けつけた警察と乱闘になり逮捕者が出るも、地域住民による定期的なデモが行われるようになり、最終的に広場は子どもたちへと解放された。

1968年初夏、ノッティングヒル・ゲートの教会においてスペインの前衛芸術家で劇作家のアラバールの戯曲が開催された。キング・モブはそこへ乗り込んで俳優たちを脇に押しやり、ステージを占領した。俳優の何人かは「我々は五月革命には賛成だ」と叫んだが、キング・モブ側は「観客とパフォーマンスの分離という、現代の資本主義的な受動性を強化するような俳優の役割を引き受ける連中が、どうしてそんなこと（革命）ができるのか」と排斥した。[96]

7月のベトナム反戦運動のデモでは、ベイクド・ビーンズ缶を模したものや、アメリカのGIがハンバーガーに挟まれた巨大人形を着てロンドン中心部を練り歩き、「ホー、ホー、ホー・チ・ミン」の唱和を「ホット・チョコレート、ドリンク・チョコレート」で中断させた。[97] このデモには、すぐ後にキング・モブに加入することになるマルコム・マクラーレンも参加しており、燃やされた国旗をうっかり持ってしまい収監された。このとき、同房で出会ったのがマクラーレンを急進化させた友人のひとり、ヘンリー・アドラーであった。

アドラーは、マクラーレンとフレッド・ヴァーモレルにアクティビストやラディカルな詩人の紹介から、アーティスト・トークや現代アートの作品を無料で鑑賞できる機会まで与えた。その中にはシチュアシオニスト・インターナショナルも含まれていた。[98]

この後、フランスのソルボンヌ大学に留学したヴァーモレルは、SIの機関紙をイギリスに持ち帰った。機関紙は、メタリックカラーに輝く表紙に洗練されたデザインが施され、人々を革命へと駆り立てる言説が散りばめられており、マクラーレンは衝撃を受けた[99]。「パリの学生たちが彼（ドゥボール）のアイディアを取り入れ、それを現実のものとして、ストリートを自分たちのものにし、事実上、ド・ゴール政権を崩壊させたとき、こっちはもう興奮しっぱなしだった。だから、自分たちのアートスクールを荒らして居座り、乗っ取ることで、敬意を表そうとしたんだ[100]」とマクラーレンは自分たちの活動への影響を語っている。

この影響は、キング・モブの活動を通して、パンクはもちろん、マクラーレンが学生時代に構想し、90年代にテレビドラマ化した『ザ・ゴースト・オブ・オックスフォード』にも現れている。

ロンドンの中心にあるオックスフォード・ストリートは、「ゴードン騒乱」をきっかけに、直線的な道路に作り変えられ、その一端を隘路にして市民の反乱を封じ込め、軍隊がすぐに市内に進軍できるように国家の管理下におかれていた[101]。この映画は、オックスフォード・ストリートの影の歴史を掘り下げ、心理地理学、トマス・ド・クインシーを源流とする漂流を用いて、自身の直接行動への参加や匪賊への憧憬を織り交ぜた物語であった。後にマクラーレンはこの構想ついて「社会的、政治的観点から群衆がどのように操作されているか、社会の消費者的側面、全体を観察すること」と、心理地理学的なコンセプトを語っている[102]。

１９６８年10月下旬、アドラーはロンドン・スクール・オブ・エコノミクス占拠の際、キング・モブのメンバーにマクラーレンとヴァーモレルを紹介した。このときのパブでの出会いの様子についてヴァーモレルの回想をそのまま抜粋しよう。

「どうやって「状況」をエスカレートさせるかという議論をしていたんだ。マルコムを呼ぶために電話をかけた。おれたちが真剣に話し合っている最中に、やつは駆けこんできた。息も絶え絶えで、目は険しく、巻き毛の赤い髪が乱れて興奮した様子だった。でも、それは革命のせいじゃなかったんだ。ナショナル・ギャラリーでゴッホの「ひまわり」をみてきたマルコムは「輝いていて、超越的で、マジでやばかったんだよ」と天啓を受けたことを話しだしたんだ。キング・モブの幹部には不評だった。何人かは嫌な顔をして、不機嫌になったんだ。だけどマルコムの無邪気な姿に驚く連中もいた。「こいつは、文化は消費されるものではないということ、つまり芸術は死んだということを知らないのか？ そしてこの死はシチュアシオニズム（原文ママ）の最も神聖な教義の一つであり、どんな形であれ、文化に手をつけることは、あってはならないことで、政治的にも罪であるということを？[103]」って。だけど、結局、疑念を向けたとはいえ、マルコムの熱意が強かったのと、警察のスパイにしては、あまりにも狂っているので、まあ、信じておくかということになったんだよ[104]」。

マクラーレンとヴァーモレルが参加して間もない1968年のクリスマス、アナキストのピョートル・クロポトキンをルーツにし[105]、ブラック・マスクがアメリカで行っていた大胆なゲリラ・ハプニングをオックスフォード・ストリート沿いにある高級デパート、セルフリッジにて決行した。

キング・モブ25人のメンバーがサンタクロースに扮してセルフリッジに侵入し、おもちゃ売り場の商品を無断で子どもたちに配り出したのである。異変に気がついた店員の通報により警察が駆けつけ、

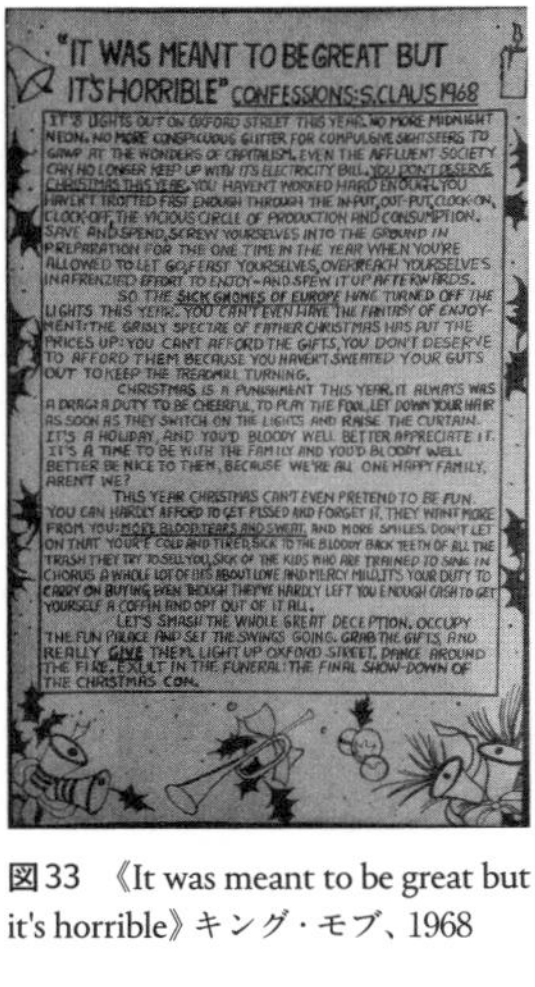

図33 《It was meant to be great but it's horrible》キング・モブ、1968

子どもたちからはおもちゃが回収され、人々の前でサンタクロースが連行された[106]。このハプニングについてデヴィッド・グレーバーは、個々の人間の背後にある物語を無視し、一方的な構造的暴力によって従わせせようとする、知的反応を不可能にする国家という「馬鹿の形式」を暴露したものだと指摘した[107]。

このときの様子についてワイズ兄弟は「マクラーレンには大胆さがあり、セルフリッジの戦いではあちこちに飛び回って、非常に勇敢で想像力に富んでいることを証明した」と回顧している[108]。一方、クリストファー・グレイは、マクラーレンを「ただ、視野の広い美大生で、あまり関与していなかった[109]」と振り返る。しかし、このキング・モブの直接行動を経たマクラーレンは、グレイのアイディアである「ことごとく不快な」反音楽的ポップバンドを作ることを実践し、70年代に入りパンクを生み出したのである[110]。つまり「セックス・ピストルズがSIに由来するのであれば、ラディカルな輝きとバーレスクな怒りという彼らの特別なひねりは、ロンドンのノッティングヒル・ゲートを拠点とする無法者の衒学者たちの集団を通しても媒介された[111]」のであった。

ルンペンプロレタリアートの主体化

SIのイギリスセクションが開始され、1967年10月に「現代アートの革命と革命の現代アート」というエッセイが英語版のSIのジャーナルに掲載するために執筆された。しかし彼らはSIから除名されたため、このエッセイは1994年10月に『Chronos Publications』(B.M. Chronos, London WC1N 3XX)に掲載されるまで、日の目を見ることはなかった。

「現代アートの革命と革命の現代アート」では、産業革命以降の資本主義がもたらした「疎外」と文化産業による生活の支配という共犯関係を、ＳＩの理念に重ね併わせて分析し批判していくもので、現代アートの陥っている諸矛盾と、その神秘化を打ち破ること、そして、商品経済の消費というサイクルによってでしか生を感じられない世界に創造性を取り戻すことを訴えたものであった。

現代アートは、前衛であれ、反芸術であれ、常にアートワールドの不文律に従った自己目的化した遊戯でしかないと退けられ、アートと日常生活の統合が提唱されている。これを見る限りでは、ＳＩの理念をなぞり直したにすぎない。しかし、どのようにアートと日常を統合し、創造性を人々に取り戻すかについて描かれた節では、「非行少年たち」というルンペンプロレタリアートの役割が強調されていく。キング・モブにとって彼らは「現代の階級闘争における質的に新しい段階、つまり、商品の純粋な破壊とその転覆の段階の間の転換点を示している」と位置付けられる。そして、非行少年たちの犯罪行為の数々は、「この無用の世界に対して、主体的な創造性の主権的な快楽に従属する、まったく新しい使用価値を付与する」と指摘した。このルンペンプロレタリアートを主体とした革命は「人間の自由で実験的な世界と自己の創造にのみもとづく」ものであり、「創造は、もはや内部の分離を認め」ず、「生命は、生命そのものの創造となる」と説いている。[112] つまり、日常と芸術の統合である。

キング・モブはなぜ非行少年たちを称揚し、彼らを主体化することを提唱したのだろうか。実際、マクラーレンは非行少年からなるセックス・ピストルズを生み出している。この系譜を紐解くと、彼らが常に参照するアナキストと匪賊、収奪者の関係にその片鱗が示されている。

キング・モブの系譜

ミハイル・バクーニンは匪賊を「真性の唯一の革命家である。美辞麗句もなく、学者ぶった修辞もなく、非妥協的で、疲れを知らず、不屈の革命家であり、非政治的で国家から独立した、民衆的で、社会的な革命家である」[113]と定義している。エリック・ホブズボームは、この匪賊を義賊、収奪者[114]へと分類しつつ、アナキストとの関係における歴史のはじまりを「1860、70年代におけるツァーリズム・ロシア[115]への爆弾を用いたテロリズム・無政府主義的環境を発生の地」と断定する。そして、当時組織されたアナキスト同盟を「新しいイデオロギーに対して古い伝統が深く染み込んでいる革命家の未成熟性の反映[116]」ととらえた。さらに、この収奪者＝アナキスト同盟に対する民衆の印象を「暴動と叛乱、犯罪と革命とのアナキストに特徴的な混同を反映したものであり、真正の解放反乱者と考えられたばかりでなく、掠奪といった単純な活動が、虐げられたものによってブルジョアジーを収奪する第一歩とみなされた」と指摘する。そして収奪者＝アナキスト同盟を含む匪賊の中心を占めるのが「未成熟」「村落での独り者」である「若者反抗者」だったのである。ここにキング・モブが若者に着目したルーツが現れている。つまり、アナキスト＝収奪者がブルジョアジーに対抗する前衛であり、その主要な顔ぶれは若者の反抗者が占めていたという歴史だ。このように、キング・モブやマクラレーンが自らを重ねていた匪賊には、もともと盗人と英雄というアンビバレントな価値が含まれていた。

さらに、イギリスにおける民衆による抵抗の歴史を振り返ると「1650年から1850年までの2世紀に渡って、王領地や私有地から木材、獲物、魚、薪、飼料などをくすねるのは、イギリスで最も一般的で人気のある犯罪[117]」であった。これは、支配層が財産権を確立し、それを防衛するために、警察、猟場番人、森林管理人、裁判所、絞首台と、そのベースとなる国家の立法機関を支配したのに対し、被支配層はリスクの低い密猟という匿名の「弱者の武器」を用いることが、日常的な政治形態だからであった[118]。

この犯罪をも辞さないキング・モブのような活動は、どう肯定でき、社会にどのような影響を与えたのだろうか。

ジェームス・C・スコットはこの理由を「進んで法を破る彼らの気持ちに内在したのは、無秩序と混乱の種を撒き散らしたいという欲求ではなく、むしろより公正な法的秩序を創出しようとする強い衝動」であり、「現在の法治主義が、かつてよりも寛容で、解放的であるというのであれば、私たちはその恩恵を過去の法律違反者に負っている[119]」と指摘している。

キング・モブ・エコー

『キング・モブ・エコー』は6号まで継続されたが、4号は発刊されていない。文芸編集者のトム・ヴェイグによれば、その代わりにグレイが考案した架空の組織、ブラック・ハンド・ギャングによる『Comrades Stop Buggering About（同志諸君、やりとげてくれ）』が4号だと推察している[120]。また、5号はオーストラリアで勝手に刊行され、6号もメインメンバーが関知せず発行されたという。

『キング・モブ・エコー』はサド、フーリエ、ロートレアモンといった

図34　『King Mob Echo』
キング・モブ、1968

シュールレアリズムの原型を形作ったおなじみの3人やＤＡＤＡ、ラバショル[121]、ボノ[122]、マフノ[123]といった過激なアナキスト、ローザ・ルクセンブルグ[124]、イギリスのロマン主義者、そして切り裂きジャックといった猟奇的な犯罪者を取り上げた。さらに「犯罪のための反大学」という、大学を革命戦争の目的に転じさせるといったユニークな提唱も行った。イラストに関しては、マーベル・コミックからの転用、活動報告として落書きやセルフリッジ・アクションの際のビラを掲載した。さらに、連帯していたブラック・マスクも度々取り上げ、暴力革命に共鳴を示した。

ブラック・ハンド・ギャングによる『Comrades Stop Buering About』は、これを描いたワイズ兄弟が「便所の落書き」と称した通り、単調な線のイラストで構成されている。ペニス人間、食糞、足を広げた女性のイラストなどを用いて、資本主義、官僚主義批判を卑猥に展開したものだ。このブラック・ハンド・ギャングという名称は後にマクラーレンとヴィヴィアン・ウエストウッドのデザインしたアナーキーシャツにも描き付けられた。

69年には、イングランド北部のハートプールを拠点とする新聞漫画のキャラクターで働かない労働者、アンディ・キャップのシルエットを転用したポスター作品「Luddites 69」を制作した。これは、イギリス中・北部の織物工業地帯を中心に、産業革命以降、労働環境に大きな構造転換をもたらした機械を破壊し、労働を拒否したラッダイト運動を取り上げたものだ。

このキング・モブが発行したジャーナルの一連の流れを見ると、ＳＩの硬質なスタイルから『ヒートウェイブ』のようなバクーニン的な観点を経て、徐々にアメリカのブラック・マスクのような行動派のアナキストに寄り添う形で展開し、最後に

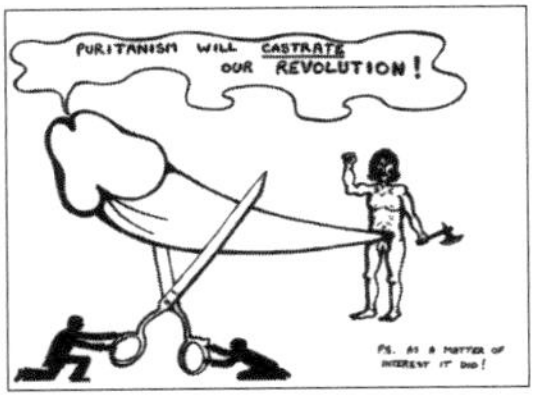

図35 『Comrades Stop Buggering About』ブラック・ハンド・ギャング（キング・モブ）、1968

『Comrades Stop Buggering About』という子どもじみたブラックユーモアへと完結する。

この『Comrades Stop Buggering About』に関してワイズ兄弟はパンクへの影響を示唆し、「強力な逆流として、そのスカトロ的かつ、ありきたりな低俗さは、パンクのイメージ戦略に使われた」[125]と説明している。

そして、これら一連のキング・モブの活動の源流について「ロートレアモンの並置[126]のバリエーションを、英国のネオ・ゴシック・ホラー小説のようなタッチで、リアルにアクティブに展開したようなもの」と喩えつつ、具体的には「フランケンシュタインやドラキュラ、マンク・ルイス[127]の小説やウォルポール[128]の『オトラント城奇譚』にみられるような、イギリス・ロマン主義の不気味でグロテスクでありながらも、魅力的な側面を積極的に実現しようとする傾向があった」と振り返っている。

このように、キング・モブの美学は、SIとは異なり、イギリスのゴシックやロマン主義を淵源としながらも、ルンペンプロレタリアへの同化が意識されていて、イギリスの下層階級の立場を投影しようとする試みがみられた。

これは、『キング・モブ・エコー3』でクリストファー・グレイがSIとブラック・マスクの活動について比較し、「シチュアシオニスト・サロン（貴族の社交場）から、スキッド・ロー（ドヤ街）へ」[129]という表現で、SIの厳格な理論に固執する衒学的態度を批判したことにも現れている。つまりキング・モブは、SIが闘争した「スペクタクルの社会」と「日常生活」という場をイギリスのローカルな地域で特定し、高踏理論《ハイセオリー》や洗練されたイメージを用いるのではなく、低理論《ローセオリー》やブラックユーモ

図36 《Luddites:69》
キング・モブ、1969

アを用いた遊戯的な直接行動によって、その場に生じるイデオロギーの暴露と転換を試みたのだ。その活動はジョージ・ウッドコックによるアナキズムの意義づけである、「教義を拒否し、体系的な理論を意図的に回避し、とりわけ徹底的な自由の選択における個人の判断の優位性を強調することによって、厳格な教義体系では考えられないような多様な視点の可能性を直ちに生み[130]」出してきたのである。この意味でキング・モブはアナーキー・イン・ザ・ＵＫの原点であった。

そして、これらの一連の過程が帰結したものが、マクラレーンによって打ち出されたパンクであり、パンクの背後にある思想的な文脈だったのである。

キング・モブはその後、解散宣言もなく、自然消滅へと向かっていく。ティム・クラークは、組織が活動を開始した頃から、イギリスにおけるＳＩのような存在を考えていたメンバーと、イギリスとパリの現実は異なると考えていたメンバーの間に亀裂があったことを回顧している[131]。

1　多木浩二『未来派：百年後を羨望した芸術家たち』コトニ社、２０２１、p.245。
2　リヒャルト・ヒュルゼンベック『ダダ大全』鈴木芳子訳、未知谷、２００２、p.70。
3　Marcus, Greil., *Lipstick Traces: A Secret History of the Twentieth Century*, Martin Secker & Warburg Ltd, 1989. 参照。
4　リヒャルト・ヒュルゼンベック、前掲、p.118。
5　Williams, Eric., *The Radicalization of the Berlin Dada*, 2016, p.11. https://www.researchgate.net/publication/302589694
6　ヴァルター・ベンヤミン「複製技術時代の芸術」『ベンヤミン・コレクション〈1〉近代の意味』浅井健二郎・久保哲司訳、ちくま学芸文庫、１９９５参照。
7　ドーン・エイズ『フォトモンタージュ 操作と創造――ダダ、構成主義、シュルレアリスムの図像』岩本憲児訳、フィルムアート社、２０００、p.32。

8　リヒャルト・ヒュルゼンベック、前掲、p.106。

9　Sudhalter, V Adrian., Über private Denkmalpflege. *Johannes Baader and the Demise of Wilhelmine Culture: Architecture, Dada,and Social Critique, 1875-1920*, 2005, p.95. https://www.academia.edu/43781565/Johannes_Baader_and_the_Demise_of_Wilhelmine_Culture_Architecture_Dada_and_Social_Critique_1875_1920参照。

10　歴史家のアンドリュー・ハッセーによって２０２１年にイズーの自伝が出版された。

11　１９２７年から第二次世界大戦の初期にかけてルーマニアで起きた反ユダヤ主義民族運動の団体。

12　Hussey, Andrew., *Speaking East: The Strange and Enchanted Life of Isidore Isou*, Reaktion Books, 2021, p.11.

13　「セーヌ左岸とは古い家屋やそれよりさらに古い道が川に沿って細長く伸びている地域で、作家や芸術家はそこで暮らし、仕事をしていた。かれらがひとたび宣言を発すれば、それは全ヨーロッパはおろか、遠く離れたスターリン治下のロシア、資本主義のアメリカまで駆け巡ったのである」。H.R.ロットマン『セーヌ左岸』天野恒雄訳、みすず書房、1985、p.7。

14　Hussey, Andrew., *op.cit.*, p.128.

15　ユダヤ教徒が食べてもよいとされる旧約聖書に書かれた「清浄な食品」を扱うレストラン。

16　シュールレアリスト、ダダイスト、レトリスト、シチュアシオニストはロートレアモンを度々参照している。

17　Hussey, Andrew., *op.cit.*, p.134.

18　塚原史「レトリスム研究序説　イジドール・イズーとモーリス・ルメートルの初期の著作を中心に」『人文論集（59）』, pp.240-168, ２０２０、早稲田大学法学会、p.15。

19　同書、p.23。

20　Hussey, Andrew., *op.cit.*, p.134.

21　Ibid., pp.199-200.

22　Ibid., p.207.

23　文字や絵画に隠された意味を当てるなぞ解きのこと。

24　ＳＩ『アンテルナシオナル・シチュアシオニスト１　状況の構築へ』石田靖夫・黒川修司・田崎英明・原山潤一・安川慶治訳、小倉利丸・杉村昌照・木下誠監訳、インパクト出版会、１９９４、p.18。メンバーはジャン＝ミッシェル（メンション）、フレッド（オーギュスト・オメル）。

25　Jean-Michel Mension (Pierre) et Auguste Hommel (Benny), Paris, 1953, Ed van der Elsken, Nederlands Fotomuseum

26 Rotterdam.
ジャン＝ルイ・ブロー、ギル・J・ウォルマン、フランソワ・デュフレースによって結成され、後にレイモンド・ヘインズ、ジャック・ヴィルグレ、ミンモ・ロテラが加入した。『グラムス』というジャーナルを発行していた。

27 ＳＩ、前掲、pp.47-56。

28 レトリスム・インターナショナル「……ヨーロッパにおける新思考」『ポトラッチ7』１９５４。

29 デヴィッド・ハーヴェイ『反乱する都市——資本のアーバナイゼーションと都市の再創造』森田成也・大屋定晴・中村好孝・新井大輔訳、作品社、２０１３、p.17。

30 Jappe, Anselm., *Guy Debord*, Translated by Donald Nicholson-Smith, PM Press, 1992, p.86.

31 『アンテルナシオナル・シチュアシオニスト5スペクタクルの政治［第三世界の階級闘争］』石田靖夫・黒川修司・原山潤一・安川慶治・永盛克也訳、栗原幸夫・鵜飼哲解説、木下誠監訳、インパクト出版会、１９９８、pp.393-410参照。

32 The Letterist International, *Plan for rational improvements to the city of Paris Unattributed Potlatch #23,13 October 1955*, http://www.notbored.org/improvements.html

33 シャルル・フーリエ（Francois Marie Charles Fourier 1772-1837）はフランスの社会思想家。「空想的社会主義者」と称される人物のひとり。情念引力論を提唱し、１６２０人から成る農業共同体と「ファランジュ」というユートピア建造物を提唱した。フーリエの出身地、ブザンソンの印刷所で校訂の作業にあたっていた若き日のプルードンがフーリエの『家庭・農業アソシアシオン論』を読み、その後のアナキズムの思想形成へと影響を与えたと言われている。オウエン、サン・シモン、フーリエ『世界の名著〈42〉』白井厚訳、中公バックス、１９８０、参照。

34 ヨハン・ホイジンガ（Johan Huizinga 1872-1945）はオランダの歴史家。ホイジンガの著書『ホモ・ルーデンス』で描かれた「遊び」の概念はシチュアシオニストに大きな影響を与えた。

35 Home, Stewart., *op.cit.*, p.8.

36 アンリ・ルフェーヴル（Henri Lefebvre 1901 - 1991）はフランスのマルクス主義社会学者、哲学者。ルフェーヴルはシチュアシオニストとの付き合いの中で、相互にその思想形成に対して影響を受けあった。

37 Home, Stewart., *op.cit.*, p.9.

38 Ibid., p.25.

39 Rumney, Ralph., *The Consul, Conversations with Gérard Berréby*, San Francisco, City Lights Books, 2002, p.18.

40 Ibid., p.47.

41 Wigley, Mark., *Constant's New Babylon: The Hyper-architecture of Desire*, 010 Uitgeverij, 1998, p.10.
42 彼らの思惑に反して今ではＳＩのチラシやパンフレットは高騰してしまっている。
43 ＳＩ、前掲、pp.313-326。
44 同書、p.314.
45 コルネリュウス・カストリアディス（Cornelius Castoriadis 1922-1997）は、ギリシャ出身で、フランスに帰化した哲学者。
46 クロード・ルフォール（Claude Lefort 1924-2010）は、フランスの政治哲学者。
47 Jappe, Anselm., *op.cit.*, p.92.
48 クリスティーン・キーラー（Christine Keeler 1942-2017）はイギリスの高級娼婦としてハロルド・マクミラン政権下の陸軍大臣、ジョン・プロヒューモとの関係がスキャンダルとなり、政権交代に繋がった。
49 ギー・ドゥボール『スペクタクルの社会』木下誠訳、筑摩書房、２００３、p.240。
50 Vaneigem, Raoul., *The Revolution of Everyday Life*, PM Press, [1968]（2012), p.108.
51 デヴィッド・グレーバー『資本主義後の世界のために（新しいアナーキズムの視座）』高祖岩三郎訳、以文社、２００９、p.161。
52 Hussey, Andrew., *Requiem pour un con: Subversive Pop and the Society of the Spectacle*, Cercles 3, 2001, p.51.
53 Graeber, David., *Direct Action: An Ethnographphy*, AK Press, 2009, p.260.
54 Hemmens, Alastair.and Gabriel Zacarias(ed.), *The Situationist International A Critical Handbook*, Pluto Press, 2020, p.9.
55 囚人たちは暴動による解放をキング・モブ（暴徒の王様）という形で謝意として示した。Hibbert, Christopher., *King Mob: The Story of Lord George Gordon and the Riots of 1780*, Hippocrene Books, 1990[1958]. 参照。
56 Expropriatorsは「革命家に資金を提供することを意図した盗賊を指し」ており、「１８６０、70年代におけるツァーリズム・ロシアのテロリズム・パラス無政府主義的環境がその発生の地」。エリック・ホブズボーム『匪賊の社会史』船山榮一訳、筑摩書房、２０１１、p.168。
57 Social Banditsは「領主と国家によって犯罪者とみなされている農民不法者ではあるが、農民社会の中にとどまり、人々によって英雄、あるいは正義のために闘う人、あるいはおそらく解放の指導者とさえ考えられて」いる人。エリック・ホブズボーム、前掲、p.12。
58 Radcliffe, Charles., *Don't Start Me Talking: Subculture, Situationism and the Sixties*, Bread and Circuses, 2018, p.130/884., 位置No.2184/15550（ebook, Kindle)

59 フランクリンのパートナーのペネロペもシカゴ・シュールレアリスト・グループの共同創設者である。

60 マルキド・サド、ゴシック文学、シャルル・フーリエ、ロートレアモン、ジークムント・フロイト、シュールレアリズム、ナット・ターナー、H.P.ラブクラフト、カール・マルクスといった思想や文学について。Radcliffe, Charles., *op.cit.*, p.206/884., 位置No.3365/15550. 参照。

61 Ibid., p.217/884., 位置No.3779/15550.

62 ラドクリフの分類によると、プロヴォ、ビートニクス、ノゼム（オランダのロッカー）、テディ・ボーイズ、ロッカーズ、ブルゾン・ノワール（フランスのロッカーズ）、フーリガン、Mangupi（セルビアのギャング）、学生、芸術家、社会不適合者、アナキストを指している。Radcliffe, Charles., *Heat Wave #1*, 1966, p.3.

63 戦後から60年代にかけてのアメリカ合衆国で起きた、標準化を求める価値や物質主義の拒絶、精神的なものや、スピリチュアルなものの探求、サイケデリックやドラッグ、性の解放を求めた文学的なサブカルチャー運動を指す。主にジャック・ケルアック、アレン・ギンズバーグ、ウィリアム・バロウズといった作家を中心としており、ヒッピーから熱狂的な支持を受けた。

64 １９５０年代後半にロンドンを拠点とするスタイリッシュな若者のグループがモダンジャズを聴くことからモダニストと呼ばれたことに由来する。モッズはイギリスのサブカルチャーであり、ファッション（テーラーメイドのタイトなスーツ）、音楽（ソウル、リズム&ブルース、スカ、ジャズ）、スクーター（ランブレッタやベスパ）を愛用した。

65 オートバイとロックンロール音楽を中心とした50年代にイギリスで発生したバイカー・サブカルチャーである。

66 本書、ブリティッシュ・インヴェイジョンのテディ・ボーイズ参照。

67 Radcliffe,Charles., *op.cit.*, 位置No.4549/15550.

68 フィル・コーエン（Phil Cohen 1943-）は英国の文化理論家。イーストロンドン大学文化研究センター名誉教授。

69 フランクフルト学派、ヴァルター・ベンヤミン、ジェルズ・ルカーチ、コルネリュウス・カストリアディスからの思想や「ソリディアルティ」グループから影響を受けた。Interviewed by Andrew Whitehead, The New Left: T.J. Clark https://www.andrewwhitehead.net/new-left-tj-clark.html 参照。

70 彼らは当時を振り返り、ＳＩに加入したという意識はあったが誰ひとりイギリスセクションという意識をもったことが無かったことを証言している。Radcliffe, Charles., *op.cit.*, p.260/884., 位置No.4549/15550. 参照。

71 Scott, James, C., *Domination and the Arts of Resistance: Hidden Transcripts*, Yale University Press, 1992 参照。

72 ジャック・ヴァシェ（Jacques Vaché 1895-1919）は、アンドレ・ブルトンに絶賛されたシュールレアリズム、ダダの先駆者。23歳で自殺。ブルトン曰く「文学において、私はランボー、ジャリー、アポリネール、ヌーヴォー、ロートレアモンに相次いで魅了されたが、私が最も多くを負っているのはジャック・ヴァシェである」。

73 Rosemont, Franklin. and Charles Radcliffe, *Dancin' in the Streets!: Anarchists, Surrealists, Situationists & Provos in the 1960s as recorded in the pages of The Rebel Worker & Heatwave*, Charles H Kerr Publishing Co, 2005, p.44.

74 Ibid., p.46.

75 ポール・ラファルグ（Paul Lafargue 1842-1911）はフランスの社会主義者、批評家、ジャーナリスト。カール・マルクスの婿。資本主義社会におけるプロレタリアに対する非人間性を批判した著作『怠ける権利』で知られる。

76 ニーウェンハイス・フェルナンド・ドメラ（Nieuwenhuis Fredinand Domela 1846-1919）は、ルター派の牧師で『万人の権利』『自由な社会主義』誌を創刊。反国主義を説いた。

77 Stansill, Peter Mairowitz. and David Zane, *Bamn: Outlaw Manifestos and Ephemera 1965-70*, Penguin Books Ltd, 1971, p.27.

78 より詳しい現代のオランダへの影響はエドワード・W・ソジャ『第三空間——ポストモダンの空間論的転回—新装版』加藤政洋訳、青土社、２０１７参照。

79 Wise, David. and Wise, Stuart. Brandt, Nick.(ed.), *King Mob: A Crical Hidden History*, Bread and Circuses, 2014, p.15.

80 Ibid., p29.

81 Ibid., p.29.

82 Ibid., p.34.

83 Ibid., p.31.

84 Murray Bookchin on the French Situationist Movement, https://www.youtube.com/watch?v=gJ1ZM01oroU

85 Wise, David. and Wise, Stuart. Brandt, Nick.(ed.), *op.cit.*, p.72.

86 マレイ・ブクチン『現代アメリカアナキズム革命』鰐淵壮吾訳、ＲＯＴＡ社、１９７２、p.32。

87 同書、p.28-42。

88 Wise, David. and Wise, Stuart. Brandt, Nick.(ed.), *op.cit.*, p.36.

89 モレアの記憶では、どちらかの年だという。McIntyre, Iain., *Ben Morea: An Interview*, 2006, The Anarchist Library McIntyre, Iain., *op.cit.*

90 ザ・リビング・シアター（The Living Theatre）は、女優のジュディス・マリーナと画家・詩人のジュリアン・ベックによって１９４７年に設立されたニューヨークを拠点とするアメリカの劇団。

91 McIntyre, Iain., *Ben Morea: An Interview,* 2006, The Anarchist Library. McIntyre, Iain., *op.cit*.

92 この頃、組織は少数精鋭の「ブラック・マスク」から大人数の「ファミリー」へと自然と変化していたという。

93 ケネス・コッホ（Kenneth Koch 1925-2002）はアメリカの詩人、劇作家、コロンビア大学教授。

94 モレアによれば自分たちの中での組織名は「ファミリー」であったといい、「ブラック・マスク」ではモレアが中心的な存在であったが「ファミリー」（アップ・アゲインスト・ザ・ウォール・マザーファッカー）はそれとは全く異なり全員が同等であり、皆でグループの方向性を決定する大規模なグループであったという。基本的には避難所のような場所に住み、部族的な考え方やライフスタイルを共有する親和性の高い緩やかな連合体だったと振り返っている。McIntyre, Iain., "*Ben Morea: An Interview*", 2006, The Anarchist Library McIntyre, Iain., *op.cit*.

95 これら以外にもキング・モブのグラフィティーはイギリスのロマン派の詩の一節を頻繁に取り上げている。サミュエル・テイラー・コールリッジ『Dejection（An Ode)』（１８０２）、パーシー・ビッシュ・シェリー『The Mask of Anarchy』（１８１９）、ウィリアム・ブレイク『天国と地獄の結婚』『The Marriage of Heaven and Hell』（1790-1793）から引用したフレーズを用いていた。

96 Wise, David. and Wise, Stuart. Brandt, Nick.(ed.), *op.cit*., p.44.

97 Cabut, Richard(ed.), *Punk Is Dead: Modernity Killed Every Night*, John Hunt Publishing Ltd, 2016, p.45.

98 反アパルトヘイト活動家マートル・バーマン、R・D・レイン、デビッド・クーパー、米国のブラックパワーの指導者ストークリー・カーマイケル、ビート詩人アレン・ギンズバーグ、ウィリアム・バロウズ、タリク・アリ、政治的地下出版社「ブラック・ドワーフ」を設立したグスタフ・メッツガーやキャロリー・シュニーマンら。Gorman, Paul., *The life & Times of Malcom Mclaren: The Biography*, Constable, 2020, p.82.

99 フレッド・ヴァーモレルによればマクラーレンはなんとかフランスの五月革命に参加しよと渡仏を試みたものの、陸海空のストライキによって断念したという。一方、ジェイミー・リードは革命後すぐにパリを訪れネオ・アナキストのグループやＳＩの影響を受けたグループに接触したという。Vermorel, Fred and Judy., *Sex Pistols: the inside story*, Omnibus Press, 1987, p.222.

100 Gorman, Paul., *op.cit*., p.89.

101 Ibid., pp.108-109.

102 Taylor, Paul., *Impresario: Malcolm McLaren and the British New Wave*, New Museum of Contemporary Art, MIT Press, New York, London, 1988, p.18.

103 キング・モブはＳＩと同じく「芸術のための芸術」や、美術館という高尚な文化の神殿に作品が収蔵されることで神秘化されることを否定していたため。

104 Gorman, Paul., *op.cit.*, pp.96-97.

105 Kinna, Ruth., *An anarchist guide to Christmas*, 2018, Open Democracy., https://www.opendemocracy.net/en/transformation/anarchist-guide-to-christmas/?utm_source=tw?utm_source=tw?utm_source=tw

106 International Times 51 (28 February–13 March 1969).

107 デヴィッド・グレーバー『アナーキスト人類学のための断章』高祖岩三郎訳、以文社、２００６、pp. 130-131。

108 Gorman, Paul., *op.cit.*, p.98. 一方、ワイズ兄弟はヴァーモレルとマクラーレンの活動当初の勇敢さは認めているが、リードも含めた3人が後にアートワールドのスターダムにのしあがったことをアーティー・ワンカー（芸術家気取りのマスかき野郎）と呼び、セルフリッジでのアクションはキング・モブのメンバーのひとりイアン・クレッグが発案し、ベン・トゥルーマンがサンタクロースの格好をすることを引き受けたのだと説明している。Wise David. and Wise, Stuart. Brandt, Nick.(ed.), *op.cit.*, p.173.

109 Savage, Jon., "*England's Dreaming*", St. Martin's Griffin, 1992[1991], p.34.

110 Taylor, Paul(ed.), *op.cit.*, p.21. または、Wise, David.and Stuart Wise, Nick Brandt(ed.), *op.cit.*, p.46. 参照。

111 Vermorel, Fred and Judy.*op.cit.*, p.222.

112 本書冒頭のコミュニズムや、アナキズムの章を参照。

113 エリック・ホブズボーム『匪賊の社会史』船山榮一訳、筑摩書房、２０１１、p.167でホブズボムはバクーニンからとして引用しているが、イエメリヤン・ヤロスラフスキーによって引用されたバクニーンの言葉である。http://dwardmac.pitzer.edu/Anarchist_Archives/worldwidemovements/anarchisminrussia1.html?fbclid=IwAR2W0OOH8RG-Yzg6ZqtpIJy29cmYlXDbzTUXtHeYo4nrUGJeZ9tEEGxQAYA

114 ホブズボームは革命家に資金を提供することを意図した盗賊を指している。

115 ツァーリ（君主）によるモスクワ・ロシア及びロシア帝国の絶対君主制体制。

116 その例としてスペイン市民戦争のアンダルシアのアナキストゲリラ、19世紀初頭のドイツの秘密革命家同盟（後にカール・マルクスの共産主義者同盟となった）を挙げている。

117 ジェームズ・C・スコット『実践 日々のアナキズム――世界に抗う土着の秩序の作り方』清水展・日下渉・中溝和弥訳、岩波書店、２０１７、p.13。

118 同書、p.14。

119 同書、p.26。

120 「ブラック・ハンド・ギャング」すなわち「ラ・マノ・ネグラ（La Mano Negra）」は、もともと１８８０年代の農村革命暴力集団の背後にあるアンダルシアのアナキスト秘密結社の名前であり、スペイン内戦でドゥルティによって復活させられた。Vague, Tom., *King Mob Echo from Gordon Riots to Situationist & Sex Pistols*, AK Press, 2000, p.46.

121 ラバショル、本名フランソワ・ケーニヒシュタイン（François Koenigstein 1859-1892）は、パリコミューン以降、度重なるアナキストへの警察からの暴力と冤罪を肯定する司法に対して爆弾闘争を仕掛けたアナキスト。

122 ジュール・ジョセフ・ボノ（Jules Joseph Bonno 1876-1912）はフランスの強盗団「ボノ団」のリーダーで、アナキスト犯罪組織への関与で知られていた。

123 ネストル・マフノ（Nestor Makhno 1888-1934）はウクライナで農民層を基盤とするウクライナ革命反乱軍を組織して農民アナキズム運動を展開した。後にフランスに亡命する。

124 ローザ・ルクセンブルク（Rosa Luxemburg 1871-1919）は、ドイツで活動した政治哲学者、革命家。

125 Wise, David. and Stuart Wise, Nick Brandt(ed.), *op.cit.*, p.50.

126 アーティストのマン・レイの作品「ミシンと雨傘」の元ネタになったロートレアモン伯爵の「マルドロールの歌」の一節「手術台の上のミシンとこうもり傘の偶然の出会いのように美しい」を指していると思われる。

127 マシュー・グレゴリー・ルイス（Matthew Gregory Lewis 1775-1818）はイギリスの小説家、劇作家。ゴシック小説の代表的な作品の一つとされる『マンク』で知られ、「マンク・ルイス」とも呼ばれた。

128 ホレス・ウォルポール（第４代オーフォード伯爵 Horace Walpole, 1717-1797）はイギリスの政治家、貴族、小説家。ゴシック小説『オトラント城奇譚』で知られる。

129 Vague, Tom., *King Mob Echo: English Section of the Situationist International.*AK Press, 2000, p.113, この指摘に関してはCooper, Sam., *The Situationist International in Britain: Modernism, Surrealism, and the Avant-Gardes*, Routledge, 2016, p.149. 参照。

130 Woodcock, George., *Anarchism: A History Of Libertarian Ideas And Movements*, Meridian Books, 1962, p.17.

131 Whiteread, Andrew., *op.cit.*

第4部

セックス・ピストルズ以降

第13章　Oi!

第4部では、セックス・ピストルズ以降のパンクのイデオロギー的な側面から始め、抵抗と解放といった運動の観点から、時系列に沿ってシーンを追っていく。はじめにOi!を取り上げ、極右思想がどのようにパンクシーンに胚胎したのかを確認し、それに対する抵抗運動の紹介と共に、いまだにはびこるOi!＝右翼という誤解を解いていきたい。

その後、パンクにアナキズムを決定づけたクラスの活動とアナーコ・パンクをとらえ、そこから影響を受けつつも、ハードコア・パンクシーンに蔓延していた暴力、ドラッグ、セックスに対して、自己の倫理観を徹底させたイアン・マッケイによるストレート・エッジを紹介する。くわえて、マッケイとも関係が深いポジティブ・フォースの活動を確認しつつ、そこに関わっていた女性たちの解放運動として展開されたライオット・ガールを紹介し、組織内部で抱えていた人種問題、その人種問題を取り上げたアフロパンクやラテン系パンクス、最後にジェンダーや人種とも交差し、パンクの語源にもなり、その象徴の一つとされるクィアコアも照らし合わせていく。

海外のニュース映像をみていると、時折、頭をスキンヘッドに剃り上げた白人が、集団でMA-1をまといドクターマーチンで闊歩する姿を目にする。国家主義を掲げた、極右集団による、移民や難民

図37　スキンヘッズ
（写真：Dario Mitidieri）

への排外主義的なデモである。

Oi! は、サブカルチャーであるスキンヘッズ（スキンズともいう）と結びついたブリティッシュ・パンクのジャンルの一つとして、人種差別的な極右政治と重ねて考えられてきた。ここでは、Oi! を起点に、イギリスにおける極右政治の歴史とその社会背景をとらえつつ、Oi! のスタイルのルーツを辿っていく。そして、極右の政治政党がどのようなアプローチや戦略を用いて若者を政治へと扇動したのか、また、それに対抗した運動も併わせて紹介したい。それにより、本来の Oi! パンクスが掲げていた理念を明らかにし、これまでの誤解を解き、Oi! の魅力をここに取り戻したい。

スキンヘッズスタイル

Oi! の歴史を振り返るとそのルーツは、二つの異なるスタイルに遡る。一方は、モッズ[1]であり、片方はジャマイカのルード・ボーイ[2]である。両者のスタイルを見たことのある人からは、意外だと思われるかもしれないが、スキンヘッズの身体にフィットし裾を折り返して丈を短くしたジーンズ（後にブリーチアウトされたものも現れる）や、ポロシャツ（主にフレッドペリーのもの）、ボタンダウンのチェックのシャツ、ハリントン・ジャケット、ポークパイ・ハットや裾の短いスタプレパンツからそのルーツの一端がみて取れる。

モッズに関しては、「いつもナンパをしていて、ビシッと決めたスタイルの裕福な年長者で、小さな集団で行動する」スムース・モッズではなく、「短髪で重厚なブーツを履き、ジーンズにサスペンダーをつけ、集団で徘徊して落ち着きがなく、臆病

図38　スキン・ガールズ
（写真：Derek Ridger）

で、誇大妄想で、騒動に首を突っ込みたがる」ハード・モッズをルーツとしていた。[3]

そして、1966年には上述したスタイルに、クロンビージャケット、[4]ドンキージャケット、[5]シープスキンのスエードコート、ワッフルカーディガン、ローファーにホワイトソックスも加わり、「古風」で「男らしさ」を強調した「模範的労働者の戯画」[6]スタイルが確立されていく。女性のスキンヘッズはスキン・ガールズ（ソーツ）と呼ばれ、薄化粧でファッションは男性のスタイルとほとんど変わらないがヘアースタイルだけが特徴的で、前髪、もみあげ、襟足を残してあとは丸刈りにしたスタイルであった。

このスタイルは当時のヒッピー運動に代表される男性の中性化に対する労働者階級の反動が表われていた。つまり、文化を通じて階級の境界を維持しようとする労働者階級のアイデンティティの象徴的な回復があったのである。

ルード・ボーイ

一方、ルード・ボーイは、元々ジャマイカの首都キングストンで生まれ、西インド諸島からの移民が持ち込んだストリートギャングの文化で、レゲエとスカといった音楽とファッションスタイルのルーツである。ルード・ボーイは、イギリス移民から発生した文化であり、同じ貧困層である労働者階級のスキンヘッズと住居や職場といった生活環境が重なっていたことで交流が生まれ、そのスタイルや音楽がスキンヘッズへと影響を与えた。[7]

図39　モッズ
（写真：Franc Roddam / Who Films）

図40　ルード・ボーイズ
（写真：Reprodução internet）

スキンヘッズは当時、ラジオではあまり流れることがなかったスカ、ロックステディ、レゲエを聴くために、ダンスホールやディスコへ通っていた。そこが自然とスキンヘッズのたまり場となり、同じような価値観や音楽への共有から絆や友情が生まれ、グループが現れた。また、その影響からレゲエのメジャーなレーベル、トロジャン・レコーズがスキンヘッズへ向けた「スキンヘッド・ムーンストンプ」「スキンヘッド・ガール」「スキンヘッド・ジャンボリー（陽気な騒ぎ）」「スキンヘッド・ドント・フィアー」といった曲を発表した。[8] これらの曲は、スキンヘッズのアイデンティティをさらに強めた。しかし、レゲエのスタイルやテーマが西インド諸島やアフリカのルーツといった、ブラック・ナショナリズムを強調し始めたことや、スキンヘッズへの警察の監視も厳しくなったことで人気は下降していく。[9]

Oi! のはじまり

１９７０年代の後半に入り、セックス・ピストルズやザ・クラッシュによってパンクムーブメントが起きると、パンクは音楽性やファッションスタイルのみならず、都市における労働者階級といった観点からも論じられるようなる。元々労働者階級を象徴していたスキンヘッズの人気は、これを契機として再燃する。セックス・ピストルズのような初期のパンクスは、60、70年代に中流階級の間で起きたロックやプログレッシブ・ロックとは対照をなすゲットー出身の労働者階級であったが、前述の通りアートスクールとの関連も深かった。

図41
トロジャン・レコーズ

一方でスキンヘッズを源流とするOi!はアートとは無縁であり、「会社や工場や給料取りの餌食になることに「ノー」といえる肝の据わった労働者階級の子どもたち」[10]で形成されていた。つまり、Oi!はアートスクール、そしてマクラーレンやウエストウッドのある種の「オートクチュール」といったエリート主義を否定し[11]、「パンクが最初に意図した労働者階級出身のバンドによって、労働者階級の子どもたちのために演奏される、労働者階級の音楽」[12]というシーンであった。このパンクの背景の一つと目されるイギリスの労働者階級、特にパンクスと同じ反権力志向を抱いた、当時の労働者階級の若者とは、どういった存在だったのだろうか。

労働者階級の少年たち

第1部で触れた通り、イギリスの教育制度には少年期にイレブン・プラスという入試があり、それに通らなかった場合、ほとんどがセカンダリー・モダン・スクールという就職組を対象とする中等学校に進学した。このOi!パンクスの世代が通ったセカンダリー・モダン・スクールでエスノグラフィーという聞き取りや参与観察を行ったのがイギリスの社会学者、ポール・ウィリスである。ウィリスはセカンダリー・モダン・スクールで労働者階級の少年たちが上級生になると、その中の何人かには、「野郎ども」という性差別、人種差別、喫煙、飲酒、セックスといった享楽主義的で、マッチョな傾向が現れはじめ、教師に反抗的になると指摘する。それは、あからさまなものではなく、やっかいな教師に対しては、うまく立ち回ることが世故に長けているとされ、教師に従順な生徒は「耳穴っ子」として軽蔑される。そして野郎どもはこの軽蔑によって自らの優位性を確認し、自ら進んで落ちこぼれを選択するのである。これは学校での教育が労働者階級が従事する仕事とは無関係であり、従順であることは軟弱なことで、教師を出し抜き、仲間と悪さをする方が自分たちの将来の仕事に役に立つという考えからである。彼らは「学業成績や就職機会の上下関係を測る伝統的な尺度にとらわれることはない。むしろ、そういう尺度の意味を読みかえ、転倒させる」。なぜなら、「成績や職務に優劣をつける制度は、そのことによって個々人の能力差を明らかにしているのではなく、たんに階級制度の抑圧を不動のものにしているだけ」だからである。[13]

こうした反抗によって、労働者階級は自ら進んで底辺労働を受け入れる。しかし、そのことで社会的再生産を反復させ、資本主義と階級の固定化に自ずから加担することにもなる。

だが一方でウィリスは労働者階級が、搾取と抑圧の制度に封じ込められたとしても、他の階級にはない現代資本制社会からの「自由と満足と体制離脱」があると説明する。それは、労働者階級が「社会構造そのものに根ざした既得権益を有するがために自己の階級的存在を神秘化しなければならないという事情からまぬがれている」[14]からだというのである。別言すれば、他の階級は自らの素顔を民主主義という、一見、平等を担保しているかのようにみえる仮面で覆い隠し、現存する社会構造に対する強い信仰によって抑圧者であり続けるが、労働者階級は自らの存在の前提条件としての資本制的関係の正当性、つまり、資本主義という世界の作り出した支配的な規範となる物の見方やとらえ方を信じなくてよいのである。だから野郎どもの文化的営為には、「社会全般のイデオロギーや諸制度、総じてその構造的諸関係を明るみにさらす」[15]ねじ曲げられた「ラディカル」さと洞察があるという。これこそ、労働者階級のもつ力であり、Oi! パンクスはこの力によってシーンを形成したのであろう。

Oi! シーンの形成

当初、Oi! に関係の深いバンドたちは、ロンドンとその近郊で結成された。コックニー・リジェクトはその名が示すようにイーストエンドを拠点とし、「Oi!」の語源となった「Oi! Oi! Oi!」という曲を発表した。エンジェリック・アップスターツは1980年までに北東部からロンドンに移住した。ライブや集会場所としては、カニングタウンのブリッジハウス、ポプラのアンシエント・ブライトン、リーのロード・ノースブルック、バーキングのバージ・アグラウンド、ハックニーのデュラゲン・アームズといったパブが新興シーンの拠点となり、4スキンズ、コックスパラー、ビジネス、インファ・ライオットが演奏した。[16] ホワイトチャペルのすぐ近くには、Oi! の情報交換、発信の場であったスキンヘッズの店「ラスト・リゾート」があり、ケント州のハーン・ベイで結成されたバンドの名前に借用された。音楽誌『サウンズ』の記事で特集が組まれると、イングランド北部（ブリッツ、レッドアラート）、ミッドランド（クリミナルクラス、デモブ）、ウェールズ（ザ・オプレスド、ザ・パルチザン）、スコットランド（ザ・ストライク）にまでシーンが広がった。同誌は1981年から不定期で「Oi! ザ・コラム」を開始し、DJや読者も関わった「Oi! チャート」も掲載され、Oi! シーンはさらに人気を博し、1981年半ばまでにパンクの不可欠な一部となった。[17]

Oi! の音楽性は直接的でわかりやすいもので、歌詞は日常生活を扱ったものが多く、「ストリートの子どもたち」を対象としたものというのが一般的であった。[18]

それは愛国、郷土愛と共に、労働者階級の若者が直面する現実を謳ったもので、階級的なレトリックを前面に押し出し、労働環境、失業、サッカーのフーリガン、軽犯罪、警察の嫌がらせを歌詞に乗せ、あらゆる権威と不平等への異議申し立てを行った。このOi!の曲を見る限り、どこにもマイノリティへの排外主義やナチス賛美はみられない。では極右思想とは、どこでどのように結びついたのだろうか。

パンクのヘゲモニー闘争

1968年4月、当時の保守党議員であったイーノック・パウエルが、バーミンガムで悪名高い人種差別的な「血の河」演説[19]を行った。パウエルは人種差別法案が多数派の白人にとって不公平を生み、下層階級へと陥らせるものだと主張した。さらに同月、アメリカのキング牧師が暗殺されたことで起きた暴動をあげ、黒人武装勢力の脅威を説いて群衆を煽った。保守党のエドワード・ヒースは、パウエルの演説が党の指導権を狙っているとみて罷免したが、パウエルの支持者、約6500人の港湾労働者がストライキとデモを起こした。このパウエルへの賛同を表明したのが、エリック・クラプトン、デヴィッド・ボウイ、ロッド・スチュワートといったロック界のスーパースターたちであった。

クラプトンは、1974年にボブ・マーリーの名曲「I Shot the Sheriff」のカバーでヒットを飛ばしていたにもかかわらず、1976年8月にイギリスのバーミンガムでのコンサートにおいて非白人種を差別用語で呼称しながら、イギリスが彼らの植民地になるまえにイーノックが阻止して追い返すと語り、その支持を聴衆へと呼びかけた。またボウイは、「イギリスはファシストのリーダーから恩恵を受けることができると思う。結局のところ、ファシズムは真のナショナリズムなのだ……私はファシズムを非常に強く信じており、人々は常に連隊の指導者の下で素晴らしい効果でもって対応してきた……。アドルフ・ヒトラーは最初のロックスターのひとりだった……。極右戦線が現れて、すべてを一掃し、すべてを片付けるのだ[20]」と語った。スチュワートは、「イーノックはおれたちの男だ[21]」や「イギリスには移民が多すぎる」と語ったが、その本人はアメリカへと移民した。

　この物議を醸した彼らの差別発言は、人道的かつ平和主義の観点から、その反動として、人種差別に反対するロック《ロック・アゲインスト・レイシズム》（ＲＡＲ）といった運動を引き起こした。同時にそれは、当時第４党へと躍進した排外主義を掲げるイギリス国民戦線（ナショナルフロント、ＮＦ）やブリティッシュ・ムーブメント（ＢＭ[22]）を活気付けることにも繫がった。そして両者がヘゲモニーを争う中で取り入れたのがパンクであった。

イギリスの極右

　イギリスにおける極右の誕生は、ツァーリズム・ロシアからイギリスに逃れてきて、特にイースト・ロンドンに定住した「常習的に中間搾取者」という当時、偏見を持たれていたユダヤ人移民の増加を契機としていた[23]。移民排斥の機運が高まったことで、ブリティッシュ・ブラザー・リーグ（ＢＢＬ）が１９０２年に結成された[24]。ＢＢＬは結成後の数年間は、移民の削減、または阻止を掲げた「圧力団体」であった。主な勢力は今日まで続く伝統的に極右の受け皿となっているロンドンのイーストエンドにあった。ＢＢＬは１９０４年の外国人法の成立に一定の影響を及ぼし、政治難民へと影響を与えた。しかし、この外国人法の成立によって彼らの存在意義は失われ、その後、数年の間に支持は下がり、運動は少数の熱烈な支持者の手に委ねられることになった。そして、次第に反ユダヤ主義、民族主義、陰謀論へと傾倒し、最終的には軍事的な人種・民族主義運動として組織されるようになる。この後、同じイーストエンドで再び支持を伸ばした極右政党が、1932年に創立されたイギリス・ファシスト同盟（BUF）であった。

BUFは、政治家のオズワルド・モズレー卿によって設立された政党であり、ナチスとの提携も模索された。しかし、第二次世界大戦でドイツがイギリスの敵国となったことで活動が禁じられ、戦後、モズレーはヨーロッパ連合と非白人の移民反対を公約に掲げて出馬するなどしたが、ことごとく失敗し海外へと移住した。NFはこのモズレーの元秘書で、広報・プロパガンダの責任者を務めていたA・K・チェスタートンによって創設された。

NFの基本方針は、白人だけがイギリスの市民であるべきだという民族的ナショナリズムを信奉し、ホロコーストの否定、ユダヤ人が共産主義と金融資本主義を通じて世界を支配しているとの陰謀論を主張している。そして、経済的保護主義、強硬なヨーロッパ中心主義、自由民主主義からの脱却を推進し、フェミニズム、LGBTQ+の権利に反対している。

NFが支持率を伸ばしたのが、前述した1968年のイノック・パウエルの血の河演説を受けての1969年の地方選挙であった。この時期のNFの議長はチェスタートンから、ナチスの信奉者で人種主義者であったジョン・ティンダルに変わり、全国活動の組織運営も、同じ思想をもつマーティン・ウェブスターが補佐官としてあたっていた。

この選挙でのNFの候補者の平均得票率は8％であり、これまでで最高の結果を残した。しかし、1970年の保守党のマニフェストに移民削減が記載されたことでNFは得票率を下げるが、1971年1月にウガンダで起きたクーデターによって、それまで経済を握っていたインド系住民が追放され、彼らがイギリスに受け入れられたことへの反発をてこに再び得票率を伸ばすことになった。

その後のＮＦの躍進の要因となったのが、ウガンダに続き、ケニア、マラウイでも１９７６年に行われたインド系住民への活動制限や住居制限であった。このインド系住民がイギリスへと避難すると、マスコミが人種差別的な観点から書きたて、反移民感情を煽ったのである。[25] さらにオイルショック後のインフレと国際収支の悪化による公共支出の削減、インフレを抑止するための所得政策による賃金抑制によってイギリスの失業者数は、１９７５年1月の時点で67万８０００人、それが年末には１１２万９０００人に達し、１９７６年12月には１２７万３０００人となり、１９３０年代以来の大量失業率を更新した。[26] 結果、人々は保守、労働両党に幻滅し、小規模政党へと意識が向けられたのである。このような社会背景において、上述した三人のロックスターたちがパウエルを公然と支持し移民排除を宣言した。これに対して結成された運動が人種差別に反対するロック《ロック・アゲインスト・レイシズム》（ＲＡＲ）である。

人種差別に反対するロック《ロック・アゲインスト・レイシズム》（ＲＡＲ）

ＲＡＲは、演劇家で写真家のレッド・サンダースと、デザイナーのロジャー・ハドルによって１９７６年にロンドンで反人種差別運動のために設立された組織である。最初のＲＡＲのギグは、１９７６年11月にロンドンのイーストエンドのパブで行われ、キャロル・グライムズとマトゥンビが参加し、最後に、当時は稀であった黒人と白人がセッションを行い、以降、ＲＡＲのライブで定番となるスタイルを確立した。

同年、ＲＡＲはジン『テンポラリー・ホーディング（Temporary Hoarding）』を出版し、５年に渡り継続させた。このジンはＲＡＲに参加した黒人、白人のアーティストを取り上げつつ、デザインやイラストには、パンクのジンからのスタイルが転用された。人工妊娠中絶運動、刑務所暴動、ＮＦへの反対デモ、女性たちによる病院の占拠など、英国の社会の諸相をとらえた写真をコラージュし、またロンドンの警視総監だったマクネーの名前にＮＦを入れ込み揶揄するなど、英国の権威主義の高まりと民衆の抵抗をモンタージュし、その複雑な社会を視覚化した。さらに『テンポラリー・ホーディング』は読者からの手紙、詩、文章を掲載するため、多くの誌面をサポーターに提供し、共感と連帯を強めていった。

創刊号では「私たちが求めているのは反逆の音楽、路上の音楽だ。人々のお互いに対する恐怖を打ち砕く音楽だ。危機の「時代の」音楽だ。今こそ音楽を、誰が真の敵かを教えてくれる音楽を。人種差別に反対するロック。音楽を愛そう、人種差別はごめんだ[27]」と宣言した。さらに、マルクス主義者のデイヴィッド・ウィジェリーにより寄稿されたエッセイ「人種差別とは何か?」では、ＮＦやＢＭといったネオ・ファシストの活動が「冷酷に嘲笑う権限をもった治安判事、移民管理局の廊下で子どもを死産したアジア系の母親をせせら笑う入国管理官、口答えする黒人を犯罪者とみなし、自尊心をもったすべての黒人の子どもたちを不審者とみなす警官[28]」と国家が結びつきつつあることを挙げ、警告した。文化研究者のポール・ギルロイはこのようなＲＡＲの姿勢を「傍観しつづけるせいで人種差別が広がっていくことを感知しない受け身のあり方とは敢然と対置される」とし、パンクがこの運動にもたらしたのは、「反差別運動との接続を可能とする回路であり、この接続は、黒人のスタイルと

図42　『テンポラリー・ホーディング』RAR、1976

白人のスタイルの間にある、これまでコード化[29]されてはいたものの認識されてこなかった関係を白日の下の無視できない事実にしたことだ」とヘブディジを引用しつつ指摘している。つまり、パンクが黒人の音楽をルーツとしていることや、白人の黒人に対する人種差別は「労働党資本主義の英国」の性質を例証し、象徴としていることを指摘したのである。

ＲＡＲは１９７７年までに、英国全体で２００を超える支部を設立し、イギリス国外でも、西ドイツのRock Gegen Rechts、フランスのRock Against Police、アメリカのRock Against Reagan、スウェーデン、ノルウェー、ベルギー、オランダのＲＡＲの設立など、多くの分派を生んだ[30]。

１９７８年には、ＲＡＲのルーシー・トゥースパステが主催者となり姉妹組織であるRock Against Sexism（ＲＡＳ）が、音楽コミュニティ内の性差別に関心をもつ女性グループによって設立された。１９７８年、ＲＡＲへの支持が高まる中、反ナチス同盟（ＡＮＬ）[31]と協働してロンドンで二つのカーニヴァルを多民族地域で開催し、人種差別攻撃に対抗した。第一回のイベントは１９７８年4月30日に行われ、10万人がトラファルガー広場からロンドンのＮＦの本部のあるイーストエンドまで行進し、ハックニーのビクトリア公園で野外コンサートを行った。コンサートではザ・クラッシュ、スティール・パルス、トム・ロビンソン・バンド、Ｘレイスペックス、シャム69のジミー・パーシー、パトリック・フィッツジェラルド、ミスティ・イン・ルーツが参加した。9月24日の2回目のカーニヴァルでは、1回目と同じ数の人々がハイド・パークからテムズ川を渡って行進し、ブリクストンのブロックウェル・パークに到着し、アスワッド、エルヴィス・コステロ、スティッフ・リトル・フィンガーズをフィーチャーしたコンサートを開催した。またイベント以外でも、ＲＡＲの主催するライブには多くのOi!バンドが参加した。この運動がもたらした影響についてギルロイは、「ＲＡＲの聴衆、つまり人種差別に反対する群衆は、多様な若者の文化やスタイルの消費者としてだけでなく、自らを構成している諸要素のたんなる総和以上の何かを自らの多様性によって創造する、変化をもたらす強力な一つの勢力」[32]であったと説明している。

じじつ、ＲＡＲのコンサートやライブにはゲイをカミングアウトしたトム・ロビンソン・バンドが参加、活動していたことで、人種、女性解放運動だけでなく、ゲイ解放運動の活動家や支持者も参加し、「闘争の間に等価性の連鎖を作り上げ」[33]、「接合」が実践されていたのである。

共産主義に反対するロック《ロック・アゲインスト・コミュニズム》（ＲＡＣ）

ＲＡＣは、ＮＦによってＲＡＲに対抗するために１９７８年に設立された、ネオナチのスキンヘッズによるホワイト・パワー・ミュージックのコンサートを企画する運動であった。同時期にはＮＦによってヤング・ナショナル・フロント（Young National Front）が創設され、サッカーのフーリガンを対象に、サッカー場でジン『ブルドック』を販売することによってメンバーを増やしていった。このような状況にパンクブームが重なったことで、その意味をめぐって左右両翼の政治活動家が争っていた。左派はパンクを「労働者階級の若者を苦しめている不満や状況に対する抗議」であると認識していたのに対し、ＮＦといったネオナチは、パンクスが鉤十字や鉄十字を使うことを「白人のアイデンティティを意識する」証拠だと解釈したのである[34]。

このＮＦとパンク・ミュージック、そしてスキンヘッズを架橋したのが、Brutal Attack、Ovaltinees、The Diehards、Peter and the Wolfなどのネオナチ・バンド・ネットワークの中心バンド、スクリュードライバー（Skrewdriver）であった。

スクリュードライバーは1977年にChiswick Recordsからシングル2枚とアルバム1枚をリリースしていた。同年、ブラックプールのNFのユース・オーガナイザーで、ヒトラーを崇拝していたスクリュードライバーのリーダー、イアン・スチュアートがバンドと共に活動の拠点をロンドンに移した。スチュアートはNFから資金提供を受けレコード・レーベル、ホワイト・ノイズ・クラブを設立した。1983年、RACのイベントのヘッドライナーを務め、ホワイト・ノイズからシングル「ホワイト・パワー」を、翌年の1984年にはアルバム『Hail The New Dawn』をリリースした。その後スチュアートはドイツのネオナチ・レーベル、Rock-O-Rama Recordsと提携し、ホワイト・ノイズのバンドをドイツで紹介、流通させた。

スクリュードライバーのライブでは、ヒトラー式の集会になぞらえ、曲の合間に民族主義的な演説と敬礼をしながら「ジーク・ハイル」と叫んでいた。また、スチュアートは人種差別的なスキンヘッズのバンド、音楽、イデオロギーを促進するため、ジン『Blood & Honour』の制作を始めた。しかし、1993年9月、スチュアートは交通事故により死亡する。スチュアートの人種差別的なスキンヘッズ・パンクは、同じ思想を掲げたスキンヘッズ・サブカルチャーのアメリカでの普及に影響を及ぼし、今日でも、スクリュードライバーの音楽とイデオロギーは、人種差別主義者／民族主義者のスキンヘッズを刺激し続け、崇拝対象となっている。[35] この背景には、アメリカで起きた公民権運動と、それに連なる女性、性的マイノリティ、移民といった人々の解放運動への高まりと、その結果として勝ち取られたアファーマティブ・アクション（積極的差別撤廃措置）があった。下層階級の白人層は、この反差別運動に対しての歴史的経緯や、マイノリティの社会環境について学ぶ機会がなかったため、マイノリティだけが優遇されていると誤認したのである。[36] さらに、80年代、ロナルド・レーガンによって復活した保守主義、ナショナリズム、市場原理主義といった新自由主義を標榜する新右翼が白人労働者階級に働きかけたこととも重なっていた。[37]

これまでみてきた通り、Oi!と極右は同じ族《トライブ》から発生したものの、対極的な思想を抱いていた。にもかかわらず、両者はどこで、どのように結びついて考えられるようなったのだろうか。

Oi!と極右の関係

Oi!パンクスのほとんどは、政治的な所属について拒否していたが、人種差別に反対するRARの下では多くのバンドが演奏していた。[38] 1977年から84年にかけて、Oi!のバンドがRARのライブで極右を非難したことに対する妨害工作として、極右の介入がOi!のライブで日常的に行われるようになった。

1981年に発表されたコンピレーションアルバム『ストレングス・スルー・Oi!』のジャケットに、BMに所属しており、黒人家族を襲ったニッキー・クレーンの写真が使われたことは、Oi!と極右が結びつけられるきっかけの一つとなった。このアルバム・タイトルは、前年にリリースされたザ・スキッズのEP『Strength Through Joy』（1980）のパロディであったが、ナチスのスローガン「Kraft durch Freude（歓びを通して力を、Strength Through Joy）」をもじったものとしてとらえられた。アルバムを編集した音楽評論家のギャリー・ブシェルは、クレーンのことを全

図43 『Strength Thru Oi!』
Various Artists, 1986

く知らずに採用してしまったと振り返っている。実際、このアルバムスリーブはすぐに変更され、ブシェル自体もＮＦやＢＭを支持しておらず、その仲間がいるバンドも拒否しており、その結果、ＢＭに襲われたり、ＮＦの機関紙『ブルドッグ』誌にＮＦの「最大の敵」として記されていた。[39]

また、Oi!と極右が結び付けられた決定的な事件が、１９８１年７月３日に人種的な紛争のあったサウスオールでの４スキンズ、ラスト・リゾート、ビジネスのライブで起きた。バンドと観客を極右とみなした地元のインド、パキスタン系の移民の若者たちが、会場に火炎瓶やレンガを投げ込み、パブを焼失させ、駆けつけたパトカーを破壊し警官も負傷させたのである。

翌日の新聞の一面は、この人種暴動の記事で占められたが、メディアは白人のスキンヘッズが移民を火炎瓶で襲ったと書きたてた。[40]またＮＭＥ紙、そして極左の一部がOi!を国家社会主義の言葉やイメージとたわむれ、「暴力主義者―性差別主義者―ファシスト」といった態度を大衆音楽の中に送り込んでいると非難し、モラル・パニックが引き起こされた。[41]

これらの様々な誤解や誤報が積み重なったことによってOi!は、人種差別主義者でネオナチのスキンヘッズとみなされるようになったのである。

図44　『Bulldog No34』
ナショナルフロント、年代不明

Oi!の思想

極右と結び付けられてしまったOi!であったが、その雛形となったエンジェリック・アップスターツはＲＡＲの旗手でもあり、リード・シンガーのメンシは歌詞やインタビューでイギリスの労働運動の美点を唱え、極右を非難していた。コックニー・リジェクトや４スキンズも、ライブでトラブルを起こそうとするＢＭのメンバーと対決し、彼らを退けた。[42] そして、人種差別に関しても、ザ・ビジネス、クリミナル・クラス、インファ・ライオットなどがＮＦに対して反人種差別的なギグを行っていた。ザ・オプレストのロディー・モレノはイギリスで人種差別に反対するスキンヘッズ（S.H.A.R.P.）を後に設立する。

Oi! の曲は、政治的言説を直接的に用いることなく、日常生活の現実について、労働者階級の口調やスラングでユーモラスに歌い、自嘲した。さらに Oi! は左右のイデオロギー闘争に関しても、草の根の労働組合主義との親和性はあったものの、左翼は「郊外の反逆者」「パブリックスクール出身の中流階級の子どもたち」で構成されていると見なし、[43] ＲＡＲのような組織に対しても「過激派が運営する組織」としてみていた。一方でツートーンを[44]「人種的統一の有機的で文化横断的な表現」として認めていた。

このようなイデオロギーへの疑念は、セックス・ピストルズのジョン・ライドンや、クラスのペニー・ランボーの両翼に対する言及とも一致している。実際、パンク詩人で１９８１年に「The Story of Oi!」を記したギャリー・ジョンソンは、「共産主義者は我々をナチスと呼び」「ナチスは我々を共産主義者と呼んだ」と Oi! のアンビヴァレントな立場を振り返っている。[45]

また Oi! のもつ愛国心に関しても、白人中心主義的な排外主義は含まれていない。例えばコック・スパラーの曲「イギリスはおれのものだ」では、産業構造の変化に象徴される「汚れた川」に、労働者階級の疎外を重ねて振り返りながら、彼らの労働によって支えられてきたイギリスの「記憶は誰も奪うことはできない」と訴えたものである。エンジェリック・アップスターツの曲「イングランド」も第二次世界大戦でファシズムと戦った人々への頌歌であり、彼らの曲「兵士」も、愛国心や王政への奉仕を求める歌ではなく、不況で職が得られず、生活のために入隊した兵士という現実が描かれている。さらに、コックニー・リジェクトは第一次世界大戦中のプロパガンダで使われたフレーズを流用した曲、「あなたの国はあなたを必要としている」において、現代の政治情勢にこのフレーズを当てはめ、常に権力が人々を戦争へと利用してきたことを謳っている。

Oi! は愛国、愛郷といった帰属意識と共同体を意識しつつも、同時に体制が労働者階級をどのように扱ってきたかという観点を見落とすことなく、権力への疑念を呈してきたのである。そして、ライブにおいても、「Oi! はスターのツアーではなく、バンドがファンと一緒に飲んで話をすることを目的」としていて、バンドと観客の対等な立場を強調する。つまり、Oi! とはそもそも、「ストリートレベルの視点を扱った歌[46]」であり、「自分の階級と経歴に誇りをもつこと[47]」を訴え、同じ労働者階級だけにとどまらず、この社会において疎外された人々の怒りを代弁し、エンパワーメントをもたらし続けている。Oi! は文化的ナショナリズムの枠を超えた変革を表現したからこそ共感を呼び、現在のようにグローバルにシーンが展開しているのである。これこそが、Oi! の最大の魅力であろう。

第14章　アナーコ・パンク

「セックス・ピストルズは「アナーキー・イン・ザ・UK」をリリースした。彼らにそのつもりはなかったかもしれないが、我々にとってあれは鬨の声だった。ロットンが「ノーフューチャー」を宣言したとき、我々はそれを自分たちの創造性に対する挑戦と受け取った—我々が本当にやろうとするのなら、未来はあるとわかっていたのだから。ここは我々の世界である。しかし、それは我々から盗まれてしまった世界だ。我々はその返還を要求する。ただ、違うのは、今回彼らが我々を「ヒッピー」ではなく「パンクス」と呼んでいるだけなのだ[48]」。

ペニー・ランボー『ザ・ラスト・オブ・ヒッピーズ』

クラスの拠点となったダイアル・ハウスは、イギリスのエセックス南西部に位置する自給自足を旨とした環境で、誰もが自由に集うことができるコミューンであった。このコミューンはマクラーレンとウエストウッドのブティックとはある種、対照的ではあったが、共に疎外された若者の創造性を醸成する場として機能し、世界的な影響力をもつ文化を発信した。セックス・ピストルズやザ・クラッシュなどのバンドが表現した社会への憤りやＤＩＹ精神は、多くの若者へと共鳴し続け、パンクは無軌道なだけでなく、政治化した若者文化の象徴ともなった。クラスは、この力を、よりよい未来を実現化するという目的のための直接行動へと活かした。つまり、セックス・ピストルズのアナキスト宣言を表層的なスタイルとしてだけではなく、その倫理に従って行動したのである。これはパンクシーンにとって革新的な出来事であった。

この、クラスの活動や理念は、アナーコ・パンクという分野を確立しただけでなく、現在でも世界中のミュージシャンや活動家にも脈々と受け継がれている。

例えばクラスはメジャーな音楽レーベルと契約するといった、商業主義的な側面を拒否し、録音、出版、リリース、流通、ライブ企画、さらには、日常生活に至るまでＤＩＹを徹底していった。つまり、アナーコ・パンクは、「パンクの中の「修復的な」反体制運動であり、政治的な転覆を図るシステムとしてのパンクの重要性を再確認させることを目的[49]」としているのである。

本章では、このクラスを起点としたアナーコ・パンクの歴史を振り返りながら、その美学を確立した実践を整理し、その後に与えた影響の意味を探っていこう。

クラスの始動

アナーコ・パンクは、イギリスの社会史でも混沌を極めた１９７０年代後半から１９８０年代初頭に活動したクラスから萌芽した。

この時期は、これまで本書で触れてきた社会背景に対し、北アイルランド問題、フォークランド紛争、グリーナム・コモン空軍基地反対運動、英国中で起きた炭鉱ストライキといった大規模な労使紛争や、暴動が国中をしばし席巻したことで、政府、失業者、人種間で社会的分断が広がっていた。クラスはこの社会変動とその原因となる①国家という「既得権益者（政治家、資本所有者）を守るために権力を行使する抑圧装置」②警察、政府、軍隊、裁判所といった反対勢力の痕跡を管理し、抑圧するための道具③大衆のアヘン、または教化の手段としてのメディアに対してパンクという文化を通じた直接行動で挑み続けた。[50]

クラスはアートスクールで、ペニー・ランボー[51]、ジー・ヴァウシエ[52]、デヴィッド・キング[53]が出会ったことから始まった。ランボーは卒業後にアートスクールでの教職を得たのち、クラスの拠点となる「誰もがそこを訪れて物語を語って、その晩の宿を与えられて、また旅を続けていく[54]」コミューン、「ダイアル・ハウス」に居住した。そして、しばらく後にヴァウシエも移り住んだ。

２人はダイアル・ハウスの近くの農場の一軒家で、後にクラスのレコーディング・エンジニアになるジョン・ロダー[55]も加え、音楽とアートを融合させたパフォーマンス・コレクティブ「エグジット（Exit）」を展開していた。キングは、アナーキー・サイン、核軍縮キャンペーン（ＣＮＤ）に関連したピースマーク、十字架、鉤十字、ユニオンジャックを組み合わせてクラスのシンボルをデザインした。他にもＲＡＲのシンボルやポスターもキングの手によるものである。ランボーは、クラスのこのシンボルに関して「外観全体が矛盾の連鎖となるようにデザインされている[56]」と説明し、「我々はあらゆる根拠で人々に挑戦しようとしている」と、ファシストのようなファッションでアナーキーな歌詞を叫ぶといった矛盾が自らのスタイルであるとしている。

ダイアル・ハウスには、クラスのメンバーとなる、ピート・ライト[57]、ミック・ダ

図45　Crassのロゴ
（デザイン：デヴィッド・キング）

フィールド[58]、スティーブ・イグノラント[59]、フィル・フリー[60]、ジョイ・ド・ヴィヴル[61]、イヴ・リバティーン[62]、そして、フィル・ラッセル、別名「ウォーリー・ホープ」が出入りしており、時折、コレクティブのパフォーマンスにも参加していた。

　彼らはみなベジタリアンでダイアル・ハウスで育てた野菜で生活していた。ランボーはウォーリー・ホープと共にストーンヘンジ・フリー・フェスティバルを計画、開催した。ラッセルはドラッグの所持により警察によって精神病院に強制収容され、釈放後に睡眠薬の過剰摂取で死亡した。この死因についてランボーは、警察によって殺害され、それを隠蔽されたと主張し、以降、国家権力に対して挑み続けることとなる。

　エクジットが解散すると、シリーズ・コンフュージョン（Series Confusion）というクラスに連なる実験的なバンドが組まれた。しかし、ザ・クラッシュのライブを観たイグノラントがパンクバンドの結成をランボーに訴えたことで、クラスが誕生する。イグノラントがボーカルをとり、ドラムのランボーに加え、スティーブ・ハーマン（すぐに解雇され、代わりにフィル・フリーが参加する）、ピート・ライト、続けてアンディ・パーマー[63]が参加し、１９７７年、ロンドンのハントリー・ストリートでの路上ライブにより活動を開始した。

　クラスの音楽性は「これまでにないサウンド」で、「ミリタリー・ドラム・ビート、パワー・バズのかかったツイン・ギターの素早いリフの移動に、絶え間なく歌詞を咀嚼するヴォーカル、曲から曲への間断のない移行、ロック的な気取りの欠如[64]」と曲の間に流される実験的な映像が特徴的で、ライブも初めの数回を除き、スクワット会場や地元の社会運動組織が提供した場所で行った。また、活動自体が援助を目的としたものが主となっており、宿泊先も運動組織のメンバーの家で、ときにはライ

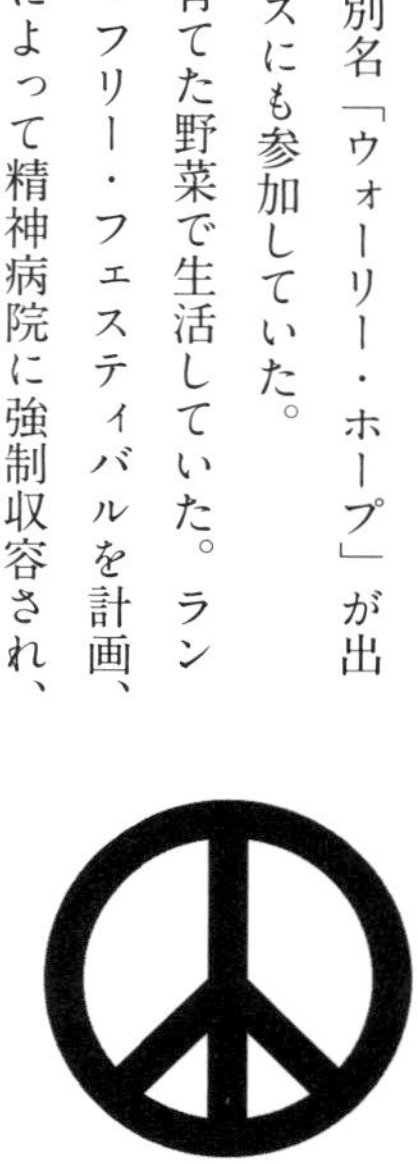

図46　CNDのロゴ
（デザイン：ジェラルド・ホルトム）

ブ後に食パン半切れを食べ、ビリヤード台の下で寝るといったスターとは程遠い環境であった。[65]
バンドはグッズの販売をせず、ファンたちは自分たちでTシャツや服を作ることを奨励された。クラスの視覚的な美学を決定づけたのは「黒」であった。バンドメンバーは全身を黒で統一したが、「「ファッションパンク産業」の「着飾っているという先入観」に対する反応であり、無地で統一された色を採用することで、「見当違いのもの」を回避するためだと主張した」。[66]
クラスの音楽と思想に惹かれたフォロワーたちは、「すぐに同様のドレスコードを取り入れ、アーミー・サープラスやチャリティー・ショップでワードローブを一新し、リーバイスやレザーに代わってコットン・ドリルやモールスキンを身につけた」。[67] さらに、「ライブやデモでは、アナーコ・パンクスは互いに相手を探し、今日の反グローバリゼーション・デモにみられるような「ブラック・ブロック」の原型を形成した」。[68]
クラスは、ランボーとヴァウシェがフランス滞在中に見かけた、ステンシルを使った路上での落書きをロンドンでバンクシーに先駆けて展開していた。この活動は「UKで小さな革命」を引き起こし、人々はクラスの痕跡を追ってその意味を摑もうとした。[69]
クラスはロンドンでのいくつかのライブをこなした後、当時ニューヨークでアーティスト活動をしていたヴァウシエによってアメリカでギグがブッキングされ、ライブをいくつかこなした。イギリスに戻ったメンバーは、これまで余興程度だったバンド活動を、真剣にとらえるようになる。そして、ヴァウシエ、リバティーン、ド・ヴィヴルという女性三人と映像作家のダフィールドが参加し、フェミニストとしての傾向を強めながら、マルチメディア・パフォーマンス・コレクティブへ拡張していく。

『ザ・フィーディング・オブ・ザ・5000』

1978年、クラスはキリストの起こした奇跡になぞらえたネーミングを冠したファーストアルバム『ザ・フィーディング・オブ・ザ・5000』をリリースした。このアルバムは、これまで流通していたレコードの常識とは異なり、12インチシングルに通常ではアルバムに収められる18曲をたった1日で収録した。また、当時の平均的なアルバムの値段が3ポンド99ペンスだったのに対し、1ポンド99ペンスで売られた。このアルバム以降、政治的で不穏な白黒のコラージュを用いたジャケット・ワークに、過密にタイプされた歌詞や「妥協のない説得力のある極論[70]」が書かれたノートが挿入された。

曲のテーマはヨーロッパの歴史上、常に権威体系として君臨してきたキリスト教と、それにもとづく道徳への批判、女性が歴史上どのように男性に従属させられてきたのかを問うたものがある。また「UKの平和運動全般が復活するのに貢献した[71]」CNDを取り上げた反戦ソングや、パンクシーンに現れ始めた「エリート」たちも批判した。このリリースに先立ち、収録曲「リアリティ・アサイラム」がキリスト教への冒瀆的な歌詞であるとしてレコードプレス会社に制作を拒否され、「ザ・サウンド・オブ・フリー・スピーチ」という無音の曲に差し替えられた[72]。

これを受けクラスは自社レーベルを設立する。レーベルからは「リアリティ・アサイラム」のシングルがアナーコ・パンクの定番デザインとなる、白

図47 『ザ・フィーディング・オブ・ザ・5000』クラス、クラスレコーズ、1978

黒の円形のロゴの周りにステンシル文字を使ったものや、「〇〇（金額）以上支払うな」のフレーズをのせてリリースされた。『ザ・フィーディング・オブ・ザ・5000』は、その音楽性だけでなく、視覚的、理論的な相乗効果による独特のエッジがあり、当時「パンクがより受け入れやすいニューウェーブやパワーポップ」といった「パンクを特別にしていたその内容を去勢」[73]する「業界主導の方向性」に対して、「パンクをアンダーグラウンドに引き戻した」[74]。

このアルバムが現れたとき、大企業を非難していたパンクバンドは、「自らの反抗的なメッセージをパッケージ化して宣伝することに熱心な大手レコード会社と有利な契約を結んで」おり「専門小売業者は、パンクのファッションと装飾品に関する革新的な実験を模倣し、標準化されたパンクファッションの新しいラインを販売」し始めていた。クラスはこの「絶妙のタイミング」で「真っ当なパンクス」が「待ちわびた主張」を行なったことで、大きく知名度を上げたのである。[75]

『ステーション・オブ・ザ・クラス』と「コンウェイ・ホール・ギグ」

1979年、クラスはファーストアルバムと同じようにキリスト教の「ステーション・オブ・ザ・クロス（十字架の道行き）」にかけたセカンドアルバム『ステーション・オブ・ザ・クラス』をリリースする。このアルバムは、ムーアズ殺人事件[76]を通したメディア批判や、白人ミュージシャンの黒人解放運動参加を服従化の再生産であると喝破した。また、マッチョイズム、音楽評論家への批判も繰り広げられた。

この時期は、前章で取り上げた極右思想と結びついたスキンヘッズが台頭しており、極左とみられたクラスは度々ギグを妨害された。しかし、クラスは折衷主義を重んじ、彼らともコミュニケーションを繰り返し、徐々に交流をもつようになっていった。だが、コンウェイ・ホールでのアナキスト・コレクティヴ、「パーソンズ・アンノウン」の不法逮捕への慈善公演を契機として彼らと決裂してしまう。原因はスキンヘッズが妨害することを聞きつけた社会労働党のシンパたちが会場に駆け付け、乱闘を起こし、これをマスコミが取り上げスキンヘッズを悪玉に仕立て上げたからであった。[77]ランボーは、この後、左右のイデオロギーが陥る危険性について「右翼も左翼も、力を保持するためにその構造を借りている。そこで人間は国家の仕組みの中の歯車におとしめられ、国家のために生き、必要なら国家のために死ぬことが期待されている」[78]と憂慮し、組織化された左派パンクを推進していたＲＡＲをも退け、第三の道があることを強調した。

図48『パーソンズ・アンノウン、ブラディー・レヴォリューション』クラス＆ポイズン・ガールズ、クラスレコーズ、1978

1981

１９８１年、心理学者のジークムント・フロイトの理論を冠したクラスの3枚目のアルバム『ペニス・エンヴィー』がリリースされた。当時、イギリスではロマンティックでメルヘンなティーン誌が多く出版されていた。クラスは自らの頭文字を取った「クリエイティブ・レコーディング・アンド・サウンド・サーヴィシズ」と名乗る保守的なレーベル会社を装い、ナイーブなティーンへの経済的搾取を暴露するために各ティーン誌のソノシート付録企画へ曲を応募していた。ティーン誌の中の一つ、

『ラヴィング』がこれに引っかかり、クラスの曲「アワー・ウェディング」を採用した。後にそれがクラスの仕掛けた罠だとわかるとマスコミと共にクラスを非難した。クラスは『ラヴィング』を「感情のペテン師雑誌」と呼んで「愛情、恋愛を陳腐化するやり方—10代のポルノ」と形容し、ティーンにも自律し、自ら考えることを呼びかけた。このパロディ・レーベルは、クリスマスにも「メリー・クラスマス(Merry Crassmas)」をリリースし、「七面鳥で窒息しちまえ！」とクリスマスの資本主義への従犯と欺瞞をコケにした。

ティーン誌を嘲笑した曲「アワー・ウェディング」が収録された『ペニス・エンヴィー』は、これまでの2枚のアルバムとは異なり、ボーカルにリバティーン、ド・ヴィヴルという女性を迎え、曲全体の構成も結婚や性的抑圧といった性差の問題を中心に取り上げた。アルバムは、HMVでは発売禁止となり、マンチェスターではレコードショップからデッド・ケネディーズのアルバムと共に押収、起訴された。

同年、クラスは慈善公演やレコードの売り上げで、アナキスト・グループの「パーソンズ・アンノウン」の保釈金を集めたが、その必要がなくなったため、余った資金を使ってアナキスト・センター「Wapping Autonomy Centre」を設立した。センターは半年ほどで閉められたが、後にイギリスに広がるスクワット運動の先駆けとなった。[79]

イギリスのスクワット運動はヒッピーによって取り上げられ、クラスが受けつぎシーンを拡張したが、クラスは、それまでのパンクスが否定してきたヒッピー文化の延長線上に自らがあることを認め、ヒッピーを再定義した。ランボーはこのスクワットの具体的な実践と機能について以下の通り述べて

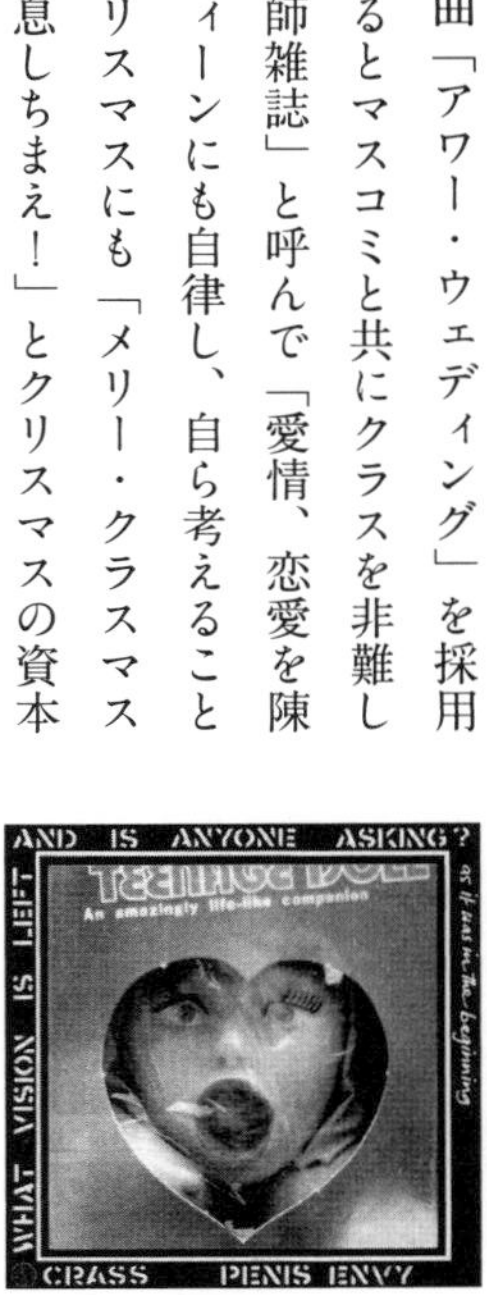

図49　『ペニス・エンヴィー』
クラス、クラスレコーズ、1981

いる。少し長くなるが、行動を起こしたい人たちのために参照しておきたい。

「スクワットを立ち上げ、そこから同じことをやりたがっている人々に向けて情報を与えるサービスを始めてもいい。住宅組合や賃貸をシェアするためのコミューンを始めてもいいし、不動産を買ったっていい。すでに住んでいる場所のドアを他の人たちのために開き、近所の人々と連帯してテナントを募ることもできれば、その地区のよりよい状況と設備を求め、それを作り出すこともできる。ガーデニングのグループを結成し、使われていない土地をスクワットして農地にしてもいい。市民菜園を借りて危険な農薬を使わない食べ物を作ってもいい。頭痛を減らすハーブを育ててもいい。ヘルス・グループを結成し、漢方、マッサージなど代替医療を実施してもいい。西洋医学が生むドラッグ漬けのロボットよりも、そのほうが体にも心にも健康的だ。そうすれば我々は、お互いの身体を恐れるのではなく、愛することを学ぶかもしれない。校則を敷くのではなく知識を共有するためのフリー・スクールを設立してもいい。国の奴隷になるための訓練ではなく、そこでは教育がお互いを成長させ、世界への真の探求となり、全員が教師で、全員が生徒なのだ。イギリスで唯一の夜の社交場、パブのような男中心で金志向の場所とは違う雰囲気のコミュニティ・センターを始めてもいい。センターはただビール会社を潤すための場所でなく、コミュニティをまとめ、さらに広げていく場所として機能するだろう。スコットランドでは使われていないプレハブ小屋を見つけた人々がそれをスクワットし、防音を施して飾り、ギグやディスカッション・グループを開くようになった。地方自治体はその努力に感銘を受け、正式に使用許可を与えた。食料を作る人々を搾取するのではなく、知り合いが作っている食料や信頼できる筋から持ち込まれる食料を買い、配給する共同組合を始めてもいい。スーパーマーケットの食料のほとんどは第三世界で生産され、そこでは働き手にほとんど賃金が与えられず、仲介者が大きな利益を上げている。共同組合はその連鎖を壊すことができる。我々は以前、自分たちのハウスで組合を運営していたが、そこからは20以上の世帯に資本主義システムの外側で作られた食料が供給されていた。労働銀行を作ってもいい。そこでは個人の技術が他の技術と交換される。充分な数の人が銀行に参加すれば金は必要なくなる。我々を制限しているものは、我々自身の想像力だけなのだ[80]」。

「フォークランド紛争」と「サッチャーゲート」

クラスが闘争の表舞台へと躍り出たのが、１９８２年にイギリスとアルゼンチンとの間で領有権をめぐって起きたフォークランド紛争であった。クラスは同年『クライスト―ジ・アルバム』という、黒一色のボックスに、ヴァウシェのポスターとランボーのエッセイが収録されたアルバムをリリースした。その中で消費主義と国家の結託がもたらす価値観や、民主主義が「見せかけ」だけであり、大衆には「選択肢はない」ことを歌にのせて糾弾した。そして国家やメディアに盲信し、戦争に賛同する人々に核の脅威を説き、サッチャー政権を徹底批判した。ランボーはブックレットの中でも、フォークランド紛争についてイギリスが「１５０年前に太平洋の軍事拠点とするために、フォークランド諸島を盗んだ」と表現し、周辺に原油や鉱床が発見されたことでイギリスはアルゼンチンが繰り返し求めてきた返還交渉を無視しているとした。そして、そのためにアルゼンチンがフォークランド諸島に侵攻したことをイギリス政府は国内問題から人々の注意を逸らす好機ととらえたとし、戦争を煽るマスコミと共に断罪した。

クラスはさらに、ジョークを交えた「海兵隊が行く＝イク」にかけたソノシート『シープ・ファーミング・イン・ザ・フォークランズ』や、サッチャーに向け、「1000人の死人の母になるのは、どんな気持ちだ？」（How does it feel to be the mother of a thousand dead?）のシングルをリリースする。この戦いの最中、フォークランド紛争に従軍した帰還兵からクラスにスキャンダルが持ち込まれた。フォークランド紛争では、イギリスから軍艦が出航していたが、その中にアンドリュー王子が搭乗した艦があり、これを守るため、囮となって撃沈されたのが軍艦シェフィールドだというものであった。クラスはこれを元に「パーティーズ・オーヴァー」というパンフレットを作成し、サッチャーの政治弾圧とフォークランド紛争における民衆の愛国心の扇動が平和運動を後退させたと広く活動家に応戦を呼びかけた。

クラスはさらに、サッチャー政権へと揺さぶりをかけるため、「サッチャーゲート」と呼ばれる事件を引き起こした。リバティーンがサッチャー役を、レーガン役にアメリカ人の俳優を雇い、2人の過去のスピーチを切り貼りし、電話会談をでっち上げ、スキャンダルにしたのである。テープの中でレーガンは、アメリカの核戦争への決意をソ連に示すため、ヨーロッパを戦場とする意向を示し、サッチャーはフォークランド紛争を激化させるためにシェフィールドが意図的に犠牲になったことをほのめかした。テープは世界中のマスコミに配布され、アメリカでソ連のKGBによるものだとされると、イギリスでもマスコミが取り上げた。しかし、クラスの活動だったことがイギリスのジャーナリストにより暴かれると、警察、保安局はクラスを厳重な監視下に置き、電話はすべて盗聴され、手紙も事前に開封された。

クラスは、この弾圧の中で1983年6月のイギリスでの総選挙に向け、アルバム『イエス・

サー・アイ・ウィル』、シングル「フーダニイット（Whodunnit?）」のリリースや、「ストップ・ザ・シティー（STC）」デモでサッチャー政権の再選を阻止すべく奮闘した。

ストップ・ザ・シティー（STC）

STCは、クラスを始めとするアナーコ・パンクスが多数参加して新しい革新的なデモ戦術を生み出し、近年の抗議行動に大きな影響を与えた運動であった。[81]

1983年9月29日、グローバル金融サービスの面々が集うシティ・オブ・ロンドンの通りで「戦争、抑圧、破壊に反対するカーニヴァル」に参加するため、何千人もの過激派が集合した。このデモの特徴は、上述したどおり、参加者の大半がアナーコ・パンクスで占められていたこと、そのため、デモに関する事前の情報交換は、アナーコ・パンクシーンの中のネットワークを通して行われていたことであった。[82]

また、このデモは、「集団的な責任を共有するように促される」だけで、ロンドンのグリーンピースが重要な導管となってはいたものの、公式の組織委員会もなく、ロンドン市警察と事前にルートの取り決めを話し合うこともなかった。そして行進も行わず、特定の政治指導者や支持者の講演も開催しなかった。このSTCの対象は「世界中の戦争、貧困、搾取、抑圧の責任者で

図50　「ストップ・ザ・シティー」ビラ

図51
「ストップ・ザ・シティー」デモの様子
（写真：Richard Metzger）

ある、金融、軍需産業という複合体」[83]に向けられたもので、いかなる政党や労働組合、慈善団体からも支持を受けておらず、急進的な反軍国主義者、平和活動家、パンクスによる、その場限りの同盟であった。デモの方法も、参加者がそれぞれの方法を自分で考え抗議した。

この分散化し、単一の目的地（集会所）もなく、指導者のいない中で行われた、「占拠、脱走、ダイ・イン[84]、封鎖、金融ビルへの侵入」は、何の前触れも警告もなく行われたため警察は、どのように取り締まるべきかわからず、混乱に陥った[85]。

他にも警察が予想だにしていなかった戦術では「我々は自分の仕事をしているだけだ」と大声で歌い、踊りながら、ときに走ったり、スキップをしつつ警察を取り囲み、リーフレットを配布し「企業ではなく、地域社会に貢献するために警察に入ったのなら、私たち、あなたたちの奪われた生活を探してください。そして共に路上で踊り、歌い、私たちに参加してください[86]」と呼びかけた。

デモに参加したランボーは、「警察はわれわれの戦術の多様性に愕然として、対応することができなかった[87]」と振り返っている。この結果、「王立取引所のメッセンジャーは使えなくなり、レストランやカフェには臭気爆弾が投げ込まれ、毛皮屋が破壊された。一日中、銀行や会社の電話回線が妨害され、シット・イン、ライ・イン、街頭演劇、音楽が演奏され、錠前には接着剤が流し込まれ、彫像には、アナキストの旗が風になびいた[88]」。

STCの第2回目は大規模な労働運動の抗議行動がロンドン中心部を行進したのと同じ日に行われた。参加者は「パンクス、アナキスト、核軍縮主義者、性的マイノリティ、フェミニスト活動家、動物の権利運動家の複合体」の集まりへと多様化し、「色とりどりのヘアスタイルとあらゆる種類のドレスを着た人々」が「街中を闊歩」した。まさに、そこには資本主義と民主主義から弾き出された人々の多様な節合の実践から生まれた総体が出現していた。このデモでクラスの三人、ダフィールド、パーマー、ド・ヴィヴルは、ルポルタージュ・ドキュメンタリーを撮影した。映像は撮影後の数年間に渡り、アナキスト関連やその他のイベントで広く上映された。

ＳＴＣは、この後も4回に渡り行われ、ときに市民に溶け込む服装で参加を呼びかけるなど、戦略を変えながら継続された。ランボーは、ＳＴＣを１９９０年代後半にシアトルで起きたグローバリゼーション反対デモや、その後に起きたリクレイム・ザ・ストリート運動、さらには世界的な「オキュパイ！」という名のデモなどへの結節点となったことを自負している。[89] デヴィッド・グレーバーは、こういったスタイルのデモを分析し、大きな組織がその目的達成後に、小さなアナキスト・グループや、その拠点となる、インフォショップ、そこからＤＩＹによって生産されたジンやパンフレットによって人々の間に「実験的感染主義」を生み出し、「集団的決定」をどのように行うかという方法論、あるいは、「過程についての思考」を発展させたと指摘する。[90] そして、このＳＴＣのようなデモ戦術を「直接民主主義的な組織化」と呼び、それまでの平和主義的な活動が陥っていた組織的な問題で動きが取れなくなっていたことを乗り越えるような、「人々はそれぞれ自分自身の行動を決定すべきだが、それでも（自分が認可しえない）異なった選択をする人々との連帯を保持せねばならない、という論理」＝「多様な戦術」がうまれたことを説明している。[91]

クラスの解散とその後

１９８３年、フォークランド紛争に勝利したサッチャー政権は二度目の選挙で地滑り的な勝利を収めることになる。そして就任まもなく、イギリス病の原因を労働組合へと定め、組合潰しを敢行した。クラスは１９８４年の解散前の最後の抵抗として、「内戦」と形容された労働組合とサッチャー政権の戦いに参加し、慈善公演とバナー「お前たちは瘡蓋を剝がし（スト破りの意）、今、傷は化膿しかけている」とグレーター・ロンドン議会のキャッチフレーズ、「あなたのために働きます」を掲げて戦い、バンドに幕を閉じた。

クラスの活動には一貫して「何でも受け入れるのではなく、人々に疑問を抱かせる」という自律を促すことが根底にあった[92]。同時に「自分自身以外に権威はない」というスローガンに集約されている通り、自らのアイディアをイデオロギーとして提示しないよう注意を払っていた。ランボーがパンクは終わりを告げるニヒリズムなのではなく、歴史を作る叫びであると主張していた通り、クラスはミュージシャンとしての成功ではなく、私たちに新しい未来のあり方をパンクを通して体現してみせた。この実践は「アナキズム、フェミニズム、反軍国主義、動物愛護活動、１９８０年代初頭のストップ・ザ・シティ・キャンペーンなど、今日の反資本主義や反グローバリズム運動を含む様々な政治運動の結節点として機能[93]」し、アナーコ・パンクの土台が作られたのである。

クラスの急進的な政治活動は、これまでの運動に対しても新しい風を吹き込み、「かつて周辺に追いやられていたイギリスのアナキスト運動を再活性化[94]」した。そして、クラスから派生したアナーコ・パンクスは、現在でも協同組合、共同生活、非営利の出版や芸術活動、スクワット、物資の再利用など、ＤＩＹ的な実践による、資本主義的な慣行への不服従と、それに対する代替的な方法について、世界中でインスピレーションを与え続けている。

例えば、イギリスでは Conflict、Flux of Pink Indians、Oi Polloi、Subhumans、その他無数のバ

ンドが現れ、すぐにヨーロッパ、そして世界中が後に続いた。アメリカでは Reagan Youth、Nausea、Crucifix、Spitboy、Drop Dead、Aus-Rotten、北米では、D. O. A.、Nomeansno などのバンドが、クラスの影響の元、絶大な支持を集めていた。北アメリカでハードコアと重なり合ったアナーコ・パンクは、クラスとは異なるサウンドを展開しつつもＤＩＹとアナキストの感性は受け継いでいた。

ミネソタ州ミネアポリスのアナーコパンクジンとレコードレーベル、Profane Existence もまた、アメリカのアナーコ・パンクシーンの重要な旗手となった。さらに、Plan-It-X Records やその関連バンドである This Bike Is A Pipe Bomb や Imperial Can によってアナーコ・フォーク・パンクシーンが勃興した。

スペインのアナーコ・パンクバンド、Sin Dios、Los Muertos de Cristo は、スペイン、及び、ラテンアメリカでアナーコ・パンクシーンが拡大するのに貢献し、メキシコでは Fallas Del Sistem が、メキシコの初期アナーコ・パンクとして影響力をもった。

90年代には、南北アメリカ、ヨーロッパを超えアジアの多くの主要都市でアナーコ・パンクシーンが現れ、クラストからフォークまで、さまざまな音楽スタイルが採用されている。そのため、アナーコ・パンクのサウンドは、もはや分類することができない。また、ＤＩＹの手法を初めてレーベルに取り入れたクラス・レコーズは、Flux of Pink Indians のデビュー作をリリースしただけでなく、彼らや他のバンドが後に自己レーベルを立ち上げられるように、その経験と経済力を与えた。その後、Flux of Pink Indians は Subhumans をリリースし、Subhumans が自分たちのレーベルを設立するのを手伝った。このように、アナーコ・パンクの中核には、自分の音楽をリリースする方法に関する知識とリソースを開示し、贈与するといった継承があり、後のアナーコ・パンクシーンにおける、ＤＩ

Yレコードレーベルやディストロのあり方に大きな影響を与えた。

クラスは、パンクの新しい側面を作り出したことで、後述するマイナー・スレットのイアン・マッケイ、マッケイによってプロデュースされたライオット・ガール、インドネシアのマージナル、ミャンマーのレベル・ライオット、タートルアイランドの永山愛樹へも影響を与えた。

では、次に、このクラスがディストリビューターを引き受けたマイナー・スレットによって確立された「ストレート・エッジ」というアメリカに巻き起ったブームをハードコアから順次みていこう。

第15章　ハードコア・パンク

1980年代初頭のアメリカで生まれた「ハードコア」と呼ばれる新しいパンクシーンは、イギリスと自国のプロトパンクから形成されたシーンである。イギリスの999、エンジェリック・アップスターツ、Sham 69といったハードなブリティッシュ・パンクや、ラモーンズ、ザ・アベンジャーズといったアメリカンパンクの影響を受けており、[95]「70年代後半のパンク革命にアメリカの郊外文化が感応する形で生まれた」[96]。

彼らの活動に拍車をかけたのが、サッチャーの盟友であるロナルド・レーガンが大統領に就任したことであった。新自由主義と保守主義が重なったレーガノミクスと呼ばれた政策により、鉄鋼や自動車工場の閉鎖が相次ぎ、急激な物価上昇と不動産投機の横行が始まり、アメリカ合衆国は深刻な不況に陥った。また、芸術家、移民、女性、LGBTQ+、リベラル、ホームレス、労働者、インナーシティ（都市内集落）などの排斥も進んだため、レーガノミクスはハードコア・パンクスの怒りの原動力となった。

ハードコアという言葉が初めて使われたのは、サンフランシスコの音楽雑誌『Damaged』で1980年に「ハードコア」な音楽という表現で、ブラック・フラッ

図52　『Damaged』1980

グについて書かれた記事であった。曲に関しては西海岸、サンタナ出身のバンドであるThe Middle Classの１９７８年のシングル「Out of Vogue」が挙げられ、東海岸では、１９８０年のバッド・ブレインズの「Pay to Come」が最初だと言われている。[97]

パンクジン『The Big Takeover』の創始者でライターのジャック・ラビッドは、ハードコアは「Pay to Come」で始まり、ザ・ジャームズのアルバムがシーンの形成に最も影響を与えたと断言している。[98]

また、ハードコア・シーンを後押ししたのが、１９７７年にカリフォルニアでイギリスのジン『スニッフィン・グリュー』や『Ripped & Torn』に倣い創刊された、ＬＡのパンクシーンを紹介したジン『Flipside』であった。これに続いて、『The Big Takeover』（ニューヨーク）、『Touch and Go』（デトロイト）、『Ripper』（カリフォルニア、サンノゼ）、『Maximumrocknroll』（バークレー）、といったジンが出現し、ハードコア・パンクスの草の根ネットワークが形成されていった。

ハードコアは、イギリス、ニューヨークのプロトパンクが、年齢的に大人のシーンであり、大人による子どものための音楽だったのに対して、ロサンゼルス周辺のティーンエイジャーが自分たちのバンドを結成したことによる、子どもによる子どものための音楽から始まったともいわれている。[99]

ハードコアのライブは、それまでの垂直方向の「ポゴ」ダンスから、水平方向の「The Huntington Beach Strut」に変化し、後に、この新しいダンスは「モッシング（Moshing、日本ではモッシュ）」や「スラム・ダンス（Slam Dance）」と呼ばれた。モッシングの語源は、バッド・ブレインズのダリル・ジェニファーによれば、レゲエとハードコア・ソングを混交させて演奏していた際に、レゲエに合わせてゆっくりと回転していた観客が、ハードコアのテンポが極端に早い曲に切り替わった際にラスタを信仰していたH．R．がその様子をみて「マッシュ・イットー―マッシュ・ダウン・バビロン！（バビロン（不条理な権力）をぶっつぶせ）」と叫び、それがジャマイカ訛りで、「モッシュ・イットー―モッシュ・ダウン・バビロン！」と聞こえたことからきているという。このスラム・ダンスはヘンリー・ロリンズによれば、「ハイエネルギー」であると同時に、平等と相互性があり、「誰かが自分にぶつかってきても、フロアを走り回ったり、追いかけたりして、やり返そう」とはせず、誰かが倒れた人を抱き起こすたびに、この倫理観を実感していたと振り返っている。また、イアン・マッケイも「スラムは組織化されたカオスで、喧嘩しているように見えるが、実際は人々が互いに協力し合っている」と説明している。さらに、現代アーティストのダン・グレアムは、「スラムダンスは、18世紀のシェーカー教徒のカオスで旋回する宗教的歓喜を真似たもので、すべての魂は平等で、すべての動きは共同的だったと」主張した。[100]スラムダンスの最中に、参加者がステージに上がり、短時間踊ったりバンドと一緒に歌った後、客席に飛び降りるという「ステージ・ダイブ」も、パフォーマーと観客の境界線をなくすもので非人間的でプレステージ化されたアリーナ・ロックに抵抗するものであった。[101]

ハードコア・パンクのファッションスタイルは、マルコム・マクラーレンに関連したスタイルや、当時、メルローズ・アベニューに点在し始めた「ニューウェーブ」ブティックを拒否し、「日中に着ていたものを夜に着ていた」。グレッグ・ギンは「おれたちは常に、何を着ているのかは重要ではない、ということを主張している。何を着ているかではなく、どう感じ、どう考えるかが重要なのだ」とこのスタイルを説明している。[102]

南カルフォルニアで勃興したハードコア・パンクシーンは華々しく新興した反面、海辺のコミュニティから入ってきた暴力性が同時に蔓延し、ハードコアに暗い影を落とした[103]。デッド・ケネディーズのジェロ・ビアフラはこのカリフォルニアのパンクシーンに現れた暴力に関して「暴力的なジョックス[104]」が、「不寛容でマッチョな要素を持ち込んだ[105]」と指摘している。このマッチョな「シーンにおける女性の役割は、性のはけ口として、あるいは腕にぶら下げ、横に立つものだった。モッシュピットでは女性は歓迎されず、モッシュをする女は、奇妙なおてんば娘という感じであった。バンドでも歓迎されなかった。女の子同士も歓迎されず、仲間意識もなかった。唯一、提供できるのはセックスだけだった[106]」。

イアン・マッケイが指摘したようにここでは、「ヤることだけが目的であり、他のすべての問題、友人関係や他の人の気持ちなど、重要なことは二の次[107]」といった女性軽視が横行していたのである。また、パンクス同士も「非常に競争の激しい環境」にあり、「誰もが団結を口にするが、その現場は分裂、ライバル、争いに満ちていた[108]」。さらに、警察とパンクスの衝突や、喧嘩の話がセンセーショナルに語られるようになったり、メディアによって凶暴な悪役としてパンクスが描かれると、その暴力を求め新たなオーディエンスが参入し、ときに自らも暴力を作り出すようになっていく。つまり、パンクスによる表現上の暴力（歌詞の内容、熱狂的なダンス）は実際の暴力となり、多くの場合、初動の要因となった抑圧、疎外、退屈、虐待、腐敗、人種差別、性差別などは影を潜めてしまったのである[109]。そして自らのパロディになり果てたハードコアは、一般大衆にとってニヒリスティックな暴力と同義語として語られるようになっていく。

この暴力を助長し、本来の怒りの対象からパンクスをさらに離反させたのがライブでのアルコールやドラッグの摂取であった。ハードコアの黎明期には、「ドラッグが安く、豊富に出回って」おり、

「これらのドラッグが音楽に与えた影響は、ＨＣの伝説の核心部分」とまでいわれている。[110] アナキストの活動家でシーンに詳しいタッド・ケプリーは「自分のことが好きだってやつはシーンにはほとんどいなかった。誰もが、本当に深刻な怒りと疎外感を抱いていたんだ……酒で死んだり、銃で自殺したり、クスリで廃人同様になったやつがたくさんいた[111]」と振り返っている。

初期のハードコア・シーンには、ヘンリー・ロリンズ（ブラック・フラッグ）、グレッグ・ヘトソン（サークル・ジャークス）、ジャック・グリシャム（ＴＳＯＬ）などの重要な人物がいたが、彼らは暴力がハードコアへの「誓い」と「帰属」を明確化し、サブカルチャーを主流社会から区別するために必要な手段だと考えていたようである。[112]

このようなシーンに対して、ノー・アルコール、ノー・ドラッグ、ノー・カジュアル・セックスの三つの原則を自らに課して叫んだのが、ハードコア・パンクバンド、マイナー・スレットのイアン・マッケイであった。マッケイの話を始める前に、同じ時期にカリフォルニアでハードコア・シーンと交差した文化である、スケートボードについていくつかの共通点を挙げてから、ストレート・エッジに入っていこう。

スケートボード

スケートボードは現在、世界的なシーンとして約５０００万人の愛好者がおり、彼らが利用するスケートパークは数千ヶ所に上り、オリンピック競技としても認められている。国内でも、日本人選手が金メダルを獲ったことで、うるさい、迷惑、不良といったこれまでの悪評がひっくり返され、続々とスケートパークが建設されている。スケートボードはもはや、スケートボード研究の第一人者であるイアン・ボーデンが指摘する通り、ストリートを拠点とするサブカルチャーの反逆者だけのものではなく、どこでも、誰にとっても楽しめるものになっている。[113]

スケートボードの大枠の歴史的な背景を辿ると、1950年代から60年代にかけて、サーフビーチのプロムナード（散策路）で滑走した初期のスケーターから、70年代の郊外のプールやスケートパークでの活躍を経て、現代のストリート・スケートボード、ロングボード、ヒル・ボビング（丘を下るスケート）という過程がある。その中で、アート、映画、写真、DIY、スケートパーク、ジェンダー、コミュニティ、プロフェッショナリズム、商業、社会的企業を巻き込んで発展してきた。すでにパンクとのいくつかの共通点が見出せるが、本書とも共振していることは、イアン・マッケイのいう「スケートボードは趣味でもなく、スポーツでもなく、自分の周りの世界を再定義することを学ぶ方法[114]」であり、スケートという文化が人々にとって社会の規範や慣習に挑戦し、「都市空間をすべての人に開放する[115]」という開放性と包摂性を示していることである。

つまり、スケーターたちには、都市が見落とした共同体のあり方や、都市の中の前提条件―生産、消費といった交換様式のサイクル―を覆し、新しい視野を切り開く力を授けてくれるのである。また、スケートは都市を汚すのではなく、芸術と同じように、人々に新しい都市のあり方や見方を提示する。[116]

ボーデンは、商業化された空間、例えば駅から一直線にデパートへと繋がるような通路は、商品購

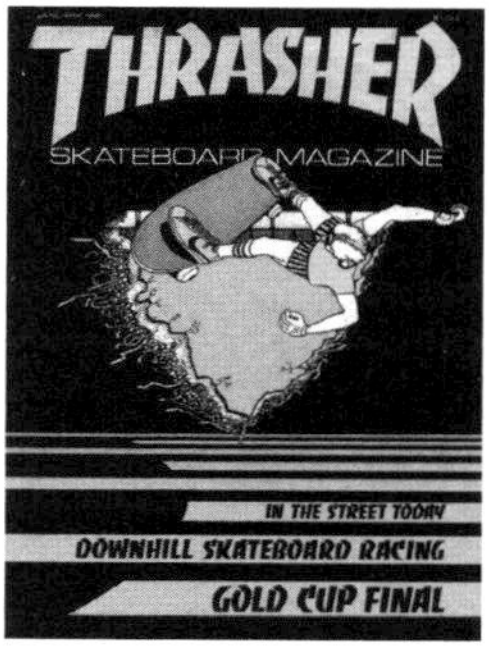

図53
『Thrasher』創刊号、1981

入を誘導するため、広告が貼られ、それを人々に観覧させるために、ゆっくりと歩くことが強いられるように設計されていると指摘する。しかし、スケートボードは、それを無視して、本来の人間らしい自律的な表現活動によって、遊びの場へと転回させ、その資本の企図を錯乱させるというのである。このパンクと多くの共通点をもつスケートボードはパンクとどこで出会ったのだろうか。

パンクとスケートボード

スケートボードはパンクと共に、この当時、警察に「逮捕される原因になりうる」文化であり、反体制的で抑圧された南カリフォルニアのユースカルチャーという共通項をもった中で出会った[117]。当時のアスファルトや住宅地の長く曲がりくねった道路は、スケーターたちの出会いの場であった。サーファーから派生した『Skateborder』誌が創刊されると、スケーターに愛読されるようになる。この雑誌はローラースケート、サーフィン、バイクへと分野を広げたが1982年に廃刊してしまう。しかし、81年にベイエリアで創刊された雑誌『Thrasher』[118]は同じスケートボード誌でありながらも、ハードコア・パンクシーンも取り上げる雑誌として誕生したことで購読層を広げた。音楽編集者のブライアン・ショーダー（通称、Pushead）が、『Thrasher』誌で、コラム「Puszone」というハードコア・パンクの特集を組むと、読者の間でもシーンへの関心が深まり、若者をライブへと連れ出した。また、スケートパンクの先駆者であるバンド、J・F・Aのシンガー、ブライアン・ブラノンや、ボストン・クリユーのバンドSSDと関係の深かったジェイク・フェルプスも編集者として参加すると、スケートボードに特化したハードコア・シーンが現れた[119]。この影響によって、ハードコア・パンクスも、スケートボードのライフスタイルを取り入れ出す。[120]

前述したブラック・マスクから発生したデモ戦術であるブラック・ブロックはデヴィッド・グレーバーによれば、このスケーター・パンクスの影響によって「無名性」や機能的な面からバンダナやパーカーがスタイルとして取り入れられたという。[121]

このスケートシーンもハードコア・パンクと同様に、「規制の多い学校」や「組織されたチーム」から分離し、独立したシーンを形成した一方、破壊的で攻撃性が強かったため、異性愛基準の男らしさが浸透していた。[122]しかし、ストレート・エッジの思想が持ち込まれると、これまでの因習に反動が現れた。例えば、スケーターのランス・マウンテンは「タバコを吸ったり、酒を飲んだりするやつは偽物だ」と宣言し、テイト・コルバーグはビデオでビールを飲むスケーターを「つまらない」と批判し、アルコール会社が無料の飲料と引き換えに広告を出していることを暴露した。また、プロスケーターでパンクバンド、Urethane のスティーブ・カバレロは、タバコ、アルコール、ドラッグを控えると同時に、スケートボードに「よりポジティブで、愛と無私の態度」を求めている。[123]

このスケートボードにまでも影響を与えた、ストレート・エッジとはどんな存在だったのだろうか。その思想のきっかけとなったバンド、マイナー・スレットの歴史を追いつつ見ていこう。

ストレート・エッジ

パンクの歴史を振り返ると、酒、ドラッグ、セックスは常にシーンに花を添える逸話としてスキャンダラスに語られてきた。実際、シド・ヴィシャス、ダービー・クラッシュ、GGアリン、カート・

コバーン（間接的であるにしろ）、ディーディー・ラモーンらのオーバードーズ《過剰摂取》による死は神話化され、ファンは彼らの死を悼むよりはむしろ、ドラッグと退廃的な感性に対する憧憬の眼差しを向けることもしばしばだ。

このハードコア・パンクシーンが盛況を迎える只中、薬物、酒そしてカジュアルなセックスに対して、「おれには必要がない」と叫んだ10代の若者たちが１９７９年、アメリカ合衆国、ワシントンD.C.に現れた。ウィルソン・ハイスクールのイアン・マッケイとジェフ・ネルソンである。

元々ロックスターに憧れていたマッケイは、１９７７年末のある日、テレビのニュースでイギリスのパンクについて報道しているのを見かけ、翌日セックス・ピストルズとダムドのファーストアルバムを購入した。また、２年後にバンド、ホワイト・ボーイに出会い、彼らがレコード・プレス、レーベル運営、ライブのすべてをＤＩＹで行っていることに感化された。そして、ワシントン郊外のメリーランド州ロックヴィルにあるレコード店「Yesterday and Today」のオーナーのスキップ・グロフからロックやパンクの講義を受けたり、ネルソンとザ・クランプス、ザ・クラッシュのライブを見たことで影響され、バイト先のペットショップにあった犬用のトリマーで頭を刈り上げた。さらに、バッド・ブレインズのライブと曲に衝撃を受け、ハードコア・パンクへと一気に傾倒し、ネイザン・ストレイチェク、ジョージ・グリンドルを巻き込んで、バンド、ザ・ティーン・アイドルズを結成する。[124]

マッケイはパンクのライブを見た衝撃について、「政治的、神学的、芸術的、性的、物理的、音楽的に対立するコミュニティがあって、あらゆる種類の狂気

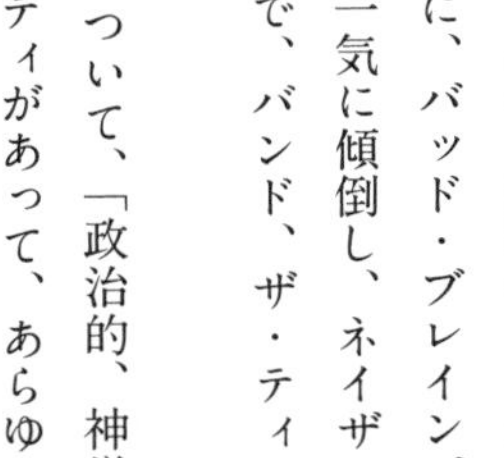

図54 『マイナー・ディスターバンス』ザ・ティーン・アイドルズ、ディスコード・レコーズ、1980

が一つの部屋の中にあった」とそのカオスな雰囲気を振り返っている[125]。

マッケイの友人でザ・ティーン・アイドルズのローディーをしていた、元ブラック・フラッグのヘンリー・ロリンズによれば、70年代のギターの神様、テッド・ニュージェントが酒もタバコもドラッグもやらないことを知り、マッケイと自分に大きな思想的影響を与えたと振り返っている。

ザ・ティーン・アイドルズは「ヘロインやコカイン、大量の酒に溺れるヘビーメタル・バンドなどの腐敗した音楽から離れ」ようとし、「コーラを大量に飲み、トゥインキー[126]を大量に食べていた[127]」。この、酩酊したシーンからの決別と宣言は、自分と「主な闘いは周りにいた連中、つまり友人に対して[128]」向けたものであった。

ザ・ティーン・アイドルズはDamaged、Thrash、Search & Destoryなど、カリフォルニアのパンクジンや、ジャームズやDangerhouse Recordsのバンドたち、そして特にブラック・フラッグから多大な影響を受け、ハードコア性を急進化させた。さらに、メンバーはサンフランシスコのパンクスの著名な拠点であるMabuhay Gardensに出演し、「自分たちに逆らう者は誰でもボコボコにした恐ろしい」、元SST RecordsのMugger、Drew Blood、Critterといった悪名高いＬＡのパンクスと出会い、暴力に対する反撃を学んだ。

マッケイは「自尊心をやっつけるという自分なりに、いくらか概念化した暴力の哲学があって、よく戦ったけど、決して人を傷つけなかった。残酷なファイターではなかったんだ。コンセプトは、決して闘いから引き下がらないというもので、ただひたすらに相手に向かっていく。誰も傷つけたくないし。おれがやりたかったのは、人を傷つけるな、ということと、連中に、おれたちを支配する感覚を持たせないようにすることだった[129]」と説明している。また、マッケイは暴力的な言葉を話さなければ、暴力から解放されるとも指摘している。

ザ・ティーン・アイドルズは、1980年11月6日にワシントンのクラブ、「9：30」で最後のライブを迎える。彼らはここでパンク史における、重要なアイディアを胚胎させた。

彼らの出身であるワシントン州では、バーに入る際に年齢制限に関する法律があり、マッケイとその友人たちはクラブの外に立ち、ダムドやスティッフ・リトル・フィンガーズといった伝説的なパンクバンドを外から聴くという悔しい思いを経験してきた。しかし、サンフランシスコで彼らが経験した、未成年者であっても、その判断のために手の甲に大きなXを描けば入場ができることを9：30に提案し、のませ、ライブを成功させた。これをきっかけにストレート・エッジのシンボル「X」が生まれた。ザ・ティーン・アイドルズの解散後、マッケイとネルソンは旅に出て、その間に次のバンド「マイナー・スレット」を結成する。

マイナー・スレット

おれは吸わない、飲まない、やらない
少なくとも、おれは考えられる
付いていけない
世界とステップをあわせられない

「アウト・オブ・ステップ（ウィズ・ザ・ワールド）」マイナー・スレット、1983

1980年、イアン・マッケイ、ジェフ・ネルソン、ライル・プレスラー、ブライアン・ベイカーはバンド「マイナー・スレット」を結成した。バンド名の由来はマッケイ曰く「おれたちは未成年で、しかも小柄」だったため「小さな脅威で、何も心配することはない」といい、ネルソンは「マイナー」は「未成年の子どもたちがショーを見るためにバーに入れないという現在進行形の問題」を意味し、「脅威《スレット》」はティーン《10代》・パンクスが真剣に相手にしてもらえなかったことへの皮肉だという。ザ・ティーン・アイドルズでベースを担当していたマッケイは、ウッドストックのジョー・コッカーを16回観たことで感化され、ヴォーカルへと変更する。

マイナー・スレットのリズムは、後にハードコアの特徴の一つとされる、ハイパーアクティブなワンツービートのみであり、歌詞は誰かに向けられた二人称で歌われた。そのため、「リスナーは、非難されていると感じると同時に（シンガーは常に「あなた」に向かって叫んでいる）、正義を感じた（「あなた」はリスナー自身の人生の中の誰かになる）」[130]。

マイナー・スレットの曲は、出身地にもかかわらず、政治的な問題を扱ったものはほとんどなく、その理由を「政府はずっと嫌いだったが、自分の領分ではないと感じ、政治について歌えるほどの知識はなかったし、世界についても、歌えるほどには知らなかった。でも、自分の世界については、歌えるほどには知っていたんだ」と説明している。メンバーのプレスレターはこれを「自分自身と、自分が影響力を行使できる人たちと向き合えばいい[131]」と簡潔に表した。

一方で、マイナー・スレットの歌詞は、「価値観を明確にするもので、人々はマッケイを裁定者、道徳的な羅針盤として、特にハードコアのサブカルチャーに共鳴した、虐待され、育児放棄をされた膨大な数の子どもたちと固く結ばれた[132]」。

むろん、仲間たちはその頃のマッケイを「説教好きなマザーファッカーだった」と笑い飛ばしている。

マッケイは当時、ザ・ティーン・アイドルズで稼いだ資金を元に、通常ではシングルに収録される曲数を超えた８曲を収録した、パンクスの手の甲にXが描かれたデザインのシングル・レコード「マイナー・ディスターバンス」を制作した。そして、レコード・レーベル、ディスコード・レコーズ（Dischord Records）を立ち上げた。このシングルはジン『Touch and Go』で熱烈なレビューで迎えられ、読者から注文が入り始めた。また、ジンや、サンフランシスコのＫＰＦＡやＫＵＳＦといったラジオ局でも取り上げられ、ラジオ番組「Maximumrocknroll」で「Get Up and Go」が何週間にも渡り一位を獲得した。これによって注文が殺到したが、ディスコードは資金不足だったため再プレスがすぐにはできなかった。しかし、ヘンリー・ロリンズのバンドＳ．Ｏ．Ａの10曲入り７インチを、ロリンズがアイスクリーム店の経営で稼いだ資金を加えディスコードの２枚目としてリリースした。これに続いて４ヶ月の間に、ネルソンとマッケイの仲間たちは、Youth Brigade や Government Issue といったパンクバンドを結成し、ディスコードから７インチレコードが矢継早にリリースされた。

同年、ディスコードの決定的なコンピレーション・アルバムが生まれる事件が起きた。マッケイたちが参加したブラック・フラッグや、デッド・ケネディーズのライブで乱闘が起き、評論家のレスター・バングスが、巻き込まれたマッケイやその仲間を「ワシントンから来たマッスルヘッド（スラングでバカ、マヌケ）」とこき下ろしたのである。憤慨したマッケイは、この言葉を逆手に取り、D.C.のハードコア・パンク・コンピレーション『フレックス・ユア・ヘッド（柔軟性をもて）』をリリースした。このアルバムは、発売後一週間で４０００枚という驚異的な売上げを記録した。

マイナー・スレットは、この勢いに乗じて1981年6月に、自らのアルバム『マイナー・スレット』をディスコードの3枚目としてリリースした。わずか11分で繰り広げられる8曲は、嘘つきに関する「I Don't Wanna Hear It」、頑固な友人へ向けた「Screaming at a Wall」、宗教批判として「Filler」、ライブで酔っ払って人を殴るものたちを揶揄した「Bottled Violence」、そして、「何歳かではなく、何歳だと感じるかだ」と「Minor Threat」で歌い、「Seeing Red」で外見で判断されることについて非難した。収録曲の一つ「Straight Edge」では「座りこんで、頭の中がイカれた生ける屍とつるむより、おれにはもっとマシなことがあるんだ」と宣言し、ストレート・エッジ・シーンが立ち上がる。さらに、半年後の12月、シングル「In My Eyes」をリリースする。このシングルには、後に誤解を生んだ「Guilty of Being White（白人としての罪悪感）」や「Out of Step」が収録されていた。「Guilty of Being White」は、60％が黒人だったウィルソン高校で黒人の貧困問題からキング牧師の死まで、あらゆる歴史問題で責め立てられ、黒人の子どもたちにいじめられていた自分たちの経験を綴った曲であった。

「Out of Step」では「おれは飲まない、吸わない、やらない」と、飲酒、麻薬、カジュアル・セックスを否定し、ストレート・エッジの具体的な姿勢を示した。このシングルがリリースされるとボストンでは、Society System Decontrol（SSD）、Department of Youth Services（DYS）、ネバダ州リノでは7 Seconds、ロサンゼルスではUniform Choiceといったバンドが応じ、ストレート・

図55　マイナー・スレット

エッジを教養としてコミュニティに発信し始めた。このように「ストレート・エッジ」は、単なる曲としてだけでなく、ディスコードの仲間たちの生き方、そしてハードコア・シーンに広く浸透していったのである。

マッケイはこのシーンに関して、意図せずしてできたと語る。そして「ストレート・エッジを自認する人たちの大半は、自分の人生において正しいことを行おうとする人間である」と擁護しつつも、問題は「崇高な使命のようなものにそれを置き換えて、人間を後回し」にしてしまう「宗教的な要素」があることだと指摘する。一方で、ドラッグやアルコール、セックスへの逃避は、本質的な問題ではなく、それらが、「権力と暴力の問題」と表裏一体であり、その問題を抱える人々が「ナショナリズム」などの「架空のものに走ってしまう」ことだとも説明する。そして、ある一線を越えたら「お前のケツを蹴り飛ばしやる」というシンプルなルールとしての提案[133]で、「自分の資源からもう少し娯楽を見つける」ことや、「物事をコントロールし、それに支配されないこと」を提唱し、人々に「自分の人生の選択」を促したのであった。

このストレート・エッジは、なぜ、この時代の若者の心をここまで摑み、合衆国全体のパンクシーンへと伝播したのだろうか。

サンフランシスコのジン『Creep』は、「人生の目標が、何かを消費し欲望を満たすこと」になっていて、ドラッグの使用は「この文化において受動的な消費主義の極端な方法」だと指摘した。これに対して、ソニック・ユースのキム・ゴードンはストレート・エッジを「消費主義システムに操られるのを避け、自分をコントロールしたいという欲求」の表れだと説明する。[134]つまり、資本主義、特にこの時代に現れた新自由主義的な政策のもたらした受動的な生を強いる社会への反発の一端でもあったというのである。サッチャー政権が称揚し促進したことで、クラスが闘争を挑み、このアメリカのシーンにも影響を与え、現在でも多くのパンクスが打倒すべき制度として度々取り上げる新自由主義とはどのようなものなのだろうか。

レーガノミクスと新自由主義

新自由主義は、ノーベル経済学賞を受賞したミルトン・フリードマンの理論に傾倒したシカゴ・ボーイズと呼ばれるエコノミスト・グループを起点としている。その政策は「強力な私的所有権、自由市場、自由貿易を特徴とする制度的枠組みの範囲内で個々人の企業活動の自由とその能力とが無制約に発揮されることによって人類の富と福利が最も増大する、と主張する政治的、経済的、実践の理論である」[135]。要約すれば、金儲けに関する企業経営者の自由を最も重んじる政策で、これまで、平等を担保するために作られてきた様々な規制や労働組合といった運動を「民営化、規制暖和」の名において弾圧、撤廃し、金儲けの自由のために、軍事、防衛、警察、法的な枠組みも、追従させようという考えである。さらに、富の蓄積のためには、「土地、水、教育、医療、社会保障、環境」といった従来人々が平等に受け取る権利があるとされてきたものまでもが市場に組み入れられ、商品化していく。そしてこの理論によれば、上層階級がより儲けることで、下へと利益がこぼれていく（トリクルダウン）と信じられていた。しかし、規制の撤廃（減税）と商品化によって最も利潤を得たのは大企業と一部のエリートであった。これによって社会的な不平等は拡大し、超富裕層の1％が、全世界の資産の37％を独占するという現状を生んだのである（2023年）。

この新自由主義のプロセスはパンクはもちろん、芸術全般、「分業や社会関係、福祉制度、技術構成、ライフスタイルや思考様式、性と生殖に関する諸行為、土地への帰属意識、心的習慣」に対して「創造的破壊」をもたらした[136]。

戦後アメリカにおいて、この新自由主義を生活様式に組み入れ、常識《コモンセンス》として自明で疑いのないものと浸透させたのが、ロナルド・レーガンであった。レーガンはかつてハリウッドスターだったことで、カウボーイ、農夫、父親といったアメリカの象徴的なイメージが擬人化された人物として大衆に好意的に受け入れられたが、その実態は白人によるアメリカ、キリスト教原理主義的な偏見、帝国主義、自己中心的なイデオロギー、富裕層の称賛と貧困層への嫌悪、少数企業による独占の支持といった保守思想が本質であった。レーガンは政権を握ると、同じ保守的な福音派のキリスト教と結びつき、「女性の社会的な地位についての文化的・伝統的な価値観や、共産主義、移民、異邦人への恐れといったものが、他の現実を隠蔽するために動員[137]」された。そして資本家は、この時流を利用して、公平性を追求する社会勢力である、リバタリアニズム、アイデンティティ・ポリティクス、多文化主義といった「個人主義的自由の理想を乗っ取り、それを国家の介入主義や規制政策への対立物に転じる」ことで自らの地位を固守したのである。さらに、彼らは新自由主義的ポピュリズム文化という、ライフスタイル、表現様式を「消費者の選択の自由」という言葉に転化し、それが「ポストモダニズム」と呼ばれる文化、知の領域の潮流と結びついたことで、新自由主義を加速させていったのである[138]。

この影響は、初期ハードコア・パンクスが幼少時代を過ごしたアメリカの郊外で、脱工業化が推し進められたことで職を失い、後景へと押しやられていたブルーワーカー、一部のホワイトワーカー、移動を許されずゲットーに住まざるえなかった非白人種へと現れた。この環境においてマイナー・スレットは、無自覚的にしろ現実に向き合わず、ドラッグ、アルコール、セックスといった快楽を呼びかけるスペクタクルに呑み込まれていく若者に、パンクを通して揺さぶりをかけ、快楽に代わるオルタナティブな空間と時間を提供し、多くのアメリカ人に愛されていたレーガンの仮面を剝ぎ取ろうとした。そして、どのような状況にあれ、自己を保ち、自由な選択と自律した考え方をもつことを提唱したのである。

マッケイはマイナー・スレットの解散後、いくつかのバンドを経て、新たなシーンへと歩み始める。一方、ストレート・エッジのシーンは、マッケイとは別に独自のシーンを切り開いていく。ニューヨークのYouth of Todayのシンガー、レイ・カッポは、この第二世代のストレート・エッジを新たに牽引した。彼らは、Youth of Todayの曲から取られた「Youth Crew」と呼ばれた[139]。また、Youth of Todayが1988年に動物愛護をテーマにした「No More」をリリースしたことで、ベジタリアニズムがストレート・エッジ・シーンでも重要な位置を占めるようになった[140]。そして、このシーンは現在でも確立されておりアメリカはもとより、世界中に受け継がれている[141]。

クラスとディスコード・レコーズ

クラスとマイナー・スレットの繫がりについて、次章へと繫がるルーツを確認するために、ここで少し触れておきたい。

開始当初からディスコードは金銭面で再プレスか、新譜のリリースかというジレンマを常態的に抱えていた。商品が売れてもディストリビューターからの支払いには数ヶ月かかり、ディスコードはどのプレス工場からも前借りをする信用を得ることができなかったため、結局友人からの借金に頼っていた。しかし、デッド・ケネディーズのビアフラが運営するレーベル、Alternative Tentacles Recordsが、コンピレーション・アルバム『フレックス・ユア・ヘッド』をイギリスでリリースし、いくつかのレーベルから『Out of Step』のヨーロッパでのリリースのオファーがきていた。これを聞いた『Maximumrocknroll』のＤＪ、ルース・シュワルツが、クラスやクラス・レコーズのミュージシャンの専属サウンド・エンジニアで、ロンドンでサザン・スタジオを経営していたジョン・ロダーに相談したところ、ロダーは、ニューヨークで行われたマイナー・スレットのライブを鑑賞し、ディスコードのプレスとディストリビューターを申し出た。この後、新譜のリリースと、再プレスを並行できるようになった。１９８４年以降、ディスコードの作品がサザンでプレス、販売されたことで、安定的にレコードが供給された[142]。サザンでプレスされたレコード・スリーブには、クラスがかつて「45ペンス以上支払うな」と書いていたが、ディスコードは、後払い可能[143]と記した。マッケイによれば、不当な価格に釣り上げられた場合、購入者がそれに気がつき、後払いでディスコードから購入できるようにするためだと説明している。

マッケイは、２０１５年のインタビューの中でディスコードの歴史を振り返り、「２００人ほどのミュージシャンが、何十年も音楽を託してくれたことに恩義を感じている。今まで一度も契約書がなかったことを留意してほしい。契約書も弁護士もなし。純粋に信頼関係で結ばれている。すべてのマスターテープを持っていて、レコードを出してきた。半年に一度、印税を払ってきた[144]」とその関係について語っている。

マッケイは、サザンとの関係をきっかけに度々イギリスを訪れるようになったが、滞在中にダイアル・ハウスに招かれ、歓迎を受けた。
マッケイは、クラスのメンバーたちと豊富なベジタリアンフードに囲まれたとき、「すべての動物の中で、殺すか殺さないかを選択できるのは人間だけだ」と悟ったという。そしてそれを「アルコールと同じだ」と考え、ベジタリアンになったことを「ストレート・エッジの論理的なステップ」と解釈した[145]。

マッケイはマイナー・スレットの解散後、Embrace[146]、Egg Hunt といったバンドを経て、ベトナム帰還兵の証言を集めたマーク・ベーカーによる著書『NAM禁じられた戦場の記憶』に書かれていた「ファックトゥ・アップ、ゴット・アンブッシュトゥ、ジップトゥ・イン（Fucked Up, Got Ambushed, Zipped In ＝「最悪だ、待ち伏せされて殺されて、死体袋に詰められる」）」（軍隊のスラングで「めちゃくちゃな状況」を意味する）[147]の頭文字を取ったフガジ（Fugazi）というバンドをジョー・ラリー、ブレンダン・キャンティー、ギー・ピチョットと共に結成する。

フガジは、これまでのマッケイが参加してきたバンドとは異なり、明快な政治性をもったバンドとして開始され、マイナー・スレット以来の二度目の隆盛をもたらした。

フガジは自分たちの音楽が商品化されることを拒否し、ツアー中にTシャツやポスター、LP、カセットテープの販売をしなかった。そして、ライブは全年齢入場可とし、チケットは5ドルで統一された。ライブでは会場予約はもちろん、自分たちで機材を運び、ツアー中の宿泊は人の家の床で寝た。

フガジが活躍したこの新たなシーンはバンド、Rites of Spring や Beefeater 等と共にレボリューション・サマー[148]と呼ばれ、上述したレーガノミクスがもたらした負の側面への反撃として、若い活動家たちによる運動「ポジティブ・フォース」と連携した。フガジは、この政治的な社会運動との連帯で、新たな地平を開拓していく。

ポジティブ・フォース（PF）

アメリカにおける「パンク的な抗議活動」の重要な契機は、カリフォルニア州サンフランシスコ・ベイエリアの核兵器開発施設であるローレンス・リバモア国立研究所を、非暴力で封鎖するなどのイベントを組織したリバモア・アクション・グループ（LAG）の連合体の中の「ピース・パンクス」と呼ばれる小グループからといわれている。[149]「ピース・パンクス」のメンバーの多くは、前述したクラスや「ストップ・ザ・シティ」に刺激を受けて活動していた。

1993年の『ソーシャリスト・レビュー』誌によれば、アメリカでは「不法占拠による活動は……パンクバンド（もちろんストレート・エッジも含む）やジンによる批判、ロック・アゲインスト・レーガン・ツアーにより、本格的な政治行動とまではいかなくとも、パンク的な抗議活動のスタイルは1983年には確立」されていた。[150]

LAGは、サンフランシスコの金融街で起こしたデモ「Hall of Shame Tour」で、これまでのデモンストレーションを一新させ、道の真ん中で絶叫死する「ダイ・イン」を行って、警察からの追撃をかわしながら即興演劇的なパフォーマンスを繰り広げていた。

LAGは1984年夏の民主党と共和党の大会で「運動資金ツアー」と名付けた「企業（通常はロビーだけ）に侵入し、大声で糾弾し、ビラをまき、営業を妨害する抗議の遊び場作り」を展開し、

「パンクロック・プロテスト」と呼ばれる「ゆるやかな新しいコミュニティ」を形成した。この「運動資金ツアー」に触発され、レコード・レーベルを兼ねた「ポジティブ・フォース（ＰＦ）」運動を起こしたのが、ネバタ州のハードコア・パンクバンド、7 Secondsと、その周辺のパンクスたちであった。

このＰＦの活動は『Maximumrocknroll』誌で取り上げられたことで、パンク好きの活動家、マーク・アンダーセンとパンクスのケヴィン・マットソンの目にとまり、彼らが抱いていた計画と重なったことでＤ.Ｃ.にも「ポジティブ・フォース」が設立された。

１９８５年６月、ポジティブ・フォースＤＣは最初の公開ミーティングを開催した。

創始者のアンダーセンはパンクについて、カール・マルクスの「革命は、あらゆるものの批判から始まる」や、バクーニンの「破壊への情熱は、同時に創造への情熱なのだ」のフレーズに集約されているといい、自分の活動や信念はクラスから影響を受けており、「偽の偶像を信じること、美辞麗句を並べるだけの革命家になるのはやめよう」とパンクスに呼びかけた。

ＰＦのメンバーは、男女問わず、年齢も肌の色もさまざまな集合体で、シチュアシオニストのシンパ、リバタリアン、家出人、伝統的なパンクロッカー、大学の教員であったという。メンバーはそこでアクティビズムを学び、やりたいことは何でも誰でもフェアにできた。

フガジやBeefeater は、公開ミーティングの６日後に行われた、アパルトヘイトに反対する「パンク・パーカッション・プロテスト」でＰＦと行動を共にした。パンクスたちは南アフリカ大使館の前で、ドラムや廃材、木片など手にしたものを何でも使って何時間も騒音を鳴らし続けた。マッケイはアパルトヘイトを「完全に間違っていて、クソだと思うことを示したかった」といい、この運動を

「60年代の公民権運動のように、全員が団結するチャンス」と語った。[151] また政治活動に関しては「権力者が信用できず、権力は腐敗すると思うなら、権力を持ちすぎた連中に対して抗議し、行動する準備を常にする必要がある。そして、たとえひとりの人間を権力から追い出したり、権力構造の一面を消滅させてもそれが終わらないことを知らなければならない。決して終わりはないんだ。「おれは政治活動に対して、街頭に出て、政府を倒せばすべてうまくいく！」みたいなロマンチックな考え方は持っていない。政治的な行動は、場所や行動する内容によって具体的な形で現れると思う。それは一生続く取り組みなんだ。パンクに関しても同じで、革ジャンを着たら終わりというものではないんだ」と語っている。[152]

パンク・パーカッション・プロテストがきっかけとなり、ＰＦの参加メンバーが増えたことで活動は定着した。

ＰＦは「ボランティア団体とアート活動と社会正義を実現させる共同体」であり、主な活動は「交流」と「周縁にいる人たちをサポートするためのシステムを作ること」で、非中心性、自主的連合、そしてつねにコンセンサスを重んじつつ、直接、否を表明できる直接民主主義で運営され、資金等の流れはすべて公開された。それは、「人々を啓発し、楽しませるために活動してきた集団」であった。[153]

マッケイは、ＰＦとの共闘について「自分たちが何者なのか、そして誰がパンクロッカーなのか、20代で自分たちに納得がいくようになり、その後、特にジェンダー、階級、人種、民族といった、より大き

図56　パンク・パーカッション・プロテストのビラ

な世界を目指すようになった」と心情の変化を吐露している。

ＰＦは、ディスコードとも連帯を深めたことで、慈善公演をいくつか成功させた。これを機に１９８７年1月「ポジティブ・フォース・ハウス」というコミューンがワシントンＤ.Ｃ.のアーリントンにあるディスコード・レコーズの近辺に設立された。そこは、ノー・ドラッグ、ノー・スモーキング、ベジタリアンが掲げられ、主に、バンドの練習、グループ形成、レコード会社の設立、ミーティングの開催場所として活用された。アンダーセンは、このコミューンを「そこから生まれるエネルギーが花開くようなクリエイティブなスペースになるよう意図的に作られた家」とし、「ラディカルな可能性を秘めた庭[154]」と表現している。

フガジは１９８９年から２０００年の最後のワシントンＤ.Ｃ.のすべての公演をＰＦとの共同で行った。バンドは、個人的な利益よりも、よりよい世界の実現を優先し、この思想に賛同した多くのファンを獲得した。アンダーセンは、フガジについて「地域社会で具体的な行動を起こすために、自分たちの芸術の力を使って、できることはすべてやりたいと、早い時期からはっきりと言明していた」と振り返り、シーンの形成は、フガジが人気と敬意を集めたことによって、このような活動が「Ｄ.Ｃ.で成功するバンドであることの方程式の一部である」とみなされ、「他のバンドも同様の行動をとるようになった」と指摘する。そして、ＰＦとフガジの協働についても、「芸術と社会正義のコラボレーションによって、何が可能かを示す貴重で美しいスナップショットになった」と自負する。

ＰＦのアンダーセンはフガジの解散以降も、アメリカで再燃したアナーコ・パンクシーンと協働し、社会運動を活性化させた。２００４年の大統領選には、１９８０年代前半のロック・アゲインスト・レーガン・キャンペーンに触発されたＮＯＦＸのファット・マイクの呼びかけで始まったロック・アゲインスト・ブッシュとも共闘した。そして現在でもＰＦは「We Are Family」に名称を変え、高齢者のための支援プログラム、反ジェントリフィケーションなど、様々な活動を展開している。[155]

ＰＦとそれを取り巻いたバンドなどは、大きなシステムに頼らず、下からの民主的な公共の場を作るための具体的な実践を示してきた。アンダーセンは、それを「革命を望むなら、お互いに協力し合う必要」があること、「力とは、よりよい世界を信じている人々が一緒にいること」だと組織のあり方と、その重要性を説いている。この過程について、チャンバワンバのダンバート・ノバコンは「音楽が大衆文化を変えてきたという歴史がある。しかし、社会の構造を変えるのとは対照的に、音楽は個人を変え、その個人が社会を変えていく。つまり、普通の人々が何かに抵抗したり、仕事や生活環境の本質を変えようとするのだ」と説明している。

ＰＦの活動には、ハードコア・パンクがもたらした負の遺産である「レイプや暴力、人種差別、性差別」と戦う、Fire Party、ビキニ・キル、ブラットモービルという女性パンクスも多く関わっていた。彼女たちは自分たちのフェミニズム運動をパンクシーンと繋げ、女性を解放できる空間作りに取り組んでいた。この活動は、レボリューション・ガール・スタイル・ナウというスローガンと共に注目を集め始め、「ライオット・ガール」と呼ばれるようになる。

第16章　ライオット・ガール

ライオット・ガールは、「ガールパワー」を掲げたパンクを通したフェミニズム運動である。そこには多くのバンド[156]が参加したことで、それぞれの歴史があり、構成は「中央集権的でも、組織的でもなく、リーダーもスポークスウーマンも存在[157]」しない。しかし、歴史的な流れを整理すると、1991年にワシントン州オリンピアとワシントンD.C.のパンクスやインディペンデント・ミュージック（インディー）内のジェンダーの不公正に対して「女の子の暴動」を起こそうとしたパンクシーンである。具体的には、ビキニ・キル、ブラットモビールというパンクバンドがポジティブ・フォースと協働しながら、ライブやジン、ミーティングを通じてフェミニスト・ネットワークを推進し始めたことを契機としている。

この活動の対象は、「レイプ、中絶の権利、過食症・拒食症、美の基準、大衆文化からの排除、日常生活での性差別、ダブルスタンダード、セクシュアリティ、自己防衛、人種主義、階級主義[158]」で、インターセクショナリティ（交差[159]）を掲げた運動でもあった。

ライオット・ガールは、公正な社会の実現のために、自分たちの音楽やジンといった文化を用いて、これらの問題に取り組んだ。このライオット・ガールの活動はフェミニズム運動の一部だといわれる。

では、フェミニズムとはいったいどういう理論なのだろうか。

本章では、まずフェミニズムそのものについて簡単に触れ、その後、ライオット・ガールの歴史的な流れを概観しつつ、ジンがもたらした女の子のネットワークへの影響、運動に対する悪意のあるマスコミの偏向報道、ライオット・ガールが包摂しきれなかった人種について検討していきたい。

フェミニズム

活動家で、ニューヨーク市立大学で教鞭をとっていたベル・フックス[160]はフェミニズムを「男性に反対する運動」ではなく、「性にもとづく差別や搾取や抑圧をなくす運動」であり、人は「生まれながらに平等である」という心理に生きるためのものであると説明する。つまり、フックスによればフェミニズムが対象とする問題は男性ではなく「差別」にあるというのだ。例えば、パンクの歴史を振り返ってみると、これまで取り上げられてきたアーティストやバンドはほとんどが男性中心主義史観によって描かれている。現在は、まさに、このフェミニズム運動によって歴史の読み直しが起こり、研究の幅は広がりつつある。男性アーティストのみが言及されてきた歴史をとらえ返し、ときに修正することによって、埋もれていた女性アーティストを掘り起こすということである。それは同時に、パンクのこれまでの言動を実証する活動でもあるのだ。

フェミニストたちは自分の身体をめぐる権利についても主張してきた。これは性的な行動や相手を自主的に選択する権利、妊娠した場合に「産む・産まない」を選択する権利である。アメリカではキリスト教の倫理観が法律にまで浸透しているため、非合法で危険な中絶手術が頻繁に行われてきたという背景がある。そのため、フェミニズム運動家たちはこの「性と生殖」の問題に対して基本的な性教育、出産前の健康管理、自分の身体の仕組み、医学上の対処といった知識を活動によって広めた。また女性に対して極端な場合には拒食症や過食症といった精神的疾患をも伴う「外見の美しさ」という強迫観念を植え付けるファッションメディア産業と結びついた価値観へも異議申し立てを行った。

さらにフェミニストたちは自らの歩みを省みて、活動や理論が、裕福な白人女性を中心としてヒエラルキーを生んできたことを批判し、階級、人種といった観点にまでフェミニズム理論を押し広げ、修正しているのである。この、階級と人種については流れに沿って後述していく。

では男性にとってのフェミニズムとは、どのような意味があるのだろうか。

フックスは男性優位社会の根本原因は、男性自身よりも、むしろ、家父長制[161]や、性差別、男性支配にあると指摘する。そして、女性たちも無自覚的にそのシステムに加担してきたことを批判する。

例えば、偏差値の高い学校や有名企業に行き、金持ちなることが成功といった価値観は、言い換えれば、どれだけ人を支配できるのかといった基準で世界をとらえることになる。しかし、その価値観と自分の価値観が合わないとき、男性は自分に能力が足りないのではないかと思い、本来の自分らしさを押し殺し、支配が内面化された男らしさを優先させるのである。さらに、女性たちも、そのような男性に従属することが女性らしさだとされ、性差別の再生産に加担させられているのである。フックスは、だからこそフェミニズムについてもっとよく知れば、女性だけでなく男性も家父長制の束縛から解き放たれると説明するのだ。では一体「らしさ」とは、どのようなものなのだろうか。

フックスは、支配にもとづく男らしさは、本来の意味での「らしさ」ではないと退ける。「らしさ」とは、「アイデンティティのもととなる自分らしさを誇りに思い、愛することができるようなヴィジョン」なのだと説明する。ここに、パンクやアートといった創造的な活動の意味が仄みえる。つまり、この世界で見失いがちな自分らしさを取り戻すことの意味である。それでは、具体的なライオット・ガールの成り立ちとその活動をみていこう。

ビキニ・キルとブラットモービル

ビキニ・キルは、美大生の頃からバンド活動や、ギャラリー兼ライブ会場の運営や、フェミニスト活動に取り組んできたキャスリーン・ハンナと、Ｋレコーズのカルヴァン・ジョンソンとバンドを組んでいたトビ・ヴェイル、ヴェイルのバイト先の同僚、カティ・ウィルコックスの3人によって結成されたパンクバンドである。

ブラットモービルは、活動家の母親に育てられたアリソン・ウルフ、ウルフの大学の寮の隣に住んでいた、黒人議員連盟の指導者たちと親交の深かった両親に育てられたモリー・ノイマンの2人が、カルヴァン・ジョンソンのサポートでバンド活動をした後に、ジョンソンに紹介されたエリン・スミスと共に結成されたパンクバンドである。

この二つのバンドは、メンバー全員がジンの制作者であり、ジンを通じたコミュニケーションによりバンド以前から親交があった。しかし、本格的に協働を始めたのは、1991年にポジティブ・フォース・ハウスで始まったミーティングからであった。ミーティングはほぼ毎週行われ、パンクシーンにおける性差別的な慣習や、自分たちの日常の経験について語り合い、参加者たちに、自分の言葉で発言することを呼びかけた。このミーティングによって彼女たちは、自分たちのフェミニスト活動を支えるための体系的かつ、社会、文化的なジェンダー問題を検討するためのコミュニティを外部にも形成した。ミーティングよるグループは、女性に安全な空間を提供し、フェミニズムに関与する政治、音楽、アートシーンを立ち上げた。[162]

ライオット・ガールという名称は、ブラットモービルに短期間所属したジェン・スミスのフェミニズム・ジン『ガール・ライオット』と、ヴェイルの造語であり、このシーンの背後にある怒りを感じさせる唸り声のような「grrrl」を組み合わせて作った『Riot Grrrl』というジンからきている。[163]「女の子」を意味する「ガール」という単語を用いたのは、「最も強い自尊心と自分への信念をもつ時期である子ども時代に焦点を当てたいという願いから」[164]であった。この二つのバンドの協働で制作されたジン、『Riot Grrrl』は「社会全体、そして特にパンクロックのアンダーグラウンドにおける女性のパワーの欠如」を批判し、「人生とは肉体的なものをはるかに超えるものだと知っている。そして、パンクロックの「あなたには、何だってできる」という考え方は、我々だけではなく、世界中の女の子や女性の精神的・文化的な生活を彼女たちの条件に従って救おうとする、来るべき怒れるガール・ロック革命にとって極めて重要であることを、はっきりと認識している」[165]と宣言した。

図57 『Riot Grrrl』
ジェン・スミス、1991

ライオット・ガール・ジン

ジンは、ライオット・ガールのコミュニケーション・ツール、プロパガンダ、自己表現の場として機能したもので、企業や検閲に邪魔されることのない、現在でもパンクスが用いるオルタナティブなメディアである。ライオット・ガールに参加した、ほぼすべての女性がこのジンを制作しており、内容は、パンクシーンにおける男性中心主義批判はもとより、セックスに関しての知識、ドメスティック・バイオレンス、レイプ、近親相姦、摂食障害といった、女性が容易に人に相談することが難しいテーマであっても自由に議論された。そして、ほとんどのジンには、連絡先のリストが記載、または、一枚ビラで同封されており、読者にコメントを書いて返信を促すメモが添えられていた[166]。ジンは、女性たちの交流を活発化させ、同じ経験をもつものとの繋がりを生み出し、「自分たちの個人的な経験を、より大きな政治的問題の一部とみなすことができるようになった[167]」。

ジンで用いられるイメージは、手書きのイラスト以外では、ファッション雑誌、コミック、広告ポスターから、女性像、ランジェリーの広告、ソフトポルノがコラージュされた。また、「ビッチ」「拒食症」「絶対的な美」「レイプの心理」といった言葉が多用された。中には、痩身グッズの広告コピーの文章の元が読み取れるように消去し、「早く体重を減らして、12歳の子どものような拒食症な身体になる方法！」や「すべての男子がハードファックしたい女の子のようになります。今すぐ注文を」と書き足した。これは、ダダイストが性的な表現を用いた際の手法で「ブルジョアジーの文化の内的展開として、規制の価値観に対するショック療法的な啓蒙、さらにはその啓蒙的あり方すら自己否定する反抗的な脱—啓蒙という二面性をはらみながら、社会批判や政治解放への契機[168]」として機能し、美や女性らしさという概念がいかに、社会的に構築されているのかを暴露した。

このライオット・ガールたちが声を上げ始めた当時のアメリカは、15秒に一人の割合で、女性が虐待されていた。そして女性の殺害被害者の半数が、夫やボーイフレンドからであり、4人に一人の女性が18歳までに性的虐待を受けていた。さらに、4人に一人がレイプやレイプ未遂を経験し、そのうちの78％が知人からによるものであった。[169]

ライオット・ガールの実践

ライオット・ガールの活動がアメリカの全土へと波及した重要な契機の一つが、1991年8月、ワシントン州オリンピアのインディペンデント・レーベル「Kレコーズ」のカルヴィン・ジョンソンとキャンディス・ペダーソンが主催した「International Pop Underground Convention」であった。彼女らはこのプロジェクトを参加者との交流に重点を置く意味をもったコンベンションという言葉で表現し、典型的な音楽祭や業界人の集まりではないことを強調していた。このコンベンションでは「Love Rock Revolution Girl Style Now!（愛、ロック、今こそ、女の子の革命のとき）」と名付けられた5日間の女性を中心としたイベントを行い、女性ミュージシャンの演奏やジン、カセットテープの交換、配布、性差別の事例に対する抗議集会やミーティングが行われた。イベントを主催したマーガレット・ドハーティは、目的を「これからバンドを組もうか、ギターをもつか、自分の気持ちを歌にしようかと思っていた観客の若い女性たちをその気にさせること」と語り、この成功を「崖から飛び降りてもコミュニティが受け止めてくれるということを知ること」だと説明している。[170]

ライオット・ガール・シーンが拡大されるにつれ、アメリカやイギリス、オーストラリアの女性が多く参加するようになり、手紙のやり取りや集会、ジンなどを通じたネットワークも広がった。これにより、自らをライオット・ガールと名乗る女性バンドが増加し、1993年の1年間だけで47のバンドが新たに結成され、ジンは160冊を超えた。[171] 増加に伴い、ジンの配布は、新設されたライオット・ガール・プレスに送られ、そこでコピーされ、希望者に配布された。また、初期のライオット・ガール・バンドたちは、海外ツアーでの現地の対バンで、さまざまな方法を用いて、これまでの男性中心主義的なライブでの慣習を覆した。

例えばビキニ・キルは、イギリスで行ったツアーでライブの開始前に、スラムダンスの暴力性やハラスメントの可能性、そして、通常、女性がライブでは排除されているという注意喚起と、女性の観客にステージの後方ではなく、前方に立つよう求めるプリントが配布された。この提案に対し、男性客が後方に移動することを拒んだり、女性客を優先するバンドの方針にブーイングが出ると、ライブは中断され、ライブハウスのライトをすべて点灯させることもあった。[172] また、バンドと観客とのコミュニーケーションにも時間が多く割かれ、女性たちにはマイクが渡され、ライブでのハラスメントに関してバンドのメンバーと掛け合いを行った。

このパフォーマンスは、女性バンドや会場にいる女性たちに、ライブで起きるジェンダー問題に、どのように対処すべきかという具体的な方法を広めた。ライオット・ガールのライブでは受動的な視聴の場としてだけではなく、議論の場として開放されたことで、観客とアーティストの間にある力学を解体し、双方向性をもった環境を生み出した。そして、この活動が行われ、改善されたライブ会場は、今日までその状態を保っているという。[173]

ライブでのライオット・ガールのファッションスタイルは、伝統的で保守的な女性像に挑戦したもので、肌を露出したスタイルが多く、胸元や腕にマーカーペンで「尻軽女」「売春婦」「ビッチ」と自分たちに向けられた蔑称をスローガンとして描きつけた。この身体に対し、ヘアスライドで束ねた髪、柄物のドレスといった伝統的なドレスコードを組み合わせ、相反する新しいスタイルの「対立の装い」を生んだ。このスタイルは、強制されるジェンダーへの適合に衝撃を与え、それに立ち向かうという明確な意図があった。[174]

図58　尻軽女とボディーペイントをしたキャスリーン・ハンナ

マスメディア

ライオット・ガールの名声が上がるにつれ、彼女たちのことを取り上げようと、多くのマスコミが接触を図った。しかし、ヴェイルの「政治的にメインストリームの報道は必要ないと思っていたの。政治的な運動は、メディアの報道があってもなくても成長すると思っていたし……ときには、人々が想像したことが実際に起こったことよりもエキサイティングで、それが神話に発展することもあるから」といった意見のように「シーンの華やかな側面にしか興味のないジャーナリストに対して、自分たちの政治性を説明する責任を負いたくないという意見」もあり、ライオット・ガールの妥当性を維持するため、ジン・ネットワーク、コンベンション、オルタナティブ・プレスを通じて、主流メディアへのブラックアウトが推奨された。[175]このインタビューに応じる参加者の少なさに直面した記者たちは、彼女たちのファッションスタイルに重点を起き、政治的に軽薄で、サウンドバイト[176]に適したイメージを作り出した。

1992年から1995年にかけて、ライオット・ガールは、『ニューズウィーク』『ニューヨークタイムズ』『Utne Reader』『プレイボーイ』といった人気雑誌や新聞に記事が掲載され、シーンに対するさまざまな意見が飛び交った。しかし、その情報は、ほとんどが誤報であった。

例えば、『ワシントン・ポスト』紙はインタビューすることなくビキニ・キルの記事を掲載しハンナが父親にレイプされたと主張したと誤って報じた。この記事はハンナや家族を大きく傷つけた。また多くの記事がファッションを取り上げたことで、ライオット・ガールの政治的なスタンスは影を潜め、ファッショントレンドに落とし込まれた。さらにマスコミはライオット・ガールシーンとは無関係のパンクやロックバンドの女性たちを「ライオット・ガール」だと定義し始め、ソニック・ユースのキム・ゴードン、プリテンダーズのクリッシー・ハインド、L7といったミュージシャンまでもが、突然「ライオット・ガール」と呼ばれ始めた。マスコミはこぞって、ライオット・ガールの「リーダー」を特定しようとも試みた。しかし、パンクシーンそのものが水平的で非階層的な構造であり、リーダーシップが異質なものであるにもかかわらず、矛先をハンナへと向けた。ライオット・ガールの内部では緊張が高まり、関係が悪化した。ハンナは「私を恨んでいる人たちがいることに苛立ちを覚えた。なぜなら、私は記事にされ、リーダーと呼ばれるようになってしまったから。でも、私は一度も「私がリーダーだ」といったことはない。私の意に反して、他の人たちがそう書いた……性差別的なことを書かれ、それが続いて、本当に悔しかった[177]」と振り返っている。

メディアの怠慢と悪意による誤報の連続と、ハンナにリーダーとして焦点を当てたことで、彼女は他の女性たちから疎外されるようになり、参加者からは、シーンが分裂していると見なされ、ライオット・ガールは、人々から共感を得ることが難しくなっていった。[178]

ライオット・ガールと人種

ブラットモービルのウルフとニューマンはジン『ガール・ジャームズ』で、アフリカ系アメリカ人のラッパーを取り上げたり、パンクシーン、ライオット・ガール・シーンにおける白人の特権を批判し、仲間にもそれを自覚させ、この傾向に抗うことを提唱してきた。しかし、多くの非白人種のライオット・ガールズは、実際には中流階級の白人の関心事が優先されているという感覚を抱いていた。

例えば、1992年にアフリカ系アメリカ人のラムダシャ・ビクシームが制作したライオット・ガールのジン『Gunk』では、ビクシームがコンベンションに参加した後、ライオット・ガールが「ごく一部の選ばれた人たち、つまり白人で中流階級のパンク・ガールたちの非常に閉鎖的」な環境にあることを指摘している。また、ラテン系のライオット・ガール、シシ（&ダニ）はジン、『Housewife Turned Assassin!』で、ライオット・ガールでの体験に失望した理由を「私たちの間には格差があり、差異がある」にもかかわらず、「階級や人種、宗教的背景は関係なく、私たちは皆、女の子であるという事実を共有している」といった「ユートピア」を掲げたことだと述べている。つまり、これらの異議は、ライオット・ガールのスローガン「すべての女の子はライオット・ガールである」に階級、人種といった差異が還元されてしまい、女性たちの間にある格差を覆い隠していることを露わにしたのである。ライオット・ガールは、個を政治的なものとして取り上げ、コミュニティを構築し、安全な空間を作るという目標を達成する上で、反規範的で反ヘゲモニー的な戦略を取ったが、それが「同質性」という概念を通して、ヘゲモニー的かつ、規範的な政治へと堕してしまったのであった。

では、なにがここでの問題なのだろうか。再びフックスの理論に戻りつつ確認してみよう。フックスは、欧米のフェミニズム運動内で起きた同じ現象にたいする批判の中で、白人中流階級のフェミニストの多くが男性と同権を得ると、その女性たちの担っていた単純労働は、より低い階層や、非白人種の女性に委譲されたと指摘する。これは、フェミニズム運動が自分さえ良ければいいという、ご都合主義的なものに変わり、家父長主義社会を維持したいと考えている保守的な男性や資本家と利害関係が一致し、手を組み始めたことを意味するという。これによって、本来のフェミニズム運動の持っていた社会変革の目的は見失われ、さらには、女性同士の政治的連帯にまで悪影響を及ぼしたと説明する。このことは、ヨーロッパ帝国主義から始まった国家支配、階級抑圧、人種主義といった家父長制システムの維持に繋がること、裏を返せば、このようなご都合主義は、フェミニズムを裏切るばかりか、自分自身を裏切ることになると指摘したのである。

実際、ラテン系のライオット・ガール、ビアンカ・オルティスはジン『Mamasita』で、1997年のベイエリアでのガールズ・コンベ

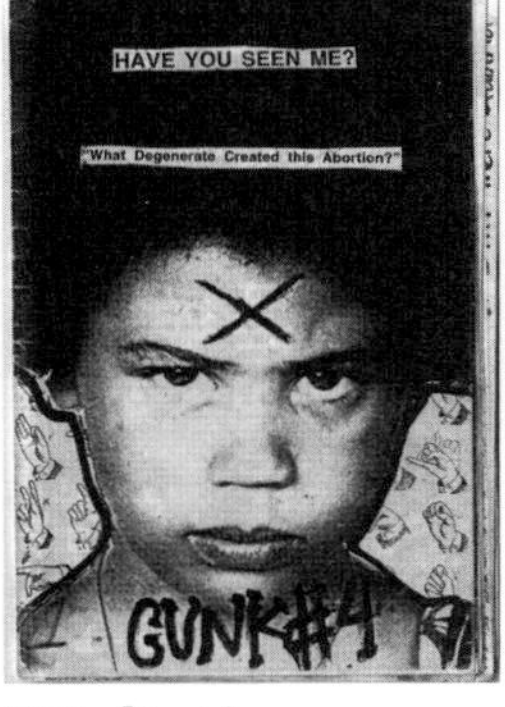

図60　『Gunk』
ラムダシャ・ビクシーム、1992

図59　『Girl Germs』
ウルフ＆ニューマン、1990

ンションで開催された反人種主義ワークショップにおいて、「メキシコの女の子たちは、菜食主義のワークショップの間、自分たちが台所で他の参加者のために料理を作らされていることに気がついた[179]」と指摘している。

つまり、ライオット・ガールの運動内でも、無意識であったにせよ階級や人種的なヒエラルキーが内面化されており、それに従って役割が振り分けられてしまっていたのである。このような人種主義への申し立ては、白人中流階級のライオット・ガールズにとって「深刻なギアチェンジを必要とした」。なぜなら、「彼女たちは、自分たちが不利な立場に置かれ、貶められるという共通点をもとに話し合い、繋がったばかりだった。そして今、白人の女の子たち、つまりそこにいた人々の大多数が、自分たちも抑圧者であることを告げられた[180]」からである。もちろん、これによってライオット・ガールの行ってきたエンパワーメントが損なわれるわけではない。

じじつ、パンクスで社会学者のケヴィン・ダンが指摘するように、ライオット・ガールは「DIYパンクによって、女性が複数の抵抗の場に参加することを奨励し、個人のエンパワーメントのためのリソースを提供」した。それは「マクロレベルでは、社会が支配する女性らしさの構築に抵抗し、中間レベルでは、パンクにおける息苦しい性役割に抵抗し、ミクロなレベルでは、家族や仲間内のジェンダー概念に挑戦」し、「多くの点で〝個人的なことは政治的なこと〟というフェミニストの言葉に新しい命を吹き込んだのである[181]」。

ここでの批判はミミ・グエンが指摘するように、ライオット・ガールの宣言が「活動を、女友だちや政治、現実の生活と結びつけて考えることが、私たちのしていることの現状にどのような影響を与え、反映し、永続させ、破壊しているかを理解するために不可欠」であるならば、日常の中で人種や階級へも眼差しを向けることはライオット・ガールの理念と一致しており、今後の新しい運動を前進させるためにも必要不可欠だからである。実際、ライオット・ガールの運動は紆余曲折を経たが、「パンク文化全体に関して女性、非白人種、LGBTQ+の声を増幅することに貢献した」[182]ことは間違いない。

最近の例でいえば、２０２１年、新型コロナウイルスの流行直前に学校で同級生から受けた人種差別に抗った、アジア系及びラテン系アメリカ人の女の子４人組によるパンクバンド、リンダ・リンダズがいる。彼女たちはライオット・ガール・バンドを幼少期から聴いており、そのバンドＴを頻繁に着用し、影響を公言している。[183]このように、ライオット・ガールは、それまでのパンクシーンとパンクの歴史を、白人、男性、ストレートの若者の音楽と文化以外のものとして広くとらえ直そうとした最初の大きな運動だったのである。

アメリカのライオット・ガール・シーンでは１９９０年代中頃になると、大衆紙による偏向報道や、人種、階級、政治をめぐるシーン内での対立が影響を及ぼし始めた。またシーンのイメージが書き換えられたことで、ライオット・ガールは政治的なメッセージのない単なるファッショントレンドと見なされ、若い女の子たちは遠ざかるようになっていった。さらに、ライオット・ガールに関連するグループは解散し、参加者はより生活に密着した新しい音楽表現や異なる活動に挑戦するように変化した。新しい仲間や、既存の参加者を失ったアメリカのライオット・ガールは衰退し始め、新しいフェミニスト音楽は「ポスト・ガール」と

図61　リンダ・リンダズ

呼ばれるようになった[184]。

一方でライオット・ガール・シーンはその政治性によって、ヨーロッパ、南米、アジアにも広がっており、それらの組織が世界中で会合を開き、ジンを出版し、情報を交換し続けていた。現在では、マレーシア、ブラジル、パラグアイ、イスラエル、オーストラリア、そしてヨーロッパ各地に、ライオット・ガールが存在し、ブラジルにおいては、サルバドールでライオット・ガール・フェスティバル「Festival Vulva la Vida」が２０１５年まで開催されていた[185]。さらにロシアではライオット・ガールの影響を受け、ウラジーミル・プーチン大統領を権力の座から引き摺り下ろす「パンクの祈り」を開始したプッシー・ライオットが現在でも活動している。

第17章　パンクと人種

ライオット・ガールの章では、マジョリティが自分の特権を自覚し、是正することの難しさを確認してきた。マジョリティはその優遇されてきた環境を自明視しがちであり、マイノリティ《少数派》と呼ばれる人たちへの認識や配慮が不足してしまうことが多々ある。そもそもなぜマジョリティはマイノリティに配慮する必要があり、差別は間違っているのだろうか。

本章ではまず、人種差別を取り上げ、それがどのように構築されてきたのかを検討することで、人々の先入観や固定観念といった幻想をできるだけ解いていきたい。そして、主にアメリカとイギリスの非白人と称される人たちとパンクの関係について紹介し、彼らがパンクによってどのように自らを解放したのかを紐解いていく。この問題は一見、日本にいる我々にとって無関係だと思われるかもしれない。しかし昨今のヘイトスピーチ、SNS空間を飛び交う匿名の差別発言、差別で人々を煽動しようとする排外主義思想の政治家たち、ウトロ地区への放火、出入国在留管理局員による外国人への虐待、及び殺人、技能実習という偽装を施した現代の奴隷制度と、人種にまつわる問題は日本の中にも多々存在する。私たちはこの問題にどう向き合っていけばいいのだろうか。このような問題に対して非白人のパンクスは、どのように対処しつつ社会の網の目を紡いできたのだろうか。

人種差別とその起源

人種差別に限らず、私たちは何気ない日常の中でさまざまな思い込みや偏見をもちがちである。例えば私の職場である大学でよく耳にする言葉に、「今年の1年生は」や「留学生は」がある。

本来ひとりひとりが個性をもつ人間を、生まれ年や出身国でひとくくりにしてしまうことに科学的な根拠はない。しかし、往々にして我々は個性をもつ人々を恣意的にグループ化し、一般化し、レッテルを貼ってしまいがちだ。

この問題をアメリカの哲学者、ポール・C・テイラーは、「類型論的偏見」と呼び、「人種主義の問題は、形態的な特性や、常に変化する生理学的特徴で人々を分類化してしまうこと[186]」だと説明している。例えば、肌の色は一般的に、ホワイト、イエロー、ブラウン、ブラックと分類されるが、色相はそんな単純なものではなく、日焼けをすれば日本人だってブラウンやブラックになるし、ときにレッドになる人までいる。テイラーによれば、この「類型論的偏見」は、どこで、どの時代に、誰が、どのような方法で決めるのかという問題が棚上げされているという。つまり、人種は常に身体的特徴も含め、恣意的な方法で分類されてきたと指摘しているのである。DNA解析の進んだ現在では、優生主義者の唱えた人種間の優劣は全くのデタラメであるということも証明されている。にもかかわらず、こういった先入観や思い込みによって人は気づかないうちに差別の契機を生みがちなのである。では、差別はどのようなときに生まれ、人々の間にどのような障壁をもたらしているのだろうか。

アメリカの文化人類学者、ルース・ベネディクトは『レイシズム』[187]の冒頭で、人種差別の起源を人類がお互いを殺し合うための理由を探したことだと説明した。そのために頭蓋骨の形状、皮膚の色、鼻の形、髪質、瞳の色といった見た目の特徴を「味方」と差異化することによって「敵」を仕立て上げてきたのだという。そしてこのような空想から、「純粋な民族」「歴史を通じて国を治めてきた」あるいは、その「純粋民族に固有な「麗しき」身体的形質がある」といった純血幻想が生まれ、歴史が改竄されてきたと指摘する。

この人種主義者の称揚する「純粋性」は、世界大戦において、「宿命を媒介とする、究極的（自己）犠牲の観念」をともなったことで「途方もない数の人々が自らの命を投げ出した[188]」状況を生んだ。これは、同じように純粋性を喧伝するナショナリズムと結びついた結果であり、このナショナリズムは、実際のところ「他者への恐怖と憎悪」に根ざしており、その点で人種主義とあい通じているのである[189]。この二つは科学よりもむしろ、政治によって人々が扇動される際に発動され、第一章の冒頭で触れた奴隷貿易はもちろん、ナチスドイツによる、ユダヤ人、ロマ（ジプシー）、障碍者、性的マイノリティへのホロコーストや、大日本帝国による周辺国への侵略や暴虐への詭弁に用いられたのである。この病理の一端は家父長制資本主義が支配する現代社会のあらゆる層にも巣喰っており、さまざまな社会的要因と結びついて歪な形で表出している。これまでのパンクシーンでの人種に関する語られ方をみると、純血幻想の影響下になかったとはいえない。では実際にはどうだったのか、そしていかに変化がうながされていったのか。最近の研究も参照しながらパンクと人種の関わりについてみていこう。

パンクの起源論争

セックス・ピストルズのジョニー・ロットンは、「人種、国民、英国らしさ」というインタビューに以下のように答えている。

「愛国心なんてものはもはや存在しない。それが盛り上がるかどうかなんて、どうでもいいことだ。……イングランドが自由だったことなんか一度もない。そこはいつでもクソみたいなところだった……パンクと黒人はほとんど同じものだ。……米国に行くことがあればおれはまっすぐゲットーに行くつもりだ。……おれは黒人たちにおれたちのことが好きかなんて訊くつもりはない。そんなことはどうでもいい。連中にも機会があったらやりたかっただろうことを、おれたちはしているだけだ[190]」。

『No Irish, No Blacks, No Dogs』という自伝を記したことにも現れている通り、白人でありながらアイルランド人ということで差別を経験していたことや、レゲエに傾倒していたこともあり、ロットンは白人とアーティストの特権を自明視しておらず、非白人の置かれている状況を理解し、ぶっきらぼうな言い方ではあるが、彼らを同類ととらえていた。

ザ・クラッシュのジョー・スラマーもインタビューの中で「おれはブルースに根ざしているんだ。ロックンロールの歴史では、ブルースがすべての根源であるという点を強調しないとね。おれの人生で聴いたものはすべてブルースに根ざしているんだ[191]」とパンクが白人のものでないことを強調している。

また、パティ・スミスは自分の感じた疎外感について、物議を醸した曲「ロックンロール・ニガー」で表現し、自らを黒人と称した。

このように個々のアーティストによる言及はみられるものの、一般的なパンクシーンの中では人種は忌避されがちなテーマであった。しかし、黒人の音楽的・文化的な形態がパンクの根底を作ったことは紛れもない歴史的事実である。

パンク史における人種を振り返ってみても、ブラック・フラッグのフロントマンとしてその名を馳せたヘンリー・ロリンズが名声を得る以前、「ホワイト・マイノリティ」を叫んだのは、プエルトリコ人シンガー、ロン・レイズであった。また、そのブラック・フラッグを含むSST Recordsは、黒人のグレン〝スポット〟ロケットがプロデュースしていた。

さらに、グレッグ・ギンとイアン・マッケイは、チカーナのアリス・バッグを擁するバッグスやアフリカ系アメリカ人だけのバッド・ブレインズに熱狂していたし、ハードコア・パンクの先駆者、ザ・ジャームスのパット・スミアはアフリカ系アメリカ人、ネイティブアメリカン、ドイツ系ユダヤ人の血を引いている。イギリスに目を向けても、パンクの第一波には、エックス・レイ・スペックスのポリー・スタイリーンや、ザ・クラッシュに影響を受けた、インド、パキスタン系のメンバーで構成されたエイリアン・カルチャーズがいた。このように、パンクは白人のサブカルチャーとしてしばしば定義されてきたが、そこには、非白人パンクという隠れた歴史が埋もれている。

この歴史的な事実は、ジェームス・スプーナーの『アフロパンク』、マルティン・ソロンデギーの『叫びの向こうに』、ヴィヴェック・ボールドの『マルティニー：アジアンズ・ストーム・ブリティッシュ・ミュージック』、バンド、ロスクルードスのマーティン・ソロンディガイによる、『U．S　ラティーノ・ハードコア・パンク・ドキュメンタリー』といった映画によっても証言されている。では、なぜパンクは「白い暴動」としてとらえられがちなのだろうか。

アメリカを例にとれば、前述してきた通り第二次大戦後の公式・非公式な国家政策と不動産開発、人種差別の結託によって郊外が作り出され、それを維持するための地理的分離（住宅差別）政策が敷かれていた事例がある。この権力と経済と人種主義の結びついた構造的な差別は、非白人のアイデンティティまでも疎外したため、社会における非白人主体の文化的な歴史的事実は、パンクシーンにおいても切り離して考えられたり、ときに、無視されてきたのである。

ポピュラーミュージック研究者のエヴァン・ラポートはこのような文化盗用を「ブラックミュージックの貨幣資源としての価値と、ポピュラーミュージックに関する言説を支配する経済用語（盗用、借用、流用）を用いたマネー・ロンダリング」だと指摘し、「アメリカの白さの表向きの祖国であり、起源であるイギリスのオフショア（自国から離れた地域）口座を通じて資金洗浄されたブラックミュージックは、より白いものとしてアメリカに戻ることで、盗用や流用という直接的な疑惑を避ける」と指摘した[192]。

しかし、パンクは、政治的なものである以前に、批判性を携えた音楽であり、白人というマジョリティとしての特権を利用しつつも、そのこともまた批判し、明らかにもしてきた。このことが、パンクの批判的な指向性に大きな可能性を与えてきたのも確かである。

バッド・ブレインズ

ワシントンD.C.の黒人低中所得者層が多く住んでいる、メリーランド州ディストリクト・ハイツで育ったH.R.、ダリル・ジェニファー、アール・ハドソン、ドクター・ノウは、マインド・パワーというフュージョン・バンドの後に、パンクバンド、バッド・ブレインズを結成した。

バッド・ブレインズ以前にも1970年代半ばのデトロイトでMC5やストゥージズの近辺で演奏していた、アフリカ系アメリカ人によるプロトパンク「デス」や、ニューヨーク・ドールズと共演したことでグラムからパンクに移行したニューヨークの「ピュアヘル」がいたが、バッド・ブレインズは、その演奏力の高さと速さ、視覚的な閃光によって黎明期のハードコア・パンクスへの影響はパンク史に残る衝撃的な分岐点になったといわれている。

バッド・ブレインズは、白人中心のハードコア・パンクシーンを非白人でありながら開拓したのである。彼らはアフロ・アメリカン、ラスタ、パンクという三つのアイデンティティを有しており、ディック・ヘブディジの挙げた、ラスタの抱いたアフリカへのユートピア的な希望と、パンクの未来への絶望といった相容れないとされた二つの「凍りついた弁証法」を見事に溶融させた。この融和によって彼らは、アフリカ系アメリカ人とパンク・コミュニティの両方から異端として位置付けられ、二重に疎外され、原理的な意味でのパンクスであった。

バッド・ブレインズの奏でた白黒のスタイル、つまり、ハードコア・パンクとレゲエは、「資本主義下における日常生活への抑圧的な性質や退屈さを暴こうとするパンクの関心」と、「レゲエの商品形態への反感、「ルーツ」への強調、時事的な問題や出来事を忠実に記録すること」[193]が共鳴していた。ポール・ギルロイに倣えば、この共鳴は失業という形で現れたイギリスの経済的・社会的危機の高まりに比例する白人の若者の政治的意識の高まりに呼応していて、アメリカのレーガノミクスや郊外で疎外された白人の若者にとっても、同様のものであった。また、レゲエの「露骨な歌詞と音楽の激しさを統合する力、その自発性、パフォーマンス志向、即興へのこだわりは、先の見える主流ロックやポップカルチャーの音楽製品に幻滅した若い白人にとって、深く魅力的であることを証明した」[194]。この両方をアメリカの若者に向けて体現したバッド・ブレインズは、ザ・クラッシュのポール・シムノンが語った「レゲエを演奏すると、黒人音楽に目を向けるようになり、彼らが持っているかもしれない差別的な感情から離れるように導いてくれる」[195]という効果をナイーブではあるが、象徴的に強める存在であった。また、バッド・ブレインズが推奨したP.M.A.(ポジティブ・メンタル・アティチュード、前向きな精神的態度のこと)は、ベースのダリル・ジェニファーによれば、ネガティブな心情を発露するパンクではなく、「子どもたちが、レゲエを聴いて心と頭が開かれる」ことを目指したものであった。しかし、この思いとは裏腹に、ライブでは、彼らの演奏のあまりのスピードと激しさに観客が暴れたため、文字通り「Banned in D.C.」を引き起こし、ワシントンD.C.のほとんどのクラブで出禁をくらい、唯一ライブができた場所が、ヒッピーたちの安宿、Madam's Organであった[196]。

1982年にメンバーはハードコアよりもラスタへと傾倒していき、ヴォーカルのH.R.が宗教原理主義者となり女性や性的マイノリティへの差別発言や身体的な攻撃、金銭面でのトラブルといったスキャンダルを重ね、シーンから徐々に姿を消すことになった。

アフロパンク

アフロパンクは、2003年にジェームス・スプーナー監督によって、アフリカ系アメリカ人とパンクの関係について描いたドキュメンタリー映画から始まったシーンである。映画ではアメリカの郊外に育った黒人であることの疎外感をもった黒人ティーンエージャーたちが主役に据えられている。彼、彼女らは自身の解放の手立てとして、社会の抑圧に抵抗してきたパンクに親和性を見出し、パンクを帰属先としてとらえた経験を語っている。また、パンク史の中で人種という観点からしか光の当たることのなかったバンド、デス、ピュア・ヘル、バッド・ブレインズ、フィッシュボーン、Wesley Willis Fiasco などをパンクの初動と位置付け直した。

非白人の女性に関しても、ライオット・ガールの歴史で主体として表象されてきた[197]「郊外に住む、若い白人の中流階級」によって、それまで貢献を覆い隠されてきた、非白人の女性バンドを切り出し、人種とジェンダーに対する交差性の視野を開いた。

２００５年にスプーナーが、ブルックリンでミュージック・フェスティバル「アフロパンク・フェスティバル」を開催したことによって、同名のアフロパンクシーンは確立され、世界的にも認知されていく。しかし２００８年に至るまでに肥大化したフェスティバルの方向性をめぐる対立と、フェスティバルに参加したバンドの一つがブジュ・バントンの性的マイノリティを差別した曲「ブーム・バイ・バイ」を演奏したことで、スプーナーが憤慨、演奏を中断させたことが決定的となり、フェスティバルを去ることとなった。その後、２００９年にトヨタ、ナイキといった大手企業のスポンサーとパートナーシップが結ばれ、アフロパンク・フェスティバルは企業化されていく。２０１５年にはヨーロッパに上陸し、パリ、アトランタ、ロンドン、ヨハネスブルグといったグローバルな展開をみせ、現在に至っている。この祭典はパンクだけでなく、ソウル、ジャズ、ヒップホップ、アフロビートなど、さまざまな音楽スタイルが混在し、音楽以外にもファッションショーや映画祭が開催されている。

図62　アフロパンクのロゴ

アフロパンクは「白人至上主義という幻想に支配されたシステムにおいて、周縁に存在する人々を肯定すること、生活体験の中にある多様性を認めるネットワーク」だと定義されている。また、「アフロパンクは音楽、アート、アクティビズムで繋がったコミュニティであり、ディアスポラの経験を受け入れ、性差別、人種差別、能力による差別、同性愛嫌悪、肥満嫌悪、トランスフォビアを排除すること。アフロパンクでは、それが多数派でありコミュニティであり、自然だ」としている。[198] この宣言が載っているホームページでは、フェスティバルだけでなく、バンドの情報、アクティビズムに関しての記事や紹介など、アフリカ系アメリカ人のコミュニティ形成とエンパワメントのためのプラットフォームが形成されている。これは、スプーナーの「100％ありのままの自分でいられるシーンを作ること」[199]「おれが育ったパンクシーンのように、ステージの上にいる人たちと同じくらい、ステージの外にいる人たちも重要だ」という理念を実現化したものである。

アフロパンクは、パンクの正統なルーツである黒人音楽を辿るだけでなく、アフリカの民族衣装や装飾、芸術からもパンクとの親和性を見出した。スプーナーはこれを「パンクをきっかけに、アフリカの先住民の装飾文化と生活様式をヨーロッパ中心主義の中で再現し、その感覚を取り戻した」と指摘する。つまり、パンクシーンの中にあった文化的・人種的なナショナリズムの純粋性というコードを翻訳、変換し、再文脈化を試みたのである。またフェスティバルやホームページによって作られた空間は、ホミ・バーバのいう、植民者と被植民者の文化が対立し、交換され、混成し、創造されるといった「第三空間」を生み出した。アフロパンクは、異質でときに対立する文化の要素を超越し、新しい文化的アイデンティティを創出したのである。そして、結果として、肌の色だけにとどまらない単一性が問い直され、複数の文化的アイデンティティが共存できる場を形成した。この空間は、人種や階級の違いという社会的な解釈に対して、パンクが自主的に思考し、行動できる組織の形成や、お互いの違いを優劣ではなくそれぞれのアイデンティティとしての誇りに転換できる効果的なツールを提供できることが示唆されている。

パンクとラテン系アメリカ人

19世紀以降のラテン系アメリカ人の歴史を辿ると、経済的な理由による大規模な移民がメキシコからアメリカへと流入し、重要な労働力の供給源とされていた。彼らもまた、アフリカ系アメリカ人と同じように、白人からのあらゆる面における差別に直面した。しかし、ラテン系の文化もまた、人種を問わずアメリカの多くの人々を魅了し、人種間の緊張関係をときほぐしてきた。

ジェンダー、セクシュアリティ研究者のミシェル・ハベル・パランは、パンクとラテン系の共通点を「パンクの音楽サブカルチャーの中核をなすＤＩＹの感性は、限られた資源の中でやりくりするチカーノ／ナの文化実践であるラスクチェ（Rasquache）の実践と共鳴」することや、「パンクの現状や貧困、セクシュアリティ、階級的不平等、戦争への批判」はラテン系移民の多く住んでいた「ロサンゼルス東部の労働者階級の若者たちに直接語りかけるもの」であったことを挙げている。また、パランは「パンク」がロックの歴史に導入されたのは、１９７１年に雑誌『クリーム』でラテン系のバンド、「Question Mark and the Mysterians」の公演が取り上げられたことがきっかけであることや、かれらが、Count

図63　アリス・バッグ

Five、Seeds、The Troggs と共にパンクの原型であったことも指摘している。[200]

しかし、このような歴史は物理的にも経済的にも当時隔離されていたラテン系移民にとって知る由もないことであった。この状況に変化が訪れたのが１９６５年の「移民国籍法」の家族優先制度によって急増したラテン系アメリカ人の子どもたちの世代が活躍し始めた１９７０年代後半から１９８０年代前半にかけてのイースト・ロサンゼルスやハリウッドであった。ロサンゼルスでは、白人から排斥されたラテン系の若者が参加できるように設立されたクラブ The Vex で、Los Illegals、ザ・ブラット（The Brat）、The Plugz、Undertakers といったラテン系パンクスが演奏していた。

このパンクシーンの中で「パンクやニューウェーブの美学を、女性に対する暴力や企業化される公共空間への影響を、国境を越えた対話の可能性の場へと変容させた」[201]のが、ラテン系の女性パンクスであった。

彼女たちは伝統の中に根強く残っていたカソリック的な家父長制が浸透した家族で育っており、人種以外にも、家庭内の暴力という、二重の抑圧を受けていた。実際、当時ロサンゼルスで結成されたバンド、バッグスのボーカル、アリス・バッグや、ザ・ブラットのテレサ・コヴァルビアスは、幼い頃に暴力を経験したり、目撃していた。

ザ・バッグス

ザ・バッグスはメキシコ系移民の間に生まれたアリス・バッグを中心としたパンクバンドである。[202]ピンクのドレスにパンクス特有のジョーダンメイクを施し、叫び上げる歌唱スタイルによって、本人が語った「女性パフォーマーは常に控えめな傾向があったが、そのすべてが変わりつつある」契機となり、「ブラック・フラッグや他のパンクバンドが広めたハードコア・サウンドの青写真を描いた」。このことから、バッグは、西海岸のハードコア・パンクの先駆者だともいわれている。[203] また、バッグは１９７９年に「We Don't Need the English」という曲を発表し、「イギリス人から自分たちがどうあるべきかを教わる必要はない、アナーキーのつまらない歌で、何を着ればいいかを教わる必要はない」と英国のパンクシーンの真正性を拒絶した。

バッグは、家庭や公立学校で自分を取り巻いていた暴力を嫌悪しながらも、それを内に秘めずにはいられなかったといい、メキシコ人の両親の娘でブロークンな英語を話すという理由や、太っていて眼鏡をかけていたためにいじめられたこと、母親を殴った父親に対する怒りなどをパンクで爆発させたと振り返っている。[204] この「ジェンダーへの排除と格差、ドメスティック・バイオレンスと家庭崩壊への感覚、不自然な完璧さを求める国での不完全な身体への苦悩、偏見と正面から向き合う移民の夢といった、増殖し、落胆する他者性は、パンクの身体という否定の場に分解された[205]」。

ザ・ブラット

メキシコ系アメリカ人の労働者階級の家庭に生まれたテレサ・コバルビアスは、１９７０年代半ば、姉がヨーロッパを旅行して、ドイツやイギリスからパンクのジンを送ってきたことがきっかけで、パンクに出会い、ＤＩＹ精神に共鳴したことでニューウェーブバンド「ザ・ブラット」を結成した。バンドでは「Misogyny（女性嫌悪）」などの曲でジェンダー規範や家父長制を批判し、女性を擁護した。

また、Ｅｐ「Attitudes」では、支配的なイデオロギーへ挑戦することを歌い、彼女たちもラテン系アメリカ人の社会的、経済的不平等に焦点を当て、シーンに蔓延していたラテン系女性の疎外について叫んでいた。

彼女たちのようなラテン系パンクスは、これまでの人種に対する様々なレッテルをパンクによって剝がしとり、アイデンティティを再構築したことで、パンクシーンに新しい女性の像を提供した。彼女たちが90年代に勃興するライオット・ガールのシーンの中で、系譜として描かれることはなかったが、「その後のラテン系ロッカーのために地面に旗を立て、数年後のロック・エン・エスパニョール運動への道を切り開いた[206]」。

この流れを引き継ぎつつも、新しいシーンを開拓したパンクバンドが、１９９０年代初頭にラテン系という人種に対して意識的に目を向けたロス・クルードス（Los Crudos）である。

ロス・クルードス

ロス・クルードスは、過去のパンクシーンの中にラテン系が常に存在していたにもかかわらず、「ある種の透明性」が偏在していたことへの反発として、「自分たちの歴史を作り、自分たちの存在を人々に知らせる[207]」ために自国の言語で訴えたパンクバンドである。

彼らが活動を開始した90年代初頭は、前述した１９６５年の「移民国籍法」を基本原則としながらも、様々な国からの移民を受け入れる拡張プログラムや、不法移民を合法化するなどして、受け入れを拡大していたと同時に、移民の増加と不況、移民による福祉負担の増大が重なったため、移民排斥運動が起きた時期であった。

彼らは、文化、政治、経済的な面からの抑圧の中で、自分たちの言語や文化を否定するという同化、つまり白人化することを拒絶し、地元シカゴのラテン系コミュニティやラテンアメリカ全体の政治的な懸念について歌い、自らのアイデンティティを取り戻す手段としてパンクを選択した。また彼らは自分たちのバンドだけでなく、Lengua Armada Discogsというレーベルを設立し、同じラテン系バンドを多くプロデュースした。さらにドキュメンタリー映画も撮影し、90年代のラテン系パンクシーンとは、どのようなものであったのかを伝えようとした。

ロス・クルードスはパンクコミュニティのためではなく、ラテン系コミュニティのためのパンクバンドであり、このことは、米国の掲げる「移民で成り立ってきた国」や「人種のるつぼ」という民主主義に内在している包摂と排除が表裏となった矛盾を暴露している。この暴露は「彼らにとってのパンクが、自分たちの民族性から逃れるための手段ではなく、むしろそれを受け入れ、人々の意識を変革するための手段だったのである[208]」。

ロス・クルードスの中心メンバーであったマルティン・ソロンデギーは在籍中に自らがゲイであることを公表し、ロス・クルードス解散後、Maximumrocknrollで働いたり、高校の教員をしながら、クィアコアバンド「Limp Wrist」を結成し、クィアコア・シーンを牽引するバンドとして今でも活躍している。次章では、このクィアとパンクの関係についてみていこう。

図64　『Facades』リンプ・リスト、Lengua Armada Discogs、2017

第18章　パンクとクィア

同性愛と異性愛という二つの言葉がある通り、両者は異なる領域にあると考えられがちだ。人が人を愛するということには変わりがないにもかかわらず、一方は「正常」とされ、他方では「クィア（風変わり）」とされる。このクィアとは、どういったものなのだろうか。

クィア理論研究者の菅野優香は「クィア」を以下のように定義している。

「奇妙な、一風変わった、という意味を持ち、1910年代にはすでに男性同性愛者を指す（多分に侮蔑的なニュアンスを含んだ隠語的）形容詞として使われていた。第二次世界大戦以前にフェアリー（妖精）と共にホモセクシュアルを指す語（または用語）として用いられるようになるが、この言葉がより肯定的な意味で非異性愛者自身によって使われ始めるのは80年代後半になってからのことである。クィアは、文脈や使い手によって意味が異なる場合も多く、定義が困難な概念であるが、そこに共通する何らかの思想や実践があるとすれば、それは異性愛規範に対する批判と抵抗であろう。クィアは今日、ジェンダーとセクシュアリティに関する既存のアイデンティティやカテゴリーに挑戦しつつ、これまでにない（あるいは、名付けられていない）欲望やアイデンティティ、コミュニティの在り方を模索する概念[209]」。

クィアは「風変わり」というレッテルを逆手に取った抵抗の概念でもあり、その意味でもクィアコアを代表するアーティストのG．B．ジョーンズやブルース・ラ・ブルースらが指摘するように、語源的な意味も含めてパンクに重なっているのである。そして、クィアもパンクもその共通項として、先入観や固定観念にとらわれた分類化を疑い、流動的で変幻自在な性質も兼ね備え、男女二元論を超えた感性と魅力を示す言葉でもあるのだ。

本章では、この性的マイノリティ《少数派》の人々の置かれている状況の変化を追いながらクィアと自称する人々が、自らの物語をいかにして創り出し、それが、どのように社会へと影響を与えてきたのかをみていきたい。

クィアコアの歴史的な起点は、性的マイノリティの歴史にとってターニングポイントとなった「ストーンウォール事件」の起きた1969年だとされている。そのため、まず、ストーンウォール事件の紹介を通して、性的マイノリティの置かれていた当時の状況を確認してからクィアコアの紹介を始めたい。

ストーンウォール事件

ストーンウォール事件は、公民権運動やベトナム反戦運動、フェミニズム運動、学生運動といった解放運動に鼓舞された性的マイノリティが、アメリカのニューヨーク市にある「ストーンウォール・イン」という小さなバーで引き起こした叛乱である。

当時のニューヨーク州には、酒類販売法の中に、飲食店は同性愛者に酒を出してはならないとする規定があり、ゲイバーの経営者たちは、警察に賄賂を渡すことで摘発を逃れていた。しかし、警察が増額を要求し、支払いを拒否したり滞るとバーが摘発され、店は営業停止となり、客は暴行されたり逮捕されることもあった。１９６９年6月27日深夜、ストーンウォール・インに警察の手入れがあり、普段からの鬱憤の溜まっていた人々は、職務質問のあとに屈辱的な言葉を発する警察官に対して、店を立ち去らず、罵声や嘲笑を浴びせかけ、敷石やビール瓶、硬貨や生ゴミを投げつけたのである。

暴動は翌日の晩まで続き、２０００人以上のゲイやレズビアンたちが、武装した警官隊４００人と闘った。この叛乱は同性愛解放運動という新しい社会運動を生み出し、「事件」以後、ゲイ解放グループがアメリカ、カナダ、オーストラリア、西ヨーロッパの主要な都市や大学に誕生した。

この背景には、これまでの警察の仕打ちだけでなく、ソドミー法という、特定の性行為を「自然に反する性行動」と婉曲化して犯罪とみなす法律や、同性愛を病理化し、ホルモン療法や、電気ショック療法、前頭葉の切除を行うロボトミー手術を施してきた差別と迫害の歴史的な経緯があった。急速に広まった解放運動によって、同性愛の脱犯罪化と脱病理化が勝ち取られたが、１９７０年代後半には、揺り戻しが起き、70年代にアメリカの各地で制定されていた、性的指向にもとづく差別を禁止する法令の撤回を求める運動が全土に広がった。１９８０年代以降には、ＨＩＶ感染の広がりと、それを契機とした同性愛者への攻撃、レーガン大統領の保守主義による性的マイノリティ排除が重なった。[210]

クィアコアは、このような仕打ちに対する反動と怒りによって現れたのである。それでは、クィアコアの歴史をみていこう。

クィアコアのはじまり

クィアコアは、カナダのトロントで活動していたG．B．ジョーンズ[211]とブルース・ラ・ブルース[212]によってイデオロギー的かつ扇動的なジン『J.D.s』を1985年に創刊したことから始まった、性的マイノリティへの差別、偏見、抑圧への反撃と権利の奪還を叫んだパンクシーンである。

このシーンは、ゲイ・コミュニティからではなく、アナキスト・コミュニティから始まり、パンクやポストパンク、実験的な映画制作者やアーティストなどと、アナキストのジンを介した交流から始まった[213]。そして、当時のハードコア・パンクにも蔓延していた、マチズモ、同性愛嫌悪、さらに、性的マイノリティの中にもあった同化主義や排他的な傾向に対し、映画監督、ジン・ライター、ミュージシャン、パフォーマーたちがクィアコアの美学を用いて反旗を翻した。その活動は音楽を核としつつも、DIYによる、ジン、映画、脚本、パフォーマンス、ビジュアル・アートといった領域横断型の多彩な表現によって新しいオルタナティブなクィア・コミュニティを作り出し、国際的なシーンへと発展させた。

G．B．ジョーンズはキャロライン・アザール[214]と共にクィア・フェミニストのパンクバンド「Fifth Column」を組み、オンタリオ芸術大学で美術を専攻していた。一方、ブルース・ラ・ブルースは、ヨーク大学で映画学を専攻し、ゲイ映画界のパイオニアであり、マルクス主義フェミニストのロビン・ウッドの指導を受けていた。

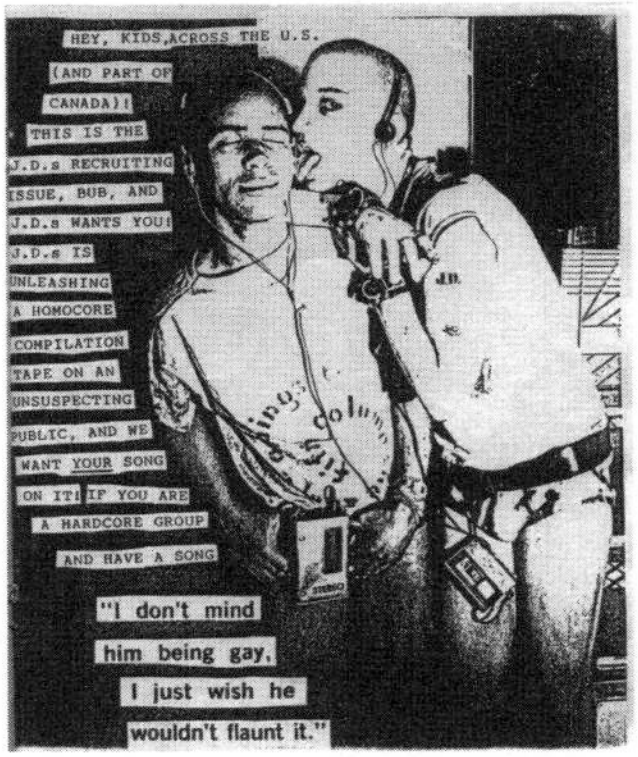

図65　『J.D.s』G.B.ジョーンズ、ブルース・ラ・ブルース、1985-1991

二人は、夜通し開いていた、パンクスやジャンキー、セックスワーカー、アーティストが集まるレストラン「Just Desserts」で出会い、主流文化への嫌悪、社会からの疎外感、パンクへの傾倒という点で共感し、フラットをシェアして行動を共にするようになった。彼女らは、ダダやシチュアシオニスト・インターナショナルの実践と理論を自らの活動に転用していく。

『J.D.s』は、クィアに関する写真、絵、コミックをコラージュの手法を用い、掲載していた。トピックにはクィアパンクスによる個人的なストーリー、パンクの曲からゲイをテーマにしたもののリストアップ、ハリウッドスターへの揶揄、同性愛嫌悪や性差別に関する記事などを織り交ぜた。号を重ねるごとに、マジョリティ文化や政治、そしてゲイやハードコア・パンクシーンに対する批判を展開した。例えば、1989年の『J.D.s 5』では、ゲイやレズビアンが『Maximumrocknroll』誌に宛てた怒りのレターを特集し、同誌の同性愛嫌悪のメッセージを暴露する文章を掲載した。

そして、この怒りは『Maximumrocknroll』誌に直接ぶつけられることになり、6ページに及ぶ論説が掲載された[215]。

「今日、ほとんどのパンク・ショーに行くことは、平均的なホモ・バーに行くこととよく似ている……革ジャンとジーンズを着たマッチョな大男たちがダンスフロアやピットを練り歩き、汗まみれの体躯を堂々と見せ合っているのを目にする。唯一の違いは、ホモバーでは女性は完全に追放されているのに対し、パンクのライブでは周辺に追いやられる。そして、参加するふり（ガールフレンド、追っかけ、パシリ、ショーの後の性的な対象）は認められている。この二重で、高度に男性化された世界では、ステージ上の少年たちはイベントの「意味」（音楽のスタイル、政治的なメッセージなど）をコントロールし、ピットにいる少年たちもまた、観客と演奏者の間のやり取りの範囲を決定する」と分析、批判した。さらに、この当時のゲイの世界に関しても「ホモセクシャルな文化をレズビアンのそれより優遇するという、ベールに包まれた女性嫌悪があり、女性性の表出を恐れるあまり、「ストレートに振る舞う」ゲイ男性という陰惨な現象を引き起こしている」[216]と悪循環を指摘した[217]。

彼女らは、クィアコアを広めるため「ウォーホルのようにポップカルチャーやハリウッドのパロディでありながら、本物のスーパースターになるといったスペクタクルな発想」で活動を展開し、「トロントではレズビアンやホモセクシュアル、トランスジェンダーの人たちが本格的なクィア・パンク・ムーブメントを起こしていると錯覚[218]」させた。2人はこの方法をシチュアシオニストからの影響によるものだとし、デニス・クーパー[219]、マーク・フレイタス[220]、トニー・アリーナ[221]は彼女らの策略に引っかかり、実際には数人しか活動していなかったにもかかわらずカナダには巨大なクィアコア・シーンがあると思っていたと振り返っている[222]。

このジンを通した「ペルソナの創造であると同時に、フィクションであり、パフォーマンスでもあった[223]」予示的な活動や、既存のパンクに対する異議申し立ては、当時から支配的であった男性優位なパンクシーンに対して、新たにクィアの地平を切り開いた。

『J.D.s』の中で、性的マイノリティのムーブメントの名称として使われた「Homocore」は、クィアコア・バンド、Comrades in Arms で活動していたサンフランシスコ在住のディーク・ニヒルソン[224]とトム・ジェニングス[225]によって、彼らのジンのタイトルへと引用された。

『Homocore』はブルース、ジョーンズ、スティーブ・アボット[226]、ダニエル・ニコレッタ[227]らのアーティストやライター、Chainsaw Records のレーベル・オーナーでパンクスのドナ・ドレシュ、Lookout! Records[228]の創設者、ラリー・リヴァモアといったカナダ、アメリカ全域のシーンを取り上げ、離れた場所や国境を越えたバンドやジン・ライターを結びつける重要な役割を果たした。

１９８８年にはニューヨークのロウアー・イースト・サイドのゲイクラブ「The World」を中心にクィアコア・シーンが出現し、その2年後には『Homocore NY』の編集者であるシャロン・トッパーとクレイグ・フラナガンによって、バンド「God Is My Co-Pilot」が結成された。彼女らは、アンダーグラウンド・シーンで著名なバンドなど、ニューヨークを拠点とするさまざまなミュージシャン[229]によってサポートされ、その政治的な志向性に関係なく世界的な影響力をもつクィアコアバンドへと成長していく。

ロサンゼルスでは、自身のウェブサイトで「ホモコア・パンク・ムーブメントのオリジネーターであり、ジェンダー・クィアのアート・ミュージック・アイコン」と自称するテロリスト・ドラッグ・クィーン、ヴァギナル・デイヴィスが『Fertile La Toyah Jackson Magazine』や『Yes, Ms. Davis』を発行したり、バンド「アフロ・シスターズ」で活躍していた。２０１２年には、ニューヨークのParticipant Inc.で「HAG - small, contemporary, haggard」と題した初の大規模な個展を開催し、２０１８年には、LGBTQIA+をテーマとするアーティストに対して、支援とメンターシップを提供する非営利団体「Queer|Art」から「Sustained Achievement Award」を受賞した[230]。

また同時期には、ゲイのブライアン・グリロエをボーカルに迎えたExtra Fancyが結成され、クィアコアとはされないものの、「ホモフォビアに対する抵抗のための脅威的で暴力的な可能性の音楽的源泉[231]」と称された。

この当時、ミュージックシーンに大きな変化が訪れたのが、アルバム『ドゥーキー』の爆発的なヒットによってメインストリーム・パンクバンドになったグリーン・デイの出現であった。

グリーン・デイはその気さくな性格から、有名になった後も以前からの友人たちをツアーに誘っており、その中の一つが、『J.D.s』と『Homocore』に影響されたクィアコアの先駆的なバンド「Pansy Division」であった。彼らはバンド活動自体を、元々所属していたACT UP[232]というアクティビズムの延長線上であるとして、[233]歌詞がクィアをテーマにしていることに加え、アルバム『Deflowered』では、全米のゲイ・ユース・グループの連絡先のリストを掲載するなど、ライブやレコードのリリースを通じて、ファンに様々な情報を提供した。

このクィアコア・シーンにおいて、明示的にフェミニズム活動を交差させた先駆者が、Fifth Columnであり、それに続いたのが、ジョーンズの映画『The Yo-Yo Gang』にも参加したサンフランシスコを拠点とする「Tribe 8（トライブ8）」や、オレゴン州ポートランドのバンド「Team Dresch（チーム・ドレッシュ）」であった。

トライブ8

トライブ8は1990年にリン・ブリードラヴ、レスリー・マーによって結成されたトライバディズム[234]という性行為にちなんで名付けられた、レズビアンのみで構成されるパンクバンドである。バンドには、ベースのタントラム、ドラムのスレイド・ベラムが加わり、その後メンバーの入れ替わりがあり現在に至っている。

ブリードラヴは90年代の伝説的なバンド活動から、人気コメディアンや小説家となり、現在はカルト的な存在として世界中のクィアシーンで知られている。

ライブでのスタイルは、主に全員が上半身裸で「アナキズム」のシンボルマークを身体に直接描いていた。ブリードラヴは、裸の上にリベットの打たれたレザーベルト式のディルドを身に付け、ステージに観客を上げてそれを咥えさせるなど、過激なパフォーマンスで知られており、一部のレズビアン分離主義者やフェミニストの怒りを買った。トライブ8は、この極端な男性性を強調したパフォーマンスによって、女性に従属を強いる男性の欲望の発露という、露骨な男らしさをパロディ化し、女性が受動的な対象であるという概念を覆した。つまり、女性は常に男性の支配下に置かれ、寝室やキッチンへと追いやられ、ポルノと同義化されるといった、女性の身体性を拒絶し、身体は自分のものであることを全身で声高にパンクしたのである。

またトライブ8は、家父長制の否定にとどまらず、メンバーが体現していたように、白人性、セクシュアリティ、ジェンダー、階級格差についても曲を通して言及している。[235] それは当時のレズビアンの中にも蔓延していた、人種、階級といった境界への認識の欠如、排他性、そして「女／女装」「レズビアン」という用語の硬直化した理解などを批判するものだった。

ティーム・ドレッシュ

クィアコアとライオット・ガールの交差点における重要なバンド「ティーム・ドレッシュ」は、サンフランシスコ、ワシントン州オリンピア、オレゴン州ポートランドで、クィアコアだけでなく、ビキニ・キルやブラット・モビールと共にライオット・ガールの先駆者として活躍したバンドであった。メンバーは元々 Fifth Column や、Screaming Trees、ダイナソー Jr.、Danger Mouse で活動したギターとベースのドナ・ドレッシュを中心とし、1993年にジョディ・バイレ、カイア・ウィルソンと結成されたパンクバンドである。

メンバーのひとり、ドレッシュは1980年代後半にクィア・フェミニスト・パンクジン『Chainsaw』を発行し、1991年には同名のレコード・レーベルを設立した。ドレッシュはライオット・ガール運動にも関わっており、Chainsaw Recordsからは、Heavens to Betsy、Excuse 17、The Needといったライオット・ガールバンドや、Sleater-Kinney、Third Sexなど、クィア・コミュニティに影響を与えたバンドのレコードもリリースした。そして『Chainsaw』では、『Homocore』とコラボレーションを行うなど、両シーンを巻き込んで横断した。

チーム・ドレッシュは、カミングアウト、レズビアンの関係、同性愛嫌悪といったトピックを主に扱っていたが、このような歌詞は、「クィア・フェミニストのパンクスたちが、フェミニストの理論や歴史だけでなく、パンクロックの歴史や、カルチュラル・スタディーズといった学術的な理論にも精通していたことを示している[236]」。つまり、一般的に敬遠されがちな学術的な側面からもパンクシーンにアプローチしていたのである。

クィアコアは、ライオット・ガールと「同じ空間から生まれただけでなく、実は、ほとんど同じ運動だった[237]」。例えば、ビキニ・キルのキャスリーン・ハンナは、『J.D.s』や『Homocore』、特にG.B.ジョーンズのジン『Double Bill』にインスパイアされ人生が変わったと振り返っている[238]。また、ジョーンズも「クィアコアとライオット・ガールは、90年代前半のある時期、ほぼ同義語」であったと言及している[239]。

このように、ほとんどのライオット・ガールとクィアコアのバンドはステージを共有していたが、ライオット・ガールシーンをマスコミが取り上げた際に、クィアコアとの接点を無視したことで、一般的に分けられて考えられるようになったのである。

マット・ウォーベンスミス

この二つのシーンを相乗的に拡張させる原動力となったのが、クィアコア・シーンの重要な人物の1人、マット・ウォーベンスミスであった。ウォーベンスミスは、1991年にサンフランシスコに移住し、ジェニングスのジン『Homocore』に参加し、さらに、自身のジン『Outpunk』を通じて、クィアのミュージックシーン全般を網羅しつつ、現在もシーンと人々を繋ぎ続けている。ウォーベンスミスは、流動的で着実に成長しているこのクィアシーンについての参与を「クィアコア・シーン全体が政治的にどうであったかを定義しようとする試みとなった」と回想している。そして、その活動を「特にその政治的な情報を提供することを目的」としていた。[240]

ウォーベンスミスは『ザ・ライオット・ガール・コレクション』にジンの資料を提供するだけでなく、サンフランシスコでヴィンテージやバックナンバーのジンをアーカイブするGoteblüdを運営している。また、『Maximumrocknroll』のコラムでは、パンク・コミュニティにおける同性愛嫌悪や性差別を取り上げ、より多くの読者にクィアコアの魅力を紹介した。さらに自身のレコードレーベルでもある「Outpunk」ではクィアコア・バンドやライオット・ガールによるコンピレーションやアルバムをリリースし、様々な支援ネットワークを提供した。[241] 1998年には、「a.c.r.o.n.y.m.」という別のクィア・レーベルを立ち上げ、ダンス、ロック、エレクトロニック、ヒップホップなど、さまざまなクィア・ミュージシャンをリリースした。現在も自主出版物をリリースし続けており、コミックジン『Wuvable Oaf』とのコラボレーションで、Limp WristやNeedlesといったクィアコア・バンドのメンバーをフィーチャーしている。

Spew

このクィアコア・ムーブメントにおいて、アメリカ、カナダ全土のクィアのパンクシーンを結びつけるのに重要な役割を果たしたのが、「退屈なパネルも、無意味なワークショップもなし、騒がしいレズとホモの大集合」と銘打たれ、1991年5月25日にシカゴのランドルフ・ストリート・ギャラリーで開催されたクィアコアのフェスティバル「Spew」であった。このフェスティバルは、クィアコア・カルチャーを支える多様な面々が初めて集まったとされ、現在、世界中で開催されているクィアコアのフェスティバルの原型となったものだ。

第1回のSpewはシカゴのACT UPとQueer Nation[242]が参加するなど、バンドのライブだけにとどまらず上映会、パフォーマンスなども展開されていた。『J.D.s』から『Bimbox』、『Fertile La Toyah Jackson Magazine』まで、主要なクィア・パンクのジン・ライターのほとんどが参加し、不参加だったメンバーのジンも展示された。また、ジョーン・ジェット&ザ・ブラックハーツ、ヴァギナル・デイヴィス、Fifth Columnなどのライブも行われ、大会は成功したが、

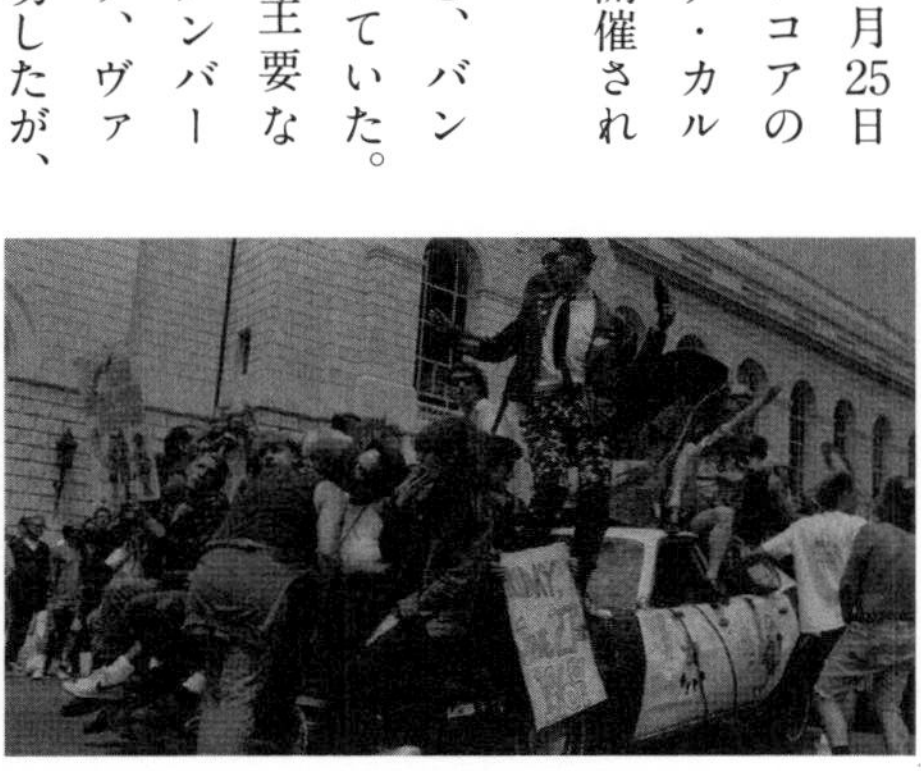

図66　『Queercore: How to Punk a Revolution』
ヨニー・レイザー、Altered Innocence、2017

主催者のひとりであるスティーブ・ラフレニエールが、通りすがりのホモフォビアに背中を刺されるという不幸な事件も起きた。

Spewは、すぐに米国とカナダで開催されるようになり、1992年春にロサンゼルスでデニス・クーパーらが主催し、第2回が開催され、第1回を上回る人数を集めた。1993年5月にトロントで開催された第3回には、2日間で約300人が集まったとされている。この影響によって1994年には、ワシントン州オリンピアのキャピトル・シアターで第1回Yoyo A Go Goコンベンションが開催され、最後の2001年には6日間で、50以上のバンドが出演した。1998年には、イギリスのロンドンで「Queeruption」が始まり、2010年までベルリン、アムステルダム、シドニー、バルセロナ、テルアビブ、バンクーバーなどでも開催された。現在では、シカゴで開催されているクィア&トランスジェンダーのハードコア・パンク・フェスティバルである「Fed Up Fest」や、テキサス州オースティンで開催されている「OUTsider」など、クィアコアに沿ったフェスティバルが開催されている。また、近年のクィアコア・シーンにはトランスフェミニストのバンド「G.L.O.S.S.」が、エピタフ・レコーズから5万ドルでの契約を持ちかけられたものの、エピタフが巨大企業であるワーナー・ブラザーズと配給契約をしていることを知り断った。そしてバンドはそのまま解散し、今後の売り上げはすべてホームレスシェルターに寄付するとした。また「障碍」といった概念すらも交差させた、ノミー・ラムやSins Invalidのようなバンドやコレクティブも現れ、さらなる拡張を見せている。さらに、このクィアコア史を多くのインタビューによって俯瞰したヨニー・レイザー監督による映画『Queercore: How To Punk A Revolution』によってシーンの流れを掴むことも可能である。

クィアパンクス

クィアパンクスはパンクの根底やその動機としての否定と反社会性といった政治的なレトリックを、自らの生きている経験＝クィア＝パンクという根源へと帰着させた。クィアパンクスは、意識的に自らを表現することによってでしか存在できないクィアを、パンクを通してカミングアウトすることで、見えない存在を浮かび上がらせてきた。その実践としてライブやフェスティバル、パレードがあり、そこでは政治的な主張、存在自体の祝福、そして何よりも、自己と他者を肯定し合う空間を作り出してきたのである。このような活動は、その時代の権力が強いた、クィアは被害者であるというレッテルや彼、彼女たちの存在を透明化するための同化政策、資本主義の戦略によってスペクタクル化し、商品化された「ダイバーシティ」や「SDGs」といったマイノリティ政策を跳ね返し、さらには、パンクやパンクスという言葉の裏に隠れた男性志向や、異性愛主義といったイデオロギーを暴露してきた。

社会学者の風間孝と河口和也が指摘したように、人の数だけ多様で常に変化することもあり得る性のあり方を「異性愛」「両性愛」「同性愛」といったラベルで語り尽くすことはできないかもしれない。しかし、クィアパンクスは、人が人を愛する上で、それぞれのアイデンティティに結び付いた性的志向が尊重され、多様な「性の差異を承認し合える社会」を創造することが可能であることを裏付けてきたといえよう。

1 １９５０年代後半にロンドンを拠点とするスタイリッシュな若者の小さなグループから発生し、伝統的なジャズ・プレイヤーやファンを示す「トラッド」という言葉とは対照的なモダン・ジャズを好んだことから「モダニスト」の略称である「モッズ」を充てられたサブ・カルチャーの一つ。モッズのスタイルの要素は、ファッション、音楽、スクーターの3つである。ジョン・サベージ『イギリス「族」物語』岡崎真理訳、毎日新聞社、１９９９、参照。

2 １９６2年のジャマイカ独立後のストリート・ギャングの若者たちをミュージシャンが主題として取り上げたことで、イギリスのジャマイカ移民の間に広がったスタイルを指す。

3 Cohen, Stanley., *Folk Devils and Moral Panics*, Routledge,1972, p.213.

4 クロンビーは元々社名であり、１８０５年にジョン・クロンビーとその息子ジェームスによってスコットランドのアバディーンで設立されたファション企業である。スリークォーター丈のウールのオーバーコート。１９６０年代初頭から、モッズの間でクロンビーが流行し、70年代初頭には、スキンヘッドやスウェードヘッドの間でクロンビースタイルのコートが人気を博した。Holmes, Jason., *Crombie: Coats Maketh the Man*, The Huffington Post UK. Retrieved16 May 2016. https://www.huffingtonpost.co.uk/jason-holmes/crombie-coats-maketh-the-_b_1842352.html

5 １８８８年、イギリスのジョージ・キーによってマンチェスター・シップ運河の建設に従事する人々のために開発された大きめの襟とショルダーパッチの付いた厚手のウールのハーフコートを指す。名称の由来は、ドンキー（動物のロバ）エンジン＝蒸気エンジンから。英国の肉体労働者、労働組合員、政治的左派の人々の典型的なスタイルと見なされている。また、テディ・ボーイズ、ロカビリー、スキンヘッズにも好まれた。Cannock Chase Heritage Trail. Archived from the original on 15 August 2012. Retrieved 19 September 2015.

6 Cohen, Phil. and Stewart Hall(ed.), Subcultural Conflict and Working-class Community. *Culture, Media, Language.Working Papers in Cultural Studies 1972-79*, Routledge, 1980, p.72.

7 ディック・ヘブディジ『サブカルチャー：スタイルの意味するもの』山口淑子訳、未来社、１９８６、pp.63-64。

8 ２００２年に再発された『Trojan Skinhead Reggae Box Set』には上述した曲意外にも多くのスキンヘッドを歌った曲が収録されている。

9 Borgeson, Kevin., and Robin Maria Valeri, *Skinhead History, Identity, and Culture*, Routledge, 2019, p.95.

10 Worley, Matthew., Oi! Oi! Oi!: Class, Locality, and British Punk. *Twentieth Century British History, Vol. 24, No.4*, 2013, p.611.

11 Ibid., p.613

12 Johnson, Garry. Garry Bushell, *The Story of Oi: A View from the Dead-end of the Street*, Babylon Books, 1981, p.9.

13　ポール・ウィリス『ハマータウンの野郎ども――学校への反抗・労働への順応』熊沢誠・山田潤訳、筑摩書房、1996、p.315。
14　同書、p.297。
15　同書、pp.303-304。
16　Worley, Matthew., *op.cit.*, pp.614-615.
17　Ibid., p.615.
18　Ibid., p.617.
19　移民の増加により秩序が乱れるとしたイギリスの将来を、古代ローマの血で染まったといわれるテヴェレ川に例えた。
20　Renton, David., *Never Again: Rock Against Racism and the Anti-Nazi League 1976-1982*, Routledge, 2018, p.51.
21　Ibid., p.53.
22　英国運動（BM）、後に英国国家社会主義運動（BNSM）は、1968年にコリン・ジョーダンによって設立された英国のネオナチ組織である。NFと思想を共有し、70年代には移民への暴力によって知られた。
23　Franks, Benjamin., *Rebel Alliances: The Means and Ends of Contemporary British Anarchisms*, AK Press, 2006, p.36.24　Ibid., p.45.
24　Taylor, Stan., *The National Front in English politics*, MacMillan, 1982, p.5.
25　Ibid., p.45.
26　Ibid., p.20.
27　ポール・ギルロイ『ユニオンジャックに黒はない――人種と国民をめぐる文化政治』田中東子・山本敦久・井上弘貴訳、月曜社、2017、p.280。
28　同書、P.281。
29　約束ごと、決まりごとになっていること。
30　Renton, David., *op.cit.*, p.159.
31　社会主義労働者党（ソーシャリスト・ワーカーズ・パーティー、SWP）の「黒人も白人も、団結して戦おう」というスローガンの直接的な影響を受け結成された。
32　ポール・ギルロイ、前掲、p.282。
33　エルネスト・ラクラウ、シャンタル・ムフ『民主主義の革命――ヘゲモニーとポスト・マルクス主義』西永亮・千葉眞訳、筑摩書房、2012、p.382。

34 Worley, Matthew., *op.cit.*, p.620.

35 Borgeson, Kevin and Robin Maria Valeri, *op.cit.*, pp.95-96.

36 Ibid., pp.10-11.

37 Ibid., pp.12-13.

38 Johnson, Garry. and Garry Bushell, *op.cit.*, p.43.

39 Worley, Matthew., *op.cit.*, p.623.

40 Smiths, Rob., *Southall Skinhead Riots, A witness account, Subcultz*, 28, Oct, 2012. https://subcultz.com/southall-skinhead-riots-a-witness-account/. このときの映像が残っている。https://www.youtube.com/watch?v=k9kOY6GORWs&t=84s

41 Worley, Matthew., *op.cit.*, p.607.

42 Worley, Matthew., and Copsey, Nigel. *White Youth: the Far Right, Punk and British Youth Culture, 1977-87*, 2016, p.40. DOI: 10.18573/j.2016.10041

43 The Business, *Suburban Rebels*, Secret Records, 1983.

44 ２トーン（Two-tone）は、１９７０年代後半から80年代前半にかけてのイギリスのポピュラーミュージックのジャンルで、ジャマイカのスカ、ロックステディ、レゲエとパンクやニューウェーブの要素を融合させた音楽である。The Specials,The Selecter, Madness, The Beat, Bad Mannersなどがいる。

45 Johnson, Garry., Garry Bushell, *op.cit.*, p.6

46 Ibid., p.9.

47 Ibid., p.21.

48 ジョージ・バーガー『CRASS』萩原麻理訳、河出書房新社、２０１２、p.435。

49 Cross, Richard., *"There Is No Authority But Yourself": The Individual and the Collective in British Anarcho-Punk*, 2010, p.2. https://doi.org/10.3998/mp.9460447.0004.2032010,

50 Worley, Matthew. and Kirsty Lohman, *Bloody Revolutions, Fascist Dreams, Anarchy and Peace: Crass, Rondos and the Politics of Punk, 1977–84*, 2018, pp.10-11. Britain and the World 11(1):51-74, DOI:10.3366/brw.2018.0287,

51 ペニー・ランボー（Penny Rimbaud、本名ジェレミー・ジョン・ラター Jeremy John Ratter 1943-）は、クラスのドラマー。アーティスト、詩人、パンクス。思春期にＣＮＤの活動に感化されたという。クラスの指導的な役割を担った。

52 ジー・ヴァウシェ（Gee Vaucher本名非公開 1945-）は、クラスのデザイナー。ＣＮＤといった社会活動や、アーティスト・グループのＳＩ、フルクサス、そしてスウィンギング・シックスティーズの熱量に刺激された学生時代、ペニー・ランボーと出会い、パートナーとなる。その後、ニューヨークにわたり、アーティストとして『ニューヨーク・タイムズ』紙に政治的なイラストやコラージュを提供した。クラスのニューヨークでのギグのブッキングを行った後、イギリスに戻り、バンドに参加する。

53 デヴィッド・キング（David King 1948-2019）は、グラフィックデザイナー、アーティスト。日本の家紋からインスピレーションを受けてデザインしたクラスのロゴやRARのロゴをデザインした。

54 ジョージ・バーガー、前掲、p.44。

55 ジョン・ローダー（John Loder 1946-2005）は、サウンドエンジニア、レコードプロデューサー、サザンスタジオの創設者であり、ＥＸＩＴの元メンバーで妻のスーと共にサザンレコーズの流通会社を共同創設した。クラスとクラス・レコーズのスタジオエンジニアとしても活躍し、しばしばバンドの「第九のメンバー」だといわれている。

56 Worley, Matthew., *No Future: Punk, Politics and British Youth Culture, 1976–1984*, Cambridge University Press, 2017, p.160.

57 ピーター・ライト（Peter Wright）は、クラスのベースギター奏者兼ボーカル。クラスの解散後、パフォーマンス・アート・デュオ、Judas IIを結成した。

58 クラスの映像を担当した。クラスの映画『Christ The Movie』では、ストップ・ザ・シティのデモを撮影し、後に発表した。

59 スティーブ・イグノラント（Steve Ignorant）は、クラスのボーカル。１９８４年のクラスの活動停止後は、コンフリクト、シュワルツェネッガー、ストラトフォード・マーセナリーズ、カレント93などのグループと活動し、時折ソロ活動も行っている。

60 フィル・フリー（Phil Free）は、クラスのギタリストのひとり。

61 ジョイ・ド・ヴィヴル（Joy De Vivre）は、クラスのヴォーカリストのひとり。

62 イヴ・リバティーン（Eve Libertine 1949-）は、クラスのヴォーカリストのひとり。

63 アンドリュー・〝アンディ〟・パーマー（Andrew “Andy” Palmer）は、Ｎ・Ａ・パーマーとしても知られる、ミュージシャン、アーティスト。クラスのギタリスト。

64 Cross, Richard., *The hippies now wear black' Crass and the anarcho-punk movement, 1977-1984*, p.2, https://thehippiesnowwearblack.files.wordpress.com/2014/05/the_hippies_now_wear_black_11_may_2014.pdf

65 ジョージ・バーガー、前掲、p.325。

66 Cross, Richard., *op.cit.*, p.9.
67 Ibid., p.9.
68 Ibid., p.9.
69 ジョージ・バーガー、前掲、p.179。
70 Cross, Richard., *The hippies now wear black, op.cit.*, P.2.
71 ジョージ・バーガー、前掲、p.188。
72 後に「リアリティ・アサイラム」の再録と白黒の折りたたみ式スリーブにヴァウシェの戦争で千切れた腕と、「あなたの国はあなたを必要としている」という戦時下のプロパガンダを組み合わせた作品が用いられ再発された。
73 ジョージ・バーガー、前掲、p.193。
74 同書、p.185.
75 同書、pp.200-201.
76 ムーアズ殺人事件は、１９６３年７月から１９６５年10月にかけて、イギリスのサドルワース・ムーア、現在のグレーター・マンチェスターで起きた連続殺人事件を指す。犯人はイアン・ブレイディとマイラ・ヒンドリーで、遺体をサドルワース・ムーアと呼ばれる荒野に埋めていたことから、「ムーアズ殺人事件」と呼ばれる。
77 ジョージ・バーガー、前掲、p.228。
78 同書、p.369。
79 同書、p.307。
80 同書、pp.350-352。
81 Cross, Rich., Stop the city showed another possibility. *The Aesthetic of Our Anger: Anarcho-Punk, Politics and Music*, Minor Compositions, 2016, p.118.
82 Ibid., p.126.
83 Ibid., p.119.
84 デモ参加者が死者になりきることで行われる抗議の一形式。
85 Cross, Rich., *op.ccit.*, p.133.
86 Ibid., p.133.
87 Rimbaud, Penny., *Shibboleth My Revolting Life*, A K Pr ess, 1998, p.246.

88 Rimbaud, Penny., *Stop the City!*, Punk Lives Magazine No. 10, 1983, pp.19–22.

89 Ibid., p.246.

90 デヴィッド・グレーバー『資本主義後の世界のために（新しいアナーキズムの視座）』高祖岩三郎訳、以文社、２００９、p.20。

91 同書、p.28。

92 Worley, Matthew. and Kirsty Lohman, Bloody Revolutions, Fascist Dreams Anarchy and Peace: Crass, Rondos and the Politics of Punk, 1977–84. *Britain and the World 11(1):51-74*,2018, p.11.DOI:10.3366/brw.2018.0287,

93 Mckay, Geroge., *They've got a bomb': sounding anti-nuclearism in the anarcho-punk movement in Britain, 1978–84*, Rock Music Studies, 2019, p.2. DOI: 10.1080/19401159.2019.1673076,

94 Cross, Richard., *'The hippies now wear black'Crass and the anarcho-punk movement,1977-1984*, 2014, p.13. https://thehippiesnowwearblack.files.wordpress.com/2014/05/the_hippies_now_wear_black_11_may_2014.pdf,

95 スティーヴン・ブラッシュ『アメリカン・ハードコア』横島智子訳、メディア総合研究所、２００８、p.12。

96 同書、p11。

97 同書、pp.19-20。

98 同書、p.20。

99 Rapport, Evan., *Damaged: Musicality and Race in Early American Punk (American Made Music Series)*, University Press of Mississippi, 2020, p.134.

100 Mattson, Kevin., *We're Not Here to Entertain: Punk Rock, Ronald Reagan, and the Real Culture War of 1980s America*, Oxford University Press, 2020, p.45/846 (ebook, Apple books)

101 Ibid., p.46/846.

102 Ibid., p.59/846.

103 Ibid., p.91/846.

104 体育会系の一軍男子。

105 スティーヴン・ブラッシュ、前掲、p.23。

106 同書、p.53。

107 Azerrad, Michael, *Our Band Could Be Your Life*, Little Brown and Company, 2002, p.93/345 (ebook, Apple books)

108 スティーヴン・ブラッシュ、前掲、p.30-31。
109 Stewart, Francis., *Punk Rock is My Religion: Straight Edge Punk and 'Religious' Identity*, Routledge, 2017, p.33.
110 Ibid., p.45.
111 スティーヴン・ブラッシュ、前掲、p.44。
112 Stewart, Francis., *op.cit.*, p.33.
113 Borden, Iain., *Skateboarding and the City: A Complete History*, Ava Pub Sa, 2019, p.1.
114 Ibid., p.49/805., p.24.
115 Ibid., p.9/805., p.1.
116 イアン・ボーデン『スケートボーディング、空間、都市——身体と建築』齋藤雅子・矢部恒彦・中川美穂訳、新曜社、２００６、参照。
117 スティーヴン・ブラッシュ、前掲、p.26。
118 『Thrasher』は、現在まで続く老舗のスケートボード誌。
119 トニー・アルヴァのスカウンドレルズ、スティーブ・オルセンのジョーンズ、スティーブ・キャバレロのファクション、デュアン・ピータースのポリティカル・クラップ、トミー・ゲレロのフリービア、チャック・トゥリーズのマクラッドなど、「スケートコア」バンドには著名なスケーターが含まれている。
120 例えば上述したJ.F.A.（フェニックス）、ギャング・グリーン、ビッグ・ボーイズ、イル・レピュート・アンド・アグレッション、ドランク・インジュンズ・アンド・ロス・オルビダドス（カリフォルニア州サンノゼ）など。
121 デヴィッドグレーバー『資本主義後の世界のために（新しいアナーキズムの視座）』高祖岩三郎訳、以文社、２００９、p.24。
122 Borden, Iain., *op.cit.*, p.32.
123 Ibid., p.35.
124 その前にもバンドを組んでいて、バンド名はトゥインキーズであった。
125 Azerrad, Michael., *op.cit.*, p.210/880.
126 アメリカ合衆国の棒状のスポンジケーキ。
127 Azerrad, Michael., *op.cit.*, p.211/880.
128 Ibid., p.211/880.

129 Ibid., p.216/880.
130 Ibid., p.231/880.
131 Ibid., p.230/880.
132 Ibid., p.231/880.
133 Kuhn, Gabriel., *Sober Living for the Revolution: Hardcore Punk, Straight Edge, and Radical Politics*, PM Press, 2010, p.38.
134 Gordon, Kim., Joseph, W, Branden.(ed.), *Is It My Body?*, Sternberg Press, 2014, p.104.
135 デヴィッド・ハーヴェイ『新自由主義――その歴史的展開と現在』渡辺治・森田成也・木下ちがや・大屋定晴・中村好孝訳、作品社、２００７、p.10。
136 同書、p.12。
137 同書、p.60。
138 同書、p.64。
139 この時期にはBold、Chain of Strength、Gorilla Biscuits、Judge、Wide Awake、Instedそして、１９８７年にはRevelation Recordsが開始された。
140 Haenfler, Ross., *Straight Edge: Clean-Living Youth, Hardcore Punk, And Social Change*, Rutgers University Press, 2006, p.13.
141 例えばChampion、Floorpunch、Ten Yard Fight、Ensign、Good Clean Fun、Count Me Out、Down to Nothingといったバンドたち。
142 Azerrad, Michael., *op.cit.*, 2002, p.253/880.
143 Ensminger, David., *Left of the Dial: Conversations with Punk Icons*, PM Press, 2013, p.260/672 (ebook, Apple books)
144 Dunn, Kevin, C., *Global Punk: Resistance and Rebellion in Everyday Life*, Bloomsbury USA Academic, 2016, p.6.
145 Andersen, Mark. and Mark Jenkins, *Dance of Days: Two Decades of Punk in the Nation's Capital*, Akashic Books, 2009, p.170.
146 スケーター雑誌『Thrasher』は、この新しいパンク・サウンドを「エモ・コア」と名付けていた。マッケイはこれを「今まで聞いたこともないようなバカな話だ」と一笑に付したが、エモ・コアは定着した。そして、このネーミングに後押しされ、D.C.のパンクはドラッグを使わないマッチョな坊主頭という古いイメージに代わって、悩める禁欲主義者／ロマンチストで、ちょっとしたことで泣くという新しいステレオタイプが生まれた。Andersen, Mark.and Mark Jenkins, *op.cit.*, p.202.
147 Azerrad, Michael., *op.cit.*, p.662/880.

148 「レボリューション・サマー」は、ディスコードや、ネイバーフッド・プラニング・カウンシル（ＮＰＣ）に勤めていたバンド、「Fire Party」のボーカルのエイミー・ピッカリングがＮＰＣの上司に対して冗談で使っていた言葉から、思いついたもので、ＮＰＣで時間を持て余していたピッカリングが、D.C.のパンクスを再び鼓舞するために、無記名の匿名の手紙に想いとこのネーミングを記して送り出したことから始まった。

149 Andersen, Mark. and Mark Jenkins, *op.cit*., p.202.

150 Ibid., p.168.

151 Azerrad, Michael., *op.cit*., p.252/345.

152 Kuhn, Gabriel., *op.cit*., p.30.

153 Bell, Robin(Directer), Positive Force: More Than a Witness /25 Years of Punk Politics In Action [DVD], 2012, PM Press. 参照。

154 Ibid.

155 https://www.wearefamilydc.org/ 参照。

156 本書で取り上げるライオット・ガール、ブラットモービル以外にも、Heavens To Betsy、Excuse 17、Huggy Bear、Skinned Teen、Emily's Sassy Lime、Sleater Kinneyらが関わっていた。

157 Leonard, Marion., *Gender in the Music Industry: Rock, Discourse and Girl Powerp*, Routledge, 2017, p.145.

158 Ibid., p.148.

159 キンバリー・クレンショーが、１９８９年に発表した論文「人種と性の交差点を脱周縁化する：反差別の教義、フェミニスト理論、反人種差別主義政治に対するブラック・フェミニスト批評」で提唱した概念。非白人の女性の経験する差別が、人種と性という多様な交差から生じうるものと論じた。『現代思想』２０２２年５月号（特集＝インターセクショナリティ）、青土社、参照。

160 ベル・フックス（bell hooks 1952-2021）は、アフリカ系アメリカ人のフェミニスト、活動家。ニューヨーク市立大学シティカレッジ教授。ライオット・ガールに度々参照され、思想的な基盤となった。本書では、ベル・フックス『フェミニズムはみんなのもの　情熱の政治学』堀田碧訳、エトセトラブックス、２０２０、参照。

161 一家の長である男性が支配権をもつ家族制度の残滓として、この原理にもとづく社会の支配形態を指す。

162 Buchanan, J Rebekah., *Writing a Riot: Riot Grrrl Zines and Feminist Rhetorics* , Peter Lang Inc., International Academic Publishers, 2018, p.28.

163　Marcus, Sara., *Girls to the Front: The True Story of the Riot Grrrl Revolution*, Harper Perennial, 2010, p.114/558 (ebook, Apple books)

164　White, Emily., Revolution Girl Style Now. *Rock She Wrote: Women Write About Rock, Pop and Rap, New York*: Dell Publishers, 1995, pp.396–408.

165　"Riot Grrrl Manifest" *BIKINI KILL ZINE* #2,1991, https://www.historyisaweapon.com/defcon1/riotgrrrlmanifesto.html 他にも政治批判や切手の再利用方法、パトカーをパンクさせる方法なども書かれていた。

166　Leonard, Marion., *Gender in the Music Industry: Rock, Discourse and Girl Power (Ashgate Popular and Folk Music)*, Routledge, 2017, p.140.

167　Schilt, Kristen., "A Little Too Ironic": The Appropriation and Packaging of Riot Grrrl Politics by Mainstream Female Musicians. *Popular Music and Society, Vol.26, No.1, 2003*, p.6. DOI: 10.1080/0300776032000076351

168　香川檀『ダダの性と身体——エルンスト・グロス・ヘーヒ』ブリュッケ、１９９８、p.16。

169　Marcus, Sara., *op.cit.*, pp.55-56/558.

170　Ibid., p.133/558.

171　Leonard, Marion., *Gender in the Music Industry: Rock, Discourse and Girl Power (Ashgate Popular and Folk Music)*, Routledge, 2017, p.118.

172　Ibid., p.119.

173　Ibid., p.120.

174　Ibid., p.121.

175　Schilt, Kristin., "Riot Grrrl Is . . .": The Contestation over Meaning in a Music Scene. *Music Scenes: Local, Translocal, and Virtual*, Vanderbilt Univercity Press, 2004, p.125.

176　ニュースなどの放送用にまとめた短い発言や言葉。

177　Schilt, Kristin., *op.cit.*, p.126

178　bid., p.126.

179　Nguyen, Thi Mimi., "Riot Grrrl, Race, and Revival". *Women & Performance: a journal of feminist theory*, 2012, p.180. http://dx.doi.org/%2010.1080/%200740770X.2012.721082

180　Ibid., p.180.

181 Dunn, Kevin, C, *op.cit.*, p.43.
182 Rapport, Evan., *op.cit.,*, p.224.
183 W Magazine, The Linda Lindas Are Bringing Riot Grrrl Into a New Era, Interviewed by Dan Hyman, May 19, 2022. https://www.wmagazine.com/culture/the-linda-lindas-music-interview
184 Schilt, Kristin., *op.cit.*, p.127.
185 Dunn, Kevin, C., *op.cit.*, p.116.
186 Taylor, Paul, C., *Race: A Philosophical Introduction,* Polity, 2022, p.104.
187 ルース・ベネディクト『レイシズム』阿部大樹訳、講談社、２００２。
188 ベネディクト・アンダーソン『定本 想像の共同体――ナショナリズムの起源と流行』白石隆・白石さや訳、書籍工房早山、２００７、p. 237。
189 同書、p.232。
190 ポール・ギルロイ『ユニオンジャックに黒はない――人種と国民をめぐる文化政治』田中東子・山本敦久・井上弘貴訳、月曜社、２０１７、p.287。
191 Rapport, Evan., *op.cit.*, p.139.
192 Ibid., p.141. ラポートは、自分の同僚の声としている。
193 Jones, Simon., *Black Culture, White Youth: The Reggae Tradition from JA to UK*, Independently published, 2007, p.97.
194 Ibid., p.97.
195 *Search & Destroy* no.7, San Francisco, 1978.
196 スティーヴン・ブラッシュ、前掲、P.219。
197 Tamar Kali-Brownm、Simi Stone、Honeychild Coleman、Maya Sokora等。
198 https://planetafropunk.com/afropunk-hq 参照。
199 The true story of how Afropunk turned a message board into a movement.director James Spooner explains how the biggest community of black punks started as a documentary. https://www.thefader.com/2015/08/21/james-spooner-afropunk 参照。
200 Pallan, Michelle Habell., *Loca Motion: The Travels of Chicana and Latina Popular Culture*, NYU Press, 2006, p.151. パランは哲学者のバーナード・ジェンドロンや、ロック評論家のレスター・バングス、グレッグ・ショーを引照している。

201 Ibid., p.153.

202 ジョーダン（Jordan Mooney 1955 – 2022）は、マルコム・マクラーレンとヴィヴィアン・ウエストウッドのブティック、SEXで働いていた。その後、モデル、女優を務める。パンクのアイコンと言われている。

203 Pallan, Michelle Habell., *op.cit.*, p.157.

204 Ensminger, A David., *Visual Vitriol: The Street Art and Subcultures of the Punk and Hardcore Generation*, University Press of Mississippi, 2011, p.219.

205 Ibid., p.219.

206 Doe, John. and Tom DeSavia, *Under the Big Black Sun: A Personal History of L.A. Punk*, Da Capo Press, 2017, p.146/429（ebook, apple book）

207 Sullivan, Sean., The End of Los Crudos.*Maximumrockrroll no.192*, May 1999.

208 Duncombe, Stephen. and Tremblay, Maxwell.(et al.), *White Riot: Punk Rock and the Politics of Race*, Verso Books, 2011, p.248.

209 アメリカ学会編『アメリカ文化事典』丸善出版、２０１８、p.438。

210 風間孝、河口和也『同性愛と異性愛』岩波書店、２０１０、pp.88-92。

211 トロントを拠点に、ブルース・ラ・ブルースと共にジン『J.D.s』の共同編集者を務めたミュージシャン、映画監督。クィアコアバンド、「Fifth Column」のドラマー。

212 カナダの映画監督、映画プロデューサー、脚本家、写真家、ライター。ジョーンズと共にクィアコアの仕掛け人とされている。

213 Leyser, Yony, *Queercore: How to Punk a Revolution: An Oral History*, .PM Press, 2021, p.25.

214 Fifth Columnのメンバーで、作詞・作曲家も担ったリードシンガー、キーボーディスト。ジョーンズ曰く、アザールの豊富なアイディアによって、ジンに芸術性がもたらされたという。

215 Jones, G.B. and LaBruce, Bruce. Don't Be Gay, Or, How I Learned to Stop Worrying and Fuck Punk up the Ass. *Maximumrocknroll*, 1985.

216 Ibid.

217 この記事によって、クィアコアは米国内外の幅広いパンクシーンへと周知され、浸透したとされている。Wiedlack, Katharina, Maria., *Queer-Feminist Punk: An Anti-Social History*, Zaglossus, 2015, p.35.

218 Leyser, Yony, *op.cit.*, p.23.

219 小説家、詩人であり、『Art in America』などの美術評論家、『Artforum』の編集者、そしてクィアコアアーティストの名前を一般に知らしめた重要人物のひとり。

220 １９９２年にジョアンナ・ブラウンと共同で「Homocore Chicago」を設立。

221 『J.D.s.』に掲載されたゲイ・パンク・ロマンス・コミック『Anonymous Boy』のイラストを手がけたニューヨークのアーティスト、映画監督、ミュージシャン。

222 Leyser, Yony., *op.cit.*, p.23.

223 Ibid., pp.25-26.

224 Ｇ．Ｂ．ジョーンズ、ラリー・リバモア、ドナ・ドレシュらが寄稿したサンフランシスコのジン『Homocore』の共同編集者。現在、オレゴン州ポートランド在住の映像作家。

225 １９８８年から１９９１年までサンフランシスコのジン『Homocore』を共同発行した。また、ショーを企画し、Fugaziのような「ストレート」なバンドもシーンに引き込んだ。現在、カリフォルニア大学アーバイン校で技術者として働いている。

226 スティーブ・アボット（Steve Abbott 1943-1992）は、ネブラスカ生まれの詩人、作家、漫画家、主にLGBTQ+文学の批評家。

227 ダニエル・ニコレッタ（Daniel Nicoletta 1954-）はフォトジャーナリスト、同性愛者の権利活動家。

228 ルックアウト・レコーズ（Lookout Records）は、１９８７年に設立され２０１２年まで活動したカリフォルニア州レイトンビル、後にバークレーに拠点を置いたパンク・ロックに特化したインディーズ・レコード・レーベルであった。このレーベルは、オペレーション・アイヴィーの唯一のアルバムとグリーン・デイの最初の2枚のアルバムをリリースしたことで有名である。

229 フライ、ダリア・クロッツ、ジョン・ゾーン、ジャド・フェア、フレドリック・ハークなど。

230 http://vaginaldavis.com/

231 Wiedlack, Katharina, Maria., *op.cit.*, p.37.

232 Act Up（エイズ・アクティビム）とは、ＨＩＶに感染したエイズ患者や、その恋人、友人、家族などが、差別的な政策をとる政府機関、製薬会社、協会などに対して行なった直接的な抗議運動のこと。新ヶ江章友『クィア・アクティビズム：はじめて学ぶ〈クィア・スタディーズ〉のために』花伝社、２０２２、p.152。

233 Ginoli, Jon., *Deflowered: My Life in Pansy Division*, Cleis Press, 2009, p.18.

234 女性同士の性行為の際の生殖器同士を接触させる行為。
235 例えばトライブ8のアルバム『Snarkism』の歌詞を参照。
236 Wiedlack, Katharina, Maria., *op.cit.*, p.240.
237 Ibid., p.60.
238 Ibid., p.76.
239 Ibid., p.95.
240 Wiedlack, Katharina Maria., *op.cit.*, p.61.
241 Fifth Column、Bikini Kill、Lucy Stoner、7 Year Bitch、Tribe 8、Pansy division、Sister George、God Is My Co-Pilot、Sta-Prest、Mukilteo Fairies等。
242 ACT-UPのスピンオフで、90年代初頭に設立され、クィアの可視性を促進しながら、同性愛嫌悪や暴力と闘うことに焦点を当てた団体。http://queernation.org/

第5部

アジアのパンクシーン

第19章　インドネシアのパンクシーン

これまで欧米を中心としたパンクシーンを紹介してきたが、第5部では、アジアのパンクシーンをいくつか取り上げる。アジアにおいてパンクスがどのように国家を欺き、反規律のネットワークやオルタナティブな場を形成してきたのかを確認しつつ、そのアプローチについて検討したい。はじめに世界最大のイスラム教国で、かつ、世界最大のパンクシーンを誇る、独裁政権からポスト権威主義体制への移行期のインドネシアを紹介する。次に、その活動に影響されたミャンマーパンクスの独裁政権前後の活動を追っていく。そして、最後に、国内の分断された個や社会をＤＩＹの実践によって繋ぎ直し、資本主義から要請される価値観とは異なる側面を照射する日本、豊田市の橋の下世界音楽祭を取り上げたい。まずはインドネシアやミャンマーの民衆が置かれている、独裁政権について簡単に触れてから始めよう。

毎年、政治的な権利や人権状況の国際的な調査を行なっているフリーダム・ハウスによれば、調査を開始した１９７３年には、世界の１４８ヶ国中44ヶ国が「自由」と評価された。現在（２０２３年）では、１９５カ国中84ヶ国が「自由」とされている。この変化は、一見、喜ばしいものに思えるが、視野を広げてみると、いまだ世界の半分以上の人には自由がないということになる。さらに、

「民主化の盛衰」のグラフを確認すると2000年代初頭から現在にかけて、その傾向は鈍化が続き、やや下方向への傾斜がみて取れる。[1]

自由のない国家体制には、そこで暮らす人々にとってどのような問題があるのだろうか。政治学者のジーン・シャープは、独裁政権が長期間にわたり国家を支配すると、社会、経済はもちろん、宗教機関でさえ骨抜きにされてしまうと指摘する。その結果、「国民は弱体化し、自信を失い、抵抗することができなくなる。家族や友人の間ですら、独裁体制に対する嫌悪や自由への渇望を分ち合うのを恐れるようになる。恐れおののくあまり、民衆による抵抗を真剣に考えることすらできなくなる」。そうして、「目的を失った苦しみと希望のない未来に向かうのである」[2]。

このような独裁政権はある程度の自由を享受している私たちにとって、大抵、難攻不落の要塞のように思えてしまう。また、それに対抗する勢力はあまりに小さく、無力に見えがちである。一方、歴史を振り返れば、革命によって独裁政権は倒されてきた。私たちが普段目にするメディアが映す諸外国の紛争や戦争のスペクタクルは、この革命の背後にある民衆の地道な戦いに思いを巡らすことを困難にさせてしまう。しかし、私たちが現在享受している自由と平和は、先人たちが命を賭して勝ち得たものの延長線上にあるものだ。これから紹介するインドネシアのパンクスは、民衆と共に地道な陣地戦を繰り広げたことで、政権崩壊の一端を担ってきた。彼らはパンクを通じてどのように社会を変革したのだろうか。

インドネシアの歴史と文化

インドネシアは、1万7000を超える島々からなる巨大な国であり、中国、インド、米国に次ぐ世界第4位の人口と、世界最大のイスラム教徒を抱えている。歴史的にはオランダの植民地を経て、第二次世界大戦中に日本の統治下となった。しかし日本の敗戦によって1945年に独立を宣言し、1949年まで、独立を許さないオランダと戦争を繰り広げた。インドネシアが独立を勝ち取ると、初代大統領スカルノが1965年まで実権を握ったが、クーデターを契機に、アメリカの支援を得たスハルト将軍の「新秩序」政権が樹立する。スハルトは約30年間に渡って独裁的な政治体制を敷き、国民を抑圧し、冷酷な開発独裁[3]、汚職の蔓延、反対派への残忍な弾圧を行ってきた。その矛先は、作家、ミュージシャン、評論家の逮捕と投獄と文化へも向けられ、例えばプラモエディア・アナンタ・トアーの著名な作品『ブル島4部作』を含む、何百もの学術・文学作品が発禁処分とされた。音楽では、パンクが登場する以前にも、ロックンロールを「退廃的」「反革命的」「ngak ngik ngek」[4]と呼び、危険分子の文化とみなしていた。

しかし、1997年に起きたアメリカ合衆国のヘッジファンドを主とした投資家たちの通貨空売りに端を発した「アジア通貨危機」や、90年代末に学生たちによる、インドネシア・ムスリム学生行動連盟（KAMMI）、後に人民民主党（PRD）の運動や、彼らと共闘したパンクスによってスハルトは失墜し、翌1998年にインドネシアは「ポスト権威主義」と呼ばれる権威主義や寡頭制の特徴をいくつか残した、比較的ネオリベラルな傾向の民主主義体制へと移行した。これに伴い圧政は弱まり、ポピュラーミュージックが民衆へと広がるようになり、パンクも受容されるようになっていった。

インドネシアのパンクシーン

インドネシアのアンダーグラウンド・ミュージックシーンは世界的な流行に影響を受けつつ、パンク、ハードコア、メタル、オルタナティブという4つのジャンルに分類され、さらに、それぞれのサブスタイルへと分岐している。その構成は、「若者文化とサービス産業の労働者、都市部の貧困層、学生活動家、意欲的な知識人の不安定な連合体」[5]である。

パンクはこの中で「最も保守的なカテゴリーであり、一般的に英語で歌うことにこだわり、1970年代のプロトパンクや1990年代、2000年代の新しいポップ・パンクのサウンドを忠実に模倣している」[6]。この背景には英語で歌うことで「政権からの検閲を逃れる」[7]という理由もあった。

1980年代には、アメリカのパンクシーンから発展したハードコアがパンクとは別のジャンルとして受容され、「オールドスクール」と「ニュースクール」に分離した。インドネシアのハードコアはインドネシア語で曲が書かれた最初のアンダーグラウンド・ミュージックの一つであり、さらに政治的でもあった[8]。

このパンクシーンのルーツには1967年に創刊された欧米のロックの専門誌で、唯一の音楽雑誌『アクトゥイル』があり、若者たちは、セックス・ピストルズ、ザ・クラッシュ、ラモーンズなどのバンドやパンク・ファッションの情報をここから得ていた。このシーンは、若者たちにオルタナティブなアイデンティティとライフスタイルを提供し続け、国籍、民族、階級といった支配的な枠組みから逃れ、それに挑戦する道筋を提供していた[9]。

インドネシアのパンク・シーンが多様化し始めたのは、１９９３年の民放テレビの開局と、ＭＴＶの登場を契機としている。ＭＴＶは、それまでインドネシアで流通していたテープやＣＤ、レコードといった限定されたメディアの幅を押し広げる役割を果たした。また、特にバンドンでは、オーストラリアからのラジオの電波によって情報が拡散された。

この新たなパンク・ムーブメントは、新しいファッションの流行ももたらし、特定のバンドに対する支持から、ファッションに含まれるアナキズムなどのシンボルによって、思想と行動へも影響を与えた。

当時、結成されたパンクバンドには、Antiseptic、Dickhead、Young Offender、Berandal、Jeruji、Keparatがあり、インドネシア語の歌詞で現状の政治体制や社会に対する抵抗と抗議が叫ばれた。特にデモ行進の中で演奏するなど学生運動と共闘し、ANTI ABRI（96〜98）、ANTI MILITARY（98〜２００１）そして、自分たちの姉妹であり母である勇敢な女性「Marsinah」のスピリットに捧げつつ、マージナライズされた人々のために生きていきたいという強い決意から改名したマージナル（Marjinal）は、ライブ以外にも農作物の植え付けから収穫、流通まで、地元農家のサポートを行うなど、一貫したＤＩＹを実践している。マージナルの他にも、左派の学生政党「Partai Rakyat Demokratik」のメンバーもいれば、バンドンのアナキスト・パンク・レーベル「Riotic Records」やアート集団「タリン・パディ（Taring Padi）」など、独自の活動家ネットワークを形成するものもいた。このようにパンクスの政治的な活動は学生運動やアーティストとも結びつき、スハルト政権崩壊の一翼を担っていったのである。

１９９８年にスハルト政権が崩壊すると、文化活動への規制は暖和され、１９８０年代後半には一握りだったパンクバンドの数が急増し、現在ではストリートパンクより技術的に洗練されたスラッシュコア、ハードコア、スカ、ポップパンクなど、サブジャンルにまたがる数千のバンドが全国に存在している。その中には地域の政治状況を反映した、Superman Is Deadのようなバリ島の伝統文化を取り入れたものや、アートパンクバンド「Punkasila」のように国家思想や軍隊をパロディ化するバンドもいる。[10]

インドネシアン・パンクの政治性

インドネシアで最初のディストロ[11]「Riotic Records」が1996年に設立されると、オランダのパンクバンド「Antidote」を介してアナキズムの文献や、アメリカのパンクジン『Profane Existence』などが取り寄せられ、アナキズムがシーンにも浸透した。[12]

Riotic Recordsは、パンクスのたまり場や抗議活動の拠点としても機能し、商品はアンダーグラウンドな業者[13]やネットワークを通じて生産、交換された。これらの商品は、露店、ライブ会場、通信販売、手渡し、そして最近では、新しい商業地区、ショッピングモールに設置された店舗を通じて流通している。

Riotic Recordsは、1997年にバンドンで初めての政治的なパンクジン『Submissive Riot』を発刊した。[14] この背景には、レフォルマシ（民主化改革）期[15]の「軍国主義政権の終焉と経済危機は、社会

SUBMISSIVE
NON-PROFIT ANARCHO-NEWSLETTER
#3 / AGUSTUS 1998
DIFFERENT NEWS FOR PUNX BY PUNX
NO. 01 FROM 40 COPIES LIMITED EDITION RIOTIC RECS/DISTRO NEWSLETTER
COMMERCIAL ENTER- 'PRICE' FUCK OFF !
KOMERSIAL ! BENTUK LAIN DARI KAPITALIS, YANG TIDAK MEMIKIRKAN APAPUN SELAIN UANG DAN PROFIT YANG DIDAPAT ! SEMUA TENTU TAHU SIAPA YANG MENYELENGGARAKAN ACARA SUNDAY SKA DI GOR SAPARUA BANDUNG PADA TANGGAL 9 AGUSTUS 1998.
FUCK CAPITALIST ENTER-'PRICE' !
FUCK OFF ! MEREKA TIDAK LAIN ADALAH ENTERPRISE YANG MENYELENGGARAKAN ACARA KOMERSIAL / KAPITALISTIK DENGAN BERKEDOK MUSIK-MUSIK ANTI-KOMERSIAL. KENAPA MEREKA MEMASANG TIKET DENGAN HARGA TINGGI PADAHAL MUSIK YANG DITAMPILKAN ADALAH MUSIK-MUSIK KAUM 'WORKING CLASS' ? KENAPA ALASAN MEREKA MEMASANG HARGA TINGGI ADALAH KARENA 'AGAR GENGSINYA TINGGI' ? SEBEGITU PENTINGKAH HARGA SEBUAH GENGSI ? BILA BENAR DEMIKIAN, KENAPA MEREKA TIDAK MENYELENGGARAKAN SAJA KONSER MUSIK POP ? LALU KENAPA BAND-BAND YANG INGIN TAMPIL HARUS MEMBAYAR SANGAT MAHAL AGAR DAPAT TAMPIL ? LALU BILA PROFIT DARI TIKET DAN PENDAFTARAN SANGAT TINGGI, KENAPA MEREKA MENOLAK MEMBAYAR BAND-BAND YANG INGIN TAMPIL DENGAN BAYARAN YANG PANTAS ? MUNGKIN KARENA MEREKA INGIN MENGERUK KEUNTUNGAN YANG SEBESAR-BESARNYA, TANPA PEDULI HAL LAIN ? KENAPA MEREKA TIDAK MENGHARGAI BAND-BAND YANG TAMPIL TAPI MALAH MERENDAHKAN MEREKA ? KENAPA PADA ARTIKEL DI KORAN 'PIKIRAN RAKYAT' TANGGAL 26 JULI YANG LALU ADA BEBERAPA BAND DARI BANDUNG DISEBUTKAN BERASAL DARI JAKARTA ? MUNGKIN KARENA AGAR GENGSINYA TINGGI ? KENAPA PANITIANYA TIDAK PINDAH SAJA KE JAKARTA ? KALAU TIDAK, KENAPA TIDAK ADA KEMAUAN UNTUK MERALAT BERITA TERSEBUT ?
FUCK CAPITALISTIC ENTERPRISE ! MEREKA DULU DALAM LEAFLET SELALU MEMASANG TULISAN 'UNDERGROUND' TAPI MEREKA TIDAK MELAKUKAN APAPUN YANG MENDUKUNG PERGERAKAN 'UNDERGROUND' ! FUCK ! CAPITALIST BULLSHIT ! FUCK OFF ! REAL PUNX ! BOYCOTT CAPITALISTIC ENTERPRISE ! REAL PUNX TIDAK AKAN MENGELUARKAN UANG SEPESERPUN UNTUK MENDUKUNG ENTERPRISE TERSEBUT ! SHIT !

図67　『Submissive Riot』
Riotic Records, 1997

の変化に対する批判的なアイディアのための新しい空間を開き、パンクスの間でジンはより広く政治的な形を見出すようになった[16]」ことがあった。

さらに、ジャカルタのパンクシーンから生まれたアナーコ・フェミニストのインフォショップ「InstitutA」や、フェミニズムを信奉し、インドネシアの習慣に反した、未婚の男女が集団で同居する「Bandung Pyrate Punx Collective」なども設立された。

インドネシアのパンクシーンは、元来の海賊版の普及といった脱法的かつ、DIYなアンダーグラウンド・ネットワークに対して、欧米からもたらされたアナキズムという思想が交錯したことで、活動全体への自覚が生まれ、また正当化の手段ともなった。このような相乗効果は、パンクという周縁化されたコミュニティに力を与え、抑圧的な政権に対する抵抗の手段を強めているのである。

インドネシアン・パンクスと社会運動

インドネシアのアナーコ・パンクとストリート・パンクの分岐点となったのが、1998年にアナーコ・パンクスによってバンドンで結成された社会運動コレクティブ「フロント・アンチ・ファシスト（Front Anti-Fasist（FAF））」の設立であった。

FAFの政治性は直接行動を重んじたコレクティブであり、ファッションに主眼を置き、路上での威圧的な行動によって一般大衆から軽蔑の目でみられていた一部のストリートパンクとは異なっていた[17]。

かれらの政治的な活動は、1996年にバンドンで150人ほどが参加した政権批判デモが最初で、ダゴからアルンアルンまでを行進しながら、途中、資本主義の象徴とみなされた広告や、政府関係者の車を破壊した。結果、48人が逮捕され、翌日には全国的なニュースとなり、警察は「公共施設を破損し、秩序を乱す無政府主義的な集会を行うアナック・アナック（インドネシア語で子どもたち）・パンクは、その場で射殺する」と発表した[18]。

２００４年、高さ10メートルに達する津波が数回にもわたり押し寄せ23万人もの命を奪ったスマトラ島沖地震がインドネシアを襲った。津波はアラー（神）の罰と考えられ、怒りを鎮めるためにイスラム教の経典、コーランと預言者ムハンマドの言行を法源とする法律が厳格化された。これによってパンクスたちへの排除意識が高まった。しかし、パンクスは津波の被害にいち早く対応し、孤児となった子どもたちの支援のために慈善公演や食事の提供、そして孤児たちを仲間へと引き入れ、楽器の演奏を教え、路上でのパフォーマンスによって生活ができるよう援助していた。

また、アメリカで１９８０年代に反核活動家のキース・マクヘンリーから始まった慈善活動「フード・ノット・ボムズ」[19]を取り入れ、ホームレスや身寄りのない高齢者への支援も行っていた。このような活動にもかかわらず、２０１１年12月インドネシア、アチェ州の州都バンダアチェで、地元の孤児院への寄付を募る慈善公演の最中に公安と警察が踏み込み、65人のパンクスが逮捕・拘束された。彼らは収容所で強制的に頭を剃られ、軍事訓練や宗教指導など、数週間の「リハビリ」を強いられた。国内外からの批判にさらされたバンダアチェの副市長は、パンクは「新しい社会病」であり、アチェの若者を汚染する退廃した外国文化の現れであるとし、この捜査は必要であり、これからも繰り返さ

図68　「フロント・アンチ - ファシスト」デモの様子（写真提供：Frans Prasetyo）

れると主張した。さらに、パンクはアチェとインドネシアのイスラムと文化的伝統に対立するものであり、それゆえ「排除」されなければならないと付け加えた。[20]

事件は世界中のメディアが大々的に報じたことで、パンクスを擁護するコンピレーション・アルバムが作られた。モスクワ、ロンドン、サンフランシスコ、ロサンゼルス、中国、マレーシアでは連帯行動とデモが行われた。トルコ・イスタンブールでは、30人のパンクス及びアナキストがインドネシア総領事館を襲撃し、外壁とドアに「すべての宗教を廃止せよ」「アチェのパンクスに自由を」「ACAB（ポリ公なんざクソ食らえ）」「パンクスはここにいる」といった落書きや横断幕を掲げた。[21]

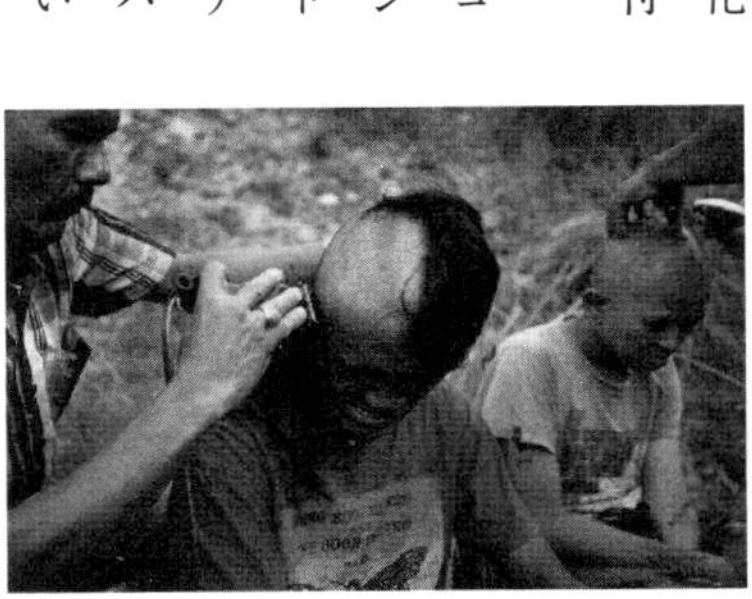

図69
髪を強制的に刈られるインドネシアのパンクス
（写真：Hotli Simanjuntak / EPA Press）

インドネシアン・パンクシーンの空間とその意味

インドネシアでは政府や一部のマスコミが作り出したモラルパニックによってパンクスに対する一般市民からの偏見や嫌悪感は続いており、現在、襲撃も起きている。マージナルは、このような偏見を解くため、テレビや雑誌など、マスコミの取材を受け入れることを決めた。そして、パンクには表現の自由、社会正義、連帯、相互扶助といった人間の権利に関わる原則があり、それが、普遍的かつインドネシア特有のものでもあることを明言した。[22]

パンクはその起源から、つい西洋からの単方向で輸入された文化ととらえられがちであるが、インドネシアに限らずパンクスの活動やアナキズムと通じる相互扶助、共同所有、直接民主制は、元々世界中の人々の営みの中に広く浸透しているものだ。例えばインドネシアのアーティスト・コレクティブ、ルアンルパは、ドクメンタ15[23]でキュレーションをした際、生産された米を共同資源として貯蓄する場を意味する「ルンブン（米倉）」をテーマとし、モダニズムの直線的、特異的、白人的、男性的な原理と、それが帝国主義、植民地主義的な傾向にあることを露わにし、問い直した。つまり、ルアンルパが「「ルンブン」にドクメンタを招待した」と形容したように、パンクも元々そこに住む人々へと西洋的な価値観としての倫理観や創造性を一方的に持ち込んだのではなく、一つの契機として、相互補完的にそれぞれの活動が影響を与えあっているシーンなのである。

そして、インドネシアのパンクシーンは都市の貧困層や労働者階級の若者にとって、困窮や機会の不平等に対する怒りや不満を表現する手段でもあった。彼らは、都市のスラムの子どもたちと交流し、ボランティア活動を展開してきた。さらに、彼らの築き上げたアンダーグラウンドでの生産、販売ルートは、独裁政権との戦いに際してのネットワークの機能や接合部の役割も果たしてきた。この能動的な生産様式は、受動的な消費主義にとって代わり、自律を促しつつ価値観の転換をもたらした。

このインドネシアのパンクスが作り出した場は、アナキストのハキム・ベイが提唱した政治、法的な権限が及ばず、伝統的な役割や階層、通常の社会的な制約が無効化される不可視の「一時的自律ゾーン」を実体化したような空間であった。ベイは、この抵抗のためのゾーンで行われる創造的な行為や、実験的な形態は、現状の社会を変革し、誰もが創造性を発露できる場を構築するための可能性が秘められていると様々な例を出しつつ説明している[24]。また、このパンクスによる活動は、シャープが独裁体制を最も効果的に、しかも最小の代償で倒すために必要な任務として挙げた「抑圧された民衆自身の意思や自信、抵抗技能を強化すること、民衆が関わる独立した社会グループや機関を強化すること」「国内で強力な抵抗勢力を築くこと」「解放のための全体戦略計画を練り、それをうまく実行すること」[25]も例証している。じじつ、パンクスと活動家による陣地戦の増加によって、独裁政権は多くの闘争の前線への直面を余儀なくされ、結果として支配を縮小させ、崩壊へと導かれていったのである。

この民衆が勝ち取った自由は、市民社会の弱さと全体主義国家の強大さという広く自明視されてきた前提を覆しただけでなく、ミャンマーといった隣国の独裁政権に対する闘争にも大きな力をもたらした。

第20章　ミャンマーのパンクシーン

　ミャンマーは、135の民族からなる多民族国家であり、民族的多様性という魅力がある反面、少数民族をめぐる対立が歴史を通じて繰り返されてきた。近代の歴史を振り返ると、イギリスによる植民地から日本の占領を経てイギリスの支配下に戻るも、植民地体制崩壊の流れの中でイギリスから独立を勝ち取った。

　ミャンマーの国名は、1948年から1989年までビルマ連邦であり、それ以降はミャンマー連邦と名称を変更している。1962年、ネ・ウィン率いる国軍によるクーデターが実行されて以来、ミャンマーでは軍事独裁政権が国民民主連盟（NLD）時代を除き現在まで継続している。ネ・ウィンは、ビルマ社会主義計画党（BSPP）を唯一の合法政党として認め、「ビルマ式社会主義」というイデオロギーを打ち出した。この政策によって自給自足の社会主義経済が優先され、他国との貿易と外国製品の入手は厳しく制限された。そのため、西洋文化、特に、アメリカのロックやポップミュージックのほとんどが「退廃的」なものとして否定され、ラジオでのポップスの放送は禁止された。しかし、ビルマの若者は、密かに入手したビートルズやローリング・ストーンズのレコードによってエレキギターを自作し、髪を伸ばし始めた。1973年、BSPPが政府の国民投票を推進するためにポピュラーミュージックを採用すると、音楽活動は公然と行われるようになった。[26]

ミャンマーを支配してきた軍事政権は、自分たちの意に反する市民への殺害を厭わないことで強権を敷いてきた。そのため、生活空間には密告や工作員が入り込み、国民同士がお互いに監視し合うパラノイア社会が生み出された。

影響は芸術活動全般にも現れており、芸術家を自由と民主主義から切り離し、非政治化し、アートは世論操作のためのプロパガンダとして利用されてきた。しかし、ときに、自由を希求するアーティストは反撃を試み、攻防が引き起こされ、現在の地下運動の下地が形成され、改革を促す一端も担ってきた。[27]

1988年の8888民主化運動は、軍事独裁政権の打倒を求めた全ビルマ学生連盟を中心としたもので、ミャンマー全土へと広まり、かつてないほどの規模の政治運動へと発展した。しかし、軍事クーデターと武力によって鎮圧され、多くの死者を出す結果となった。

2011年、軍部によって民政移管[28]が行われると、テイン・セイン大統領率いる政権が発足し、軍政は「民主主義への7つの道程」を発表した。同年、アウンサンスーチーらによる国民民主連盟（NLD）が結成され、国会予備選挙でNLDが多数の議席を獲得すると、さまざまな改革が促進された。例えば、結社、表現の自由、民営新聞、5人以上の集会の禁止は解かれ、報道検閲の廃止、デモや抗議活動、労働組合の許可、違法な土地収用への反対運動が容認された。また、政治犯にも恩赦が与えられ、2000人以上の名前がブラックリストから削除された。[29]

2015年の選挙でNLDが圧勝しティンチョー大統領が就任すると、事実上のアウンサンスーチー政権が誕生し、民主化への移行は現実味を帯び始めた。この政権交代の背景には、これまでの民衆による芸術運動の蓄積や、イギリスの植民地時代から若者が国の政治変革に関与してきた長い歴史があり、2017年2月初頭には、数千人がデモを展開していた。しかし、「準民主主義」と呼称されたように、軍による規制は幾分和らいだものの、検閲は継続されていた。

　この民主主義政権は2021年に起きたミン・アウン・フライン国軍総司令官によるクーデターによって転覆され、ミャンマーは再び軍事独裁政権時代へと逆戻りした。クーデター以降、民衆への国家からの圧力は高まり、国内避難民は約77万人、国外難民は約4万人、弾圧による死者は約2900人（2023年）にのぼっている。

　この揺れ動く政情の中で、ミャンマーパンクスはどのような活動を繰り広げてきたのだろうか。

ミャンマー・パンク

　ミャンマーのポピュラーミュージックは、ヤンゴンを発祥の地として、タイやインドからの影響を受けつつも、そのルーツは欧米の音楽シーンの流入にあるとされている。[30]その歴史は検閲と並行しており、ラジオ局での放送が禁止されていたことで、多くのアーティストが個人スタジオでアルバムを制作しリリースすることで回避してきた。
　1976年、ヤンゴンの中心地に輸入レコードを専門に扱う最初の店「Yin Mar Music Store」がオープンし、若者のメッカとなった。しかし、前述の通り軍事政権の影響により、レコードの購入はできたものの、西洋の影響を受けたミュージシャンは「伝統の破壊者」と呼ばれ排除されたため、パンクスはアンダーグラウンドでの活動を余儀なくされた。[31]
　ミャンマーにおけるパンクシーンの始まりは、1997年に国外から帰国した船員が持ち帰った、ブラック・フラッグ、デッド・ケネディーズ、クラスといったハードコア・パンクバンドがヤンゴンの若者に広がったことを契機としている。[32] 国内のシーンの先駆的なバンドとして知られるクラスト・パンクバンド「Kultureshock」のメンバー、スカム[33]は、軍事政権の残虐性を糾弾したため、刑務所で3年間、さらに強制労働キャンプで3年間を過ごした。しかし出所後もパンクスとして精力的にライブをこなし、後継に多大な影響を与えた。

アートの激しい側面を拒絶することで起きる「副作用《サイドエフェクト》」を意味する、ダーコ・Cをリーダーとするポスト・パンクバンド、サイド・エフェクト（Side Effect）は、音楽と映画を通じて発展途上国の疎外された若者を支援する世界的な非営利団体ターニング・テーブルズの活動も行っている。そこでは若者を集めてバンドを組ませ、楽器や音響機材の使い方を教え、最後にライブを行うワークショップを展開している。[34] この音楽を通じた活動は、多くの異なる民族で構成されるミャンマーにおいて、民族間の偏見や先入観を取り除き、融和と連帯をもたらしてきた。

2007年9月、仏教僧を中心とする数万人が軍事政権に対して行ったデモ「サフラン革命」からインスピレーションを得て結成された、「ザ・レベル・ライオット（The Rebel Riot）」は、パンクを政治であると宣言し、「政治は政党政治以上のものであり、正義、自由、平和と国民の解放が真実」[35]と語る通り、フード・ノット・ボムズや、孤児や教育を受けることができない子どもたちに読書の機会

図71
レベル・ライオットによる慈善活動

図70
ターニング・テーブルズのロゴ

を提供するブックス・ノット・ボムズといった活動を継続的に行っている。彼らはまた「常に少数派の側に立つ」といい、アウンサンスーチーがロヒンギャ迫害に対して策を講じなかったことで高まった人種差別、ヘイトクライム、ナショナリズムに対して異議申し立てを行い、人々にアイデンティティ・ポリティクスへの再考を迫った。さらに、仏教僧によるイスラム教徒への迫害を煽動した969運動といった民族主義的で排他的な運動に対しても「仏教には人種差別や性差別はないが、仏教の団体がそれらを作り出している[36]」ことを非難した。

ザ・レベル・ライオットの活動は、ヘンリー・ロリンズが「音楽という手段を使いメッセージを伝えることは、パンクロックの最も純粋な形であり、最適な応用だ[37]」と評した通り、政治活動と並行してきた。じじつ、ベースのオアカーアウンウォーは「意図的であろうとなかろうと、われわれは支配的なアイデンティティの言説を修正しようとしてきただけでなく、宗教的な正統性や、ビルマの排外主義的なイデオロギー、政府による教育、伝統的な慣習、マスメディア、政府のプロパガンダに反対してきた[38]」と述べている。彼らは、宗教指導者、権力者に対し、それがどれだけ民衆の支持を得ていようとも、倫理に反することであれば、憚ることなく異を唱えてきた。これが、レベルライオットの根幹で脈打つパンクの美学である。

ザ・レベル・ライオットは、２０２１年の軍部によるクーデター以降、さらに強まった弾圧の中、現在でも地下活動を通して抵抗運動を行ない、多くの若者を煽動し続けている。

インドネシアやミャンマーのパンクスが担った政治的な役割を振り返ると、アナキストのジョージ・ウッドコックが指摘したように、民衆が受動的な態度に陥ることを防止するために、「虻のように飛び回って世論に対する警鐘の役[39]」を担ったことにある。また、独裁政権によって、失われてしまった、「合意」や「政治的な意思」にもとづく社会形成の理念に対しても、繰り返される抗議活動で民衆に対して、国家を欺き、民主化する手立てを示す役割も負っている。

第21章　日本のパンクシーン

これまでみてきた二つの国は、独裁政権下という特殊な環境におけるパンクシーンであった。両国に比べれば日本は比較にならないほど自由な国である。しかし、欧米のパンクスが抑圧に対抗してきたように、日本にも同様のパンクシーンは存在してきた。

例えば1969年にデビューした頭脳警察は、文化研究者の上野俊哉が国内のパンクの起点として言及した通り、日本のポリティカル・パンクシーンの幕開けと考えられる。また、1980年代にはテーゼ、リアル、HELLNATIONといったバンドたちが明示的に政治性を打ち出していた。このシーンは、現在でもSocio La DifektaやNÖといったバンドによって受け継がれている。

また政治的な面にかかわらず、国内のパンクシーンに関しては多くの書籍、インタビューをまとめた資料が存在している。特にハードコア・パンクに関しては2021年にフォアード／デス・サイドのボーカリスト、ISHIYAによって出版された『ISHIYA　私観ジャパニーズ・ハードコア30年史』で網羅されており、当事者によって内側から

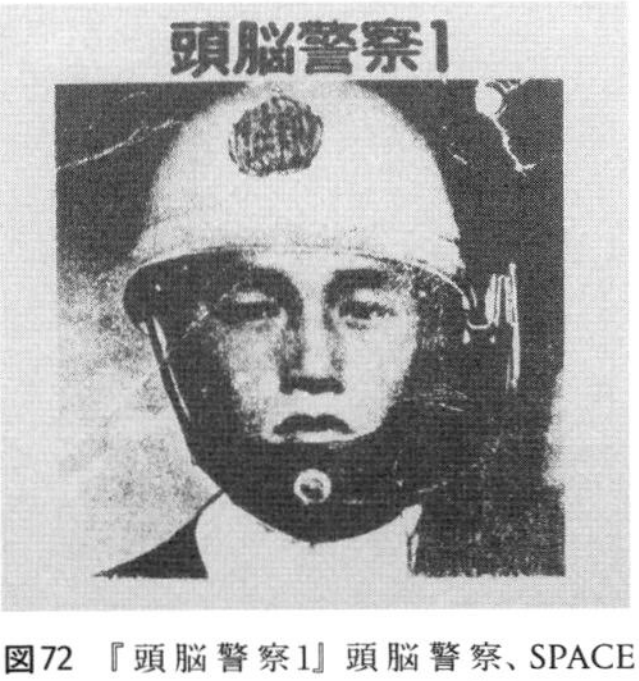

図72『頭脳警察1』頭脳警察、SPACE SHOWER MUSIC、1972年に発売される予定であったが過激な内容で発売禁止となり、2001年に発売された。

とらえたシーンの内情と歴史的な背景を知ることができる。

本章では、このような国内のパンクバンドやパンクスの歴史的な重要性と意義を十分に理解した上で「橋の下世界音楽祭」を取り上げたい。その理由として「橋の下世界音楽祭」は、本書で紹介してきたパンクシーンに通底する倫理と実践活動を通じて、人々や社会の間にある境界を融かし、繋がりを結び直し、日常に変化をもたらし続けているからである。はじめに「橋の下世界音楽祭」の主催者である永山愛樹が言及する「祭り」と「音楽祭」を把握するため、両者の意義と説明を試みたい。その上で「橋の下世界音楽祭」を紹介し、それがどのように一般の音楽祭とは異なり、何を人々にもたらしてきたのかを考えてみよう。

祭りの起源

音楽祭に行ったことのある人はいなくても、祭りに行ったことがないという人は少ないだろう。祭りは世界的に共通する行事であり、日々の生活に密着している。柳田國男は、日本語の「まつり」を「まつろう」の同義語として、尊い人の近くにいて仕え奉ることだとしている。また、折口信夫は、「神意を宣る」から派生した「献る」だと説いている。つまり、祭りとは、そもそも神をまつることなのである。では、この本義としての「神をまつる」とは、どういうことなのだろうか。

宇野正人はこれを「神に降臨してもらい、精一杯の感謝を捧げ、神の御心を伺い、神と人とが交流交歓して調和をはかる特別な儀式」と定義している。それは、森羅万象に霊性と神霊の威力を見とった自然観が底流としてあり、豊作、安全、祈願のための、神との調和を指向した一つの現れであった。

しかし周知の通り、祭りはただ神を畏怖しただけでのものではない。人々は祭りに際して神に歓び、楽しんでもらうことも考え、歌舞音曲、演劇、競技など、趣向を凝らした催しを開いてきた。宇野によれば「そもそも「遊び」とは祭りの饗宴のことであり、平安時代には祭りと同じ意味で使われていた言葉」であった。そして「芸能は祭りから発達したもの」だという。つまりヨハン・ホイジンガが指摘した通り、根源的な人間の遊びは文化に先立つものだったのである。

この遊びと同義であった祭りを広義の概念としてとらえたのが、ロシアの哲学者ミハイル・バフチンである。

バフチンのカーニヴァル

バフチンはカーニヴァル（祭り）を「演技者と観客の区別がない見世物」と定義する。それは、観るものではなく、演じるものでもなく、その中で常軌を逸した生、裏返しの生、あべこべの世界を生きるものだと説明する。[40] そこでは、「体制や秩序を規定している法則やタブーや制約」、「ヒエラルキー（身分、位、年齢、財産）とそれに結びついている恐怖、畏敬、敬虔、礼儀といった形式」、そして社会的、年齢の不平等といった人と人の間にある距離が取り除かれるというのである。その支配から解放された空間では、人々の間にあけすけな接触が起きるため、エキセントリックという人間性の隠れた面が露わになり、自由な身ぶりや露骨な言葉が生み出されることを指摘する。カーニヴァルでは、聖も俗も、高きも低きも、偉きも卑きも、賢きも愚かさもおしなべて、親しませ、一緒にし、結び合わせことで、俗化した「ちぐはぐな組み合わせ」が現れるという。

バフチンはカーニヴァルを「変わるということそのもの、そのプロセス自体を祝祭するものであって、変わるものを祝うのではない」ともしている。そこにあるのは、実体的なものではなく、その機能、「なにものも絶対化せず、その陽気性を謳い上げる」世界が広がっている。

ではパンクのカーニヴァルともいうべきロック・フェスティバルとは、どういったもので、人々に何をもたらしているのだろうか。

ロック・フェスティバル

ロック・フェスティバルの歴史は1950年代にアメリカで開催されたアフリカ系アメリカ人によるジャズ・フェスティバルに遡る。その後、フォーク・リバイバルによって1959年にニューポート・ジャズ・フェスティバルにフォークが加わり、ニューポート・フォーク・フェスティバルが生まれた。[41] 1967年にはカリフォルニア州モントレーで「モントレー・ポップ・ミュージック・フェスティバル」が開催され、日本では、1969年に岐阜県坂下町で全日本フォークジャンボリーが生まれた。同年、アメリカではニューヨーク州北部の酪農場で開催されたウッドストック、70年にイギリスのグラストンベリー・フェスティバルが開催され、全世界にロック・フェスティバルが広がっていった。この流れ、つまり、アフリカ系アメリカ人のジャズに、抵抗運動と結びついたフォークミュージックが加わり始まったことが示すように、ロック・フェスティバルは「ポップアートからミニマリズムに至る期間の芸術、詩、文学、音楽、劇場において明らかになった現代性と近代化の影響についての一般的な問題が関連[42]」していた。それには、ベトナム反戦運動や解放運動による影響もあって、政治的な側面と共に社会的な集合意識を形成する力も持ち合わせていたのである。これは現在まで続いており、これまでみてきたライオット・ガール、クィアコア、アフロパンク、アジアのパンクシーンはフェスティバルによっても、アイデンティティ・ポリティクスを確立させている。

ロック・フェスティバルのもたらす作用

ロック・フェスティバルは、アーティストのライブパフォーマンスを間近で観て音楽を楽しむためのイベントであるが、それに付随した様々な要素も魅力的だ。野外で開催されることで、参加者は思う存分、体を動かしたり、ときに叫んだりといった身体的な解放を味わうことができる。また、対面でのコミュニケーションといった生身の身体による相互作用や、ソーシャルメディアやパソコン、スマートフォンに侵された日常生活から切り離された生活空間が経験される。そしてフェスティバルには、一時的にせよバフチンが指摘したように、既成の秩序である、階層、地位、特権、規範、禁止事項からの解放を祝いつつ、人々を団結させる力がある。その結びつきは、即興性、ゆるさ、自由奔放さと関連しており、人々に原風景を想起させる、穏やかな非合理性を帯びている。また、音楽を通じた共感を得ることで、異なる文化やバックグラウンドをもつ人々が出会い、交流する機会を提供している。実際、現在のロック・フェスティバルは老若男女を問わず、幅広い層の客層で構成されており、「自分の注力した文化が他の世代によって共有されている」ことを確認する場ともなっている[43]。また、「音楽産業は21世紀初頭、エレクトロニック時代からデジタル時代へのパラダイム変化を経験[44]」しており、イベント側と観客の両者が体験を向上させるため、デジタル・マルチチャンネル・テレビ、大型スクリーンでのパブリックビューイング、モバイル式のインターネット・プラットフォームへのビデオストリーミングなど、さまざまな手法が凝らされている。

しかし、ロック・フェスティバルには様々な問題も生じている。例えば、商業的なフェスティバルでは、多くのプロモーターは、ビッグネームのアーティストに依存しており、高騰する出演料、アーティストに対する独占権、急増するイベントに出演でき、さらに、チケットの売り上げに貢献できるアーティストの不足などが挙げられている。[45]また、こういった音楽フェスティバルは、資本の介入によって管理、規制され、ブランド化される傾向にある。他にも、音楽祭によって地域内で社会的な緊張を生み出すこともあり、近隣住民の「生活の質の低下」「騒音と汚染」「地域住民の疎外」「異文化間の摩擦[46]」が起きている。このような問題に対処し、商業的なフェスティバルとは対照的に存在しているのが、橋の下世界音楽祭である。

橋の下世界音楽祭のはじまり

橋の下世界音楽祭はバンド「タートルアイランド[47]」の永山愛樹、竹舞、レコードレーベル「マイクロアクション」の根木龍一、神戸の「パーソナルエナジー」、全国の仲間からなる「火付けぬ組」を中心に、バンドの練習場であった愛知県豊田市にある豊田大橋の下、千石公園で行われている祭典である。2012年から投げ銭で始まり、途中3年間の休息期間を除き、現在まで開催されてきた。その構成は、祭りとロック・フェスティバルの混在を特徴としている。

ルーツを遡ると近年までライブハウスがなかった豊田市で、１９９０年台初頭にバンド「ロタリー・ビギナーズ」のＳＯＧＡによって始められた駅前でのゲリラ・ライブ「炎天下ＧＩＧ」からである。

主催者の1人、永山は、小学生時代にブルーハーツとラフィンノーズに出会ったことで、自分の居場所を見つけ、雑誌『DOLL』や先輩らのレコードなどからコンフューズやＧＡＩ、リップクリーム、ガーゼ、パイルドライバーなど日本のハードコア・バンドにのめり込み、バンド「ＯＲｄＥＲ」を結成する。その後、イギリスのバンド「ディスオーダー」「カオスＵＫ」そして、クラス界隈のサウンドや実践などにも影響されていく。しかし、ＳＯＧＡと共に回ったイギリスツアーの滞在先のスクワットで目にした、多民族とジャンルを超えた人々の共同生活や、オフグリッド、ヴィーガンの生活スタイルに衝撃を受け、国内シーンの閉鎖的な状況や欧米のパンクシーンに追従してきた自分を省みたことで、アイデンティティ・クライシスに陥り、日本に帰国する。その際に生じた気持ちについて「音楽とそれを感受した際の身体的な感覚、例えば踊り方、リズムの取り方をとっても、西洋のものとは違うことに気がついた。そこで、自分たちの中にあるものをみてみたかった」と振り返っている。[48]

１９９９年に琉球太鼓に歌をのせたものを、ドラマーの竹舞に聴かせたことで、タートルアイランドがスタートする。この音楽性に共感した様々なパートを担う18名（現在は10名）が続々と参加し、タートルアイランドは現在に至る大編成バンドへと進展していく。彼らの音楽性は多様な楽器を組み合わせたハードコア・サウンドと東洋の楽曲が混成したワールドビート[49]を主体とし、唯一無二のパン

図73
タートルアイランド

クサウンドを奏でている。バンドについて永山は、原始的な音楽とパンクに共通性を見出したことも振り返っている。

橋の下世界音楽祭は、このタートルアイランドの練習場で、「盆踊りのようなパンクのお祭り」をやりたいと考えていた永山、根木、竹舞によって2011年の東日本大震災を契機として始まった。彼らは援助で東北を訪れた際に、人間の限界と儚さを突きつけられたこと、さまざまな空間で飛び交っていた非難の応酬を目にしたことで「自分たちの暮らしをどうしていくか、みんなで考える場」[50]「垣根がなく、より幅広い層が参加できる場」[51]「堅苦しくなく学べる、子どもも参加できる場」として音楽祭を企画した。つまり、彼らは近代化の負の側面と、その極致ともいうべき原発事故によって加速された、人々の間の分断と疎外に対して連帯を取り戻すための自律的な空間を作り出そうとしたのである。また、永山は、当時、原発について善悪といった判断ばかりが先行していたことを指摘し、我々の生活それ自体を見直すことが先決であったと振り返っている。

橋の下世界音楽祭は、開催までに1年をかけて準備された。永山は会場を使うために国土交通省を訪れたが、前例主義と縦割り行政に直面し、全く相手にしてもらえなかったという。しかし、そこで諦めず、ドキュメンタリーの撮影を装い、まんまと国交省との直接面談を成功させる。その後、粘り強く交渉を重ね、数百ページに及ぶ書類を提出し、開催直前に許可を勝ち取った。なんと、このときに交渉のためにでっち上げたドキュメンタリーは、実際の映像作品となり、テレビで放映されることとなった。この「嘘から出た実」は、クィアコアを創り出したG. B. ジョーンズ、ブルース・ラ・ブルースの既成事実の追認と同じように、自らの望む未来は、現実の隠れた次元をみつけることで、現在においてすでに実現可能であることを示している。

橋の下世界音楽祭の会場は、主にゴミと建築廃材を用いたもので、解体現場や、過去に足場で使われていた丸太によって作られている。彼らは資材を調達するために、現地を訪れ、交渉し、譲ってもらうことで活用してきた。設営は、規定の設計図のない状態から安全への配慮以外は自由に築かれており、2013年からはパーソナル・エナジーの参加により、太陽光発電と持ち寄りの電源によって運営されている。永山は、「参加者がすべてをその場で作っていくものだから、事前に決めてしまったら面白くなくなる」と語り、「いかにどう誤魔化して、(何かあったら自分が)責任を取るか」を念頭に置きつつ進めているという。

橋の下世界音楽祭は、会場の草案からその実現まで、そのほとんどを「ないものはみんなで作り出す」というDIYを徹底させながら創造されてきたのである。

橋の下世界音楽祭のコンセプト

橋の下世界音楽祭は「「祭り」であっても、ここでの神はプリミティブな存在で、各地の原住民などのいう森羅万象、自然崇拝、宇宙、大いなる存在といった類のものであり、善悪を超越した存在で、権力が介入する宗教的な神に対する、まつろわぬ民の祭りである」という。そして「様々な間、人と人、男と女、大人と子ども、階級や立場、ジャンルを越え、あの世とこの世、過去と未来と今、平穏

図74　橋の下世界音楽祭（写真：三浦知也）

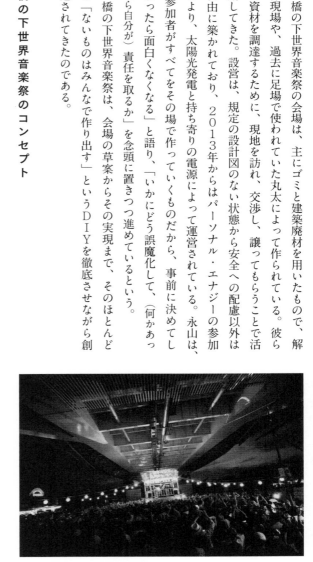

過程そのものを祝っているのである。

と混沌、様々な越境によりバランスを取る」としている[52]。つまり、ここでの祭りは、権力者に利用され、それと同一視された神を祀るのではなく、周縁化された人々を主体化し、権力関係を転倒させる過程そのものを祝っているのである。

そして、２０１７年の開催声明では「生まれもった素質、環境、境遇」という多様な生があるにもかかわらず、現代社会は「合理化と経済至上主義、大量消費型の使い捨て」となっていて、人々は「無理やり箱に収めたり、存在すら否定されたり、こうでなければ生きられない世の中[53]」にあることを指摘した。さらに、この原因を「祟り神」に例え、それは「私であり、あなたなのだ」と説明した。そこで、橋の下世界音楽祭では「敷居を下げ、一般大衆、特に子どもたちに」「自分たちの住む土地の文化、生活の在り方を見つめ直すような大衆芸術音楽祭」を旨としている。この宣言では、私たちが画一的で効率優先の世界にあり、そこに合わせて社会も人も形作られているが、その原因は外ではなく、我々自身にあることを問うているのである。それゆえ、この自治的に運営されている音楽祭は我々の受動的な生へと揺さぶりをかけてくる。じじつ、橋の下世界音楽祭は、来場者も含め、参加するためのルールは最低限のものであり、自律的に考え行動することが奨励されている。

ではこの自治とは、どのような構成のことを指しているのだろうか。次に橋の下世界音楽祭のさまざまな仕掛けと趣向をみていこう。

橋の下世界音楽祭の仕掛け

橋の下世界音楽祭では、ライブ以外にも色々な趣きのワークショップ、演劇、映画祭、出店の枠が設けられている。ワークショップのほとんどは、子どもを主体として考えられている。例えば、「こども銀行」は、ゴミを拾い集めてくることで、橋の下世界音楽祭の中で使うことのできる通貨と交換される。そのため、子どもたちはこぞってゴミ拾いを行い、ときにゴミの争奪戦まで繰り広げる。この銀行はプルードンが設立した庶民銀行が対象とした貧困と格差に加え、環境汚染問題への自発的な関与を促す解決への一筋ととらえられる。

また、人間の都合によって害獣と分類された動物の剝皮、大バラシ、抜骨の解体を実演し、その場で調理する「野生の獣丸ごといただきます体験」では、我々が普段口にするものが、どこからきているのかを考えるだけでなく、人間の都合によって生き物を分類化すること、飽食の時代に対して、食への態度全般へと私たちに再考を促してくるものだ。

演劇では、「身体障碍者の障碍そのものを表現力に転じ、未踏の美を創り出す」を提唱し、1983年に「劇団態変」を旗揚げした金滿里による「金滿里の身体表現入り口へようこそ！」が上演されている。そこでは、身体障碍者、健常者に参加を呼びかけ、社会的弱者を中心に据え、健常者からラベリングされた「障碍」についての再検討を呼びかけている。永山は、「触れてはいけないといったタブー視によって線が引かれてしまう」ことを懸念し、現在の学校教育では、いきすぎた身体や知的な能力の差異での選別が、多様な生や価値観を損なわせ、お互いに歩を合わせる力を奪っていることを指摘している。[54]

橋の下世界音楽祭の出店者の中には、ジャパニーズ・ハードコア・パンクファッションにアジア性を持ち込み独自のスタイルを打ち出しているブラックミーンズ（blackmeans）がいる。ブラックミーンズはタートルアイランドのライブを背景としたランウェイショーを行ったファッションブランドで、デザイナーの小松雄二郎によって「日本の皮革の歴史を作ってきた人たちに尊敬を込めて、その人たちを指す名称を、自分たちが名乗る意味で[55]」、「部落民（blackmeans）」と冠し2008年にデビューした。この想いは、二重の有刺鉄線と鳩を使ったブランド・ロゴにも現れている。

ブラックミーンズは、レザー以外にも、さまざまなファッションアイテムを発表している。例えば、「戦争の傷跡から立ち上がり、中国地方随一の都市へと生まれ変わったことを象徴しつつも、「戦争のない世界、核のない未来[56]」の願いを込めた広島デニム[57]を立ち上げ、売上を被災地の義援金へと充てている。ブラックミーンズは、これまでのパンクスタイルの形式の破壊だけでなく、ヴィーガンレザーなどアナーコ・パンクの思想的な側面も取り入れ、倫理的な実践を行う稀有なファッションブランドとして独自のスタイルを構築している。

職人出店枠では、伝統工芸、民芸など手仕事の職人の仕事紹介と後継者探しを目的としたものがある。また、昼は寄席、夜はキャバレーとしての二つの顔をもつ「幻燈座」ドキュメンタリーを中心とした「橋の下映画祭」が開催されており、多様な芸術祭の側面も持ち合わせている。

橋の下世界音楽祭という場の導くもの

橋の下世界音楽祭は、全体を通じていくつかの理念が体現されている。それは、観念で線を引かず、経験と向き合い、人々の間に共通項を見出し続けていることである。文化人類学者の松村圭一郎は『くらしのアナキズム』の中でアフリカと西洋を比較する際に「コンヴィヴィアリティ」という概念を取り上げ、それを「寛容、包摂、相互依存、協調、饗宴など、親密さの緊張関係の中で、自己と他者への配慮のバランスをとる葛藤をはらんだ状況[58]」と説明している。この論理は橋の下世界音楽祭にも共有されており、私たちがこの社会でどうバランスを取ればいいのかを教えてくれる。また、永山は「メインストリームは競争して上へ上へといき、誰が勝つかというゲームだが、アンダーグラウンドは地平のように広がり、人と人が結びついていくもので、パンクと同じ」だと指摘する。さらに、「所有することより手放す方が自由」であり、まずは「子どもたちが学べる場」を作ることも訴えている。これらのアイディアは橋の下世界音楽祭に通奏低音をなしているものだ。

永山は、パンクスという経験を通じた倫理観によって、路上と日常に祭り＝遊びを取り戻そうとしているが、それは解放願望の発露にとどまらず、様々な異種混淆性をも帰結させ、ときに現れる対立項すらも包摂、相対化する地平、つまり、共同体なき、共同性を生み出し続けている。このように、現代社会による疎外に対して遊興へと向かうパンクのエネルギーに満ちた祭典は、これまでのロック・フェスティバルとは大きく異なっているといえよう。

1　The feb and flow of democratization. *Marking50 Years in the Struggle for Democracy*, 2023, p.16. https://freedomhouse.org/sites/default/files/2023-03/FIW_World_2023_DigtalPDF.pdf

2　ジーン・シャープ『独裁体制から民主主義へ――権力に対抗するための教科書』瀧口範子訳、筑摩書房、２０１２、p.18。

3　貧困から脱するには工業化が必要であるという世論を背景に工業化を政策の最優先課題に掲げ、それに反対する勢力を抑圧する政治のあり方。鶴見良行『東南アジアを知る』岩波書店、１９９５、p.49。

4　ジャワのスラングで「混ざり合ったひどい騒音」。調律の狂ったガムラン・オーケストラの音に対する擬態語。

5　Iverson, S Martin, The politics of cultural production in the DIY hardcore scene in Bandung, Indonesia, The

University of Western Australia, School of Social and Cultural Studies, Discipline of Anthropologyand Sociology, 2011, p.61. https://www.academia.edu/4689757/The_politics_of_cultural_production_in_the_DIY_hardcore_scene_in_Bandung_Indonesia

6 Wallach, Jeremy., Underground Rock Music: And Democratization in Indonesia, *World Literature Today 79(3-4)*, 2005, pp.16-20. DOI:10.2307/40158922. 参照。

7 Wilson, Ian., Indonesian Punk: A Brief Snapshot. *Le Banian, No.15, June 2013*, 2013, P.2.

8 Wallach, Jeremy., *op.cit.*, pp.16-20. 参照。

9 Baulch, Emma., Music for the Pria Dewasa: Changes and Continuities in Class and Pop Music Genres. *Journal of Indonesian Social Sciences and Humanities Vol.3*, 2010, pp.99-130. 参照。

10 Wilson, Ian., *op.cit.*, P3.

11 「ディストリビューター」の訳で、分配、配送、流通、また、分配された物、配布物を指すが、ここではジンのような独立した出版物や、インディーズ音楽レーベル、その他のＤＩＹクラフトのための流通源であるパンク用語を指す。

12 Donaghey, Jim., *Punk and Anarchism: UK, Poland, Indonesia,* Queen's University Belfast, 2016, p.93.

13 海賊版音楽がインドネシアのレコーディング市場で有するシェアは２００７年、95・７％に上る。一方、正規版の音楽が同市場で有するシェアは４・３％に過ぎない。日本貿易振興機構（JETRO）ジャカルタ事務所『インドネシアの模倣品対策に関する調査』２０１６年８月、p.8。

14 M, Iverson., Autonomous Youth? Independence and Precariousness in the Indonesian Underground Music Scene., *The Asia Pacific Jouenal of Anthropology, 13(4)*, 2012., とPrasetyo, Franc., Punk and the city: A history of punk in Bandung. *Punk & Post-Punk, 6(12)*, 2017. 参照。

15 ①権威主義的統治に反発した学生や青年団体、人権活動家、知識人、一般市民などの体制外アクター②パトロネージやポストの配分に不満をもつ体制内アクターとが、互いに協調しながら、長期政権を担っていた（中略）政府に挑戦した運動のこと。増原綾子、鈴木絢女「二つのレフォルマシ —— インドネシアとマレーシアにおける民主化運動と体制の転換・非転換—」２０１４年５月、『日本比較政治学会年報』p.207。

16 Prasetyo, Franc., Punk and the city: A history of punk in Bandung, *Punk & Post-Punk Volume6 Number 2*, 2017, p.206.

17 Prasetyo, Franc., *op.cit.*, p.193.

18 Ibid., p.194.

19　食料の提供、デモ、抗議活動、原子力発電、サルバドル内戦への米国の関与、ホームレスに対する差別などの抗議に始まり、集めた食料を無料で配布する活動。http://foodnotbombs.net/new_site/

20　Donaghey, Jim., Punk Indonesia: A brief introduction. *Punk & Post-Punk Volume 6 Number 2*, 2017, pp.181-182. DOI: 10.1386/punk.6.2.181_2

21　https://www.turkishnews.com/en/content/2011/12/28/solidarity-action-in-istanbulturkey-for-the-64-punks-arrested-in-acehindonesia/

22　Wilson, Ian., *op.cit.*, p.5.

23　ドクメンタはドイツ連邦共和国のヘッセン州カッセルでナチスの前衛芸術に対する排除への反省から始まった。１９５５年以来、5年に一度行われる現代美術の大型グループ展である。

24　ハキム・ベイ『T.A.Z. 第2版――一時的自律ゾーン、存在論的アナーキー、詩的テロリズム』箕輪裕訳、インパクト出版会、２０１４。

25　ジーン・シャープ、前掲、p.25。

26　Maclachlan, Heather, *Burma's Pop Music Industry: Creators, Distributors, Censors (Eastman/Rochester Studies in Ethnomusicology)*, Univ of Rochester Press, 2011, p.6.

27　Yasuda, kristina., and Chanatip, Tatiyakaroonwong, Artisitic Expressions in Myanmar political Wepon of an authoritarian state or voice of the 'Voiceless'?, p.2. https://www.academia.edu/26905078/ARTISTIC_EXPRESSIONS_IN_MYANMAR_Political_Weapon_of_an_Authoritarian_State_or_Voice_of_the_Voiceless

28　軍事政権が、自らの政治的特権を保証した憲法のもとで民主主義的な選挙を実施、選ばれた大統領や国会議員が指名する首相などに、政権を移譲すること。

29　Yasuda, kristina., and Chanatip, Tatiyakaroonwong, *op.cit.*, p.9.

30　Maclachlan, Heather., *op.cit.*, p.7.

31　Targosz, Tobiasz., Never Mind the Generals. Burmese Punk Rock Scene as a Vehicle for Manifesting Changing Notions of Burmese Identity, 2017, P.199 https://doi.org/10.4467/2299558.PE.17.010.7905

32　Gregoire, Paul., Meet the Burmese Punks Feeding Their Country's Homeless. 2015, https://www.vice.com/en/article/zngmx8/the-myanmar-punks-feeding-yangoons-homeless

33　２０２０年に惜しくも病により死去した。

34 久保田徹『Punk Save the Queen』２０１９、参照。

35 Facebookへの２０２４年5月1日の投稿文より。https://www.facebook.com/therebelriot

36 Targosz, Tobiasz., *op,cit.*, p.5.

37 https://www.aljazeera.com/news/2021/2/19/rebel-riot-the-punk-soundtrack-to-myanmars-anti-coup-protests

38 Targosz, Tobiasz., *op.cit.*, p.7.

39 Ｇ・ウッドコック『市民的抵抗――思想と歴史』山崎時彦訳、御茶ノ水書房、１９８２、p.47。

40 ミハイル・バフチン『ドストエフスキイ論――創造方法の諸問題』新谷敬三郎訳、冬樹社、１９６８、p.181。

41 Londoño, Santiago, E., *The Music Festival Explored: How Historical, Cultural and Legal Nuances Shaped the Modern Day Music Festival Circuit*, https://www.academia.edu/13283374/The_Music_Festival_Explored_How_Historical_Cultural_and_Legal_Nuances_Shaped_the_Modern_Day_Music_Festival_Circuit

42 McKay, George (ed.), *The Pop Festival: History, Music, Media, Culture*, Bloomsbury Academic, 2005, p.54.

43 Ibid., p.4.

44 Ibid., p.8.

45 Ibid., p.170.

46 Ibid., p.6.

47 タートルアイランドは１９９９年に愛知県豊田大橋ノ下にて結成されたワールドビートといった、西洋のポピュラーミュージックに民俗音楽を重ね合わせ、集団編成で多様な楽器を用いた「反骨極東八百万サウンド」を探求している。メンバーは、永山愛樹（唄、ギター、テピョンソ）、竹舞（太鼓、チャンゴ、唄）、竜巻太郎（ドラム、テピョンソ）、奥崎了史郎（太鼓、締め太鼓、チャッパ）、都築弘（太鼓、タブラ）、野中幹敏（サックス、テピョンソ）、後藤和紀（アップライトバス）、CazU-23（ギター）、世界ジョージ（ドゥンドゥン、当り鉦、タマ）、臼井康浩（ギター）、粟田隆央（電力）で構成されている。https://www.turtleisland.jp/

48 永山愛樹、松村圭一郎、著者による倉敷での座談会より。２０２１年8月12日。

49 ワールドビートは、ポップミュージックやロックとワールドミュージックや伝統音楽を融合させた音楽ジャンル。

50 著者による永山愛樹へのインタビューより。２０２２年8月3日、愛知県豊田市「橋の下舎」。

51 著者による竹舞へのインタビューより。２０２２年8月3日、愛知県豊田市「橋の下舎」。

52 著者による永山愛樹へのメールインタビューより。２０２３年5月18日。

53　橋の下世界音楽祭２０１７の祭開催声明より。https://soulbeatasia.com/2017/about
54　永山愛樹、松村圭一郎、著者による倉敷での座談会より。２０２１年8月12日。
55　Interviewed by Akiharu Ichikawa, Sep 11, 2019. https://hypebeast.com/jp/2019/9/blackmeans-yujiro-komatsu-digital-cover
56　http://www.blackmeans.com/collection/hiroshima_denim.html
57　平和活動とハードコア・パンク活動を並行させるバンド、「Origin of M」のガイの協力を得て生産された。
58　松村圭一郎『くらしのアナキズム』ミシマ社、２０２１、p.199。

おわりに

最後にパンクがどのような意味を社会へともたらしているのか、本書のこれまでの全体の流れを簡単に振り返りつつ、まとめておきたい。

パンクの系譜の思想的基盤ともいえるコミュニズムとアナキズム、そしてアートスクールについて紹介した第1部では、ポピュラー音楽と教育の関係についても注目したサイモン・フリスやデイブ・レインによって、これまで労働者階級から派生したというパンクの定説に加え、アートスクールと美大生の台頭にも注目した。彼らの調査からも明らかなように、パンクシーンは戦後の中産階級の増加と失策によって起きた熾烈な受験競争や管理と服従を強いる教育システムとは異なる創造的な空間の中でも形成されていた。

コミュニズムでは、デヴィッド・グレーバーも繰り返し指摘している、今日でも検討されるべき課題としての「疎外」と、企業が行う「計画的陳腐化」を説明し、日々の生活の中にある違和感について取り上げ、なぜパンクスが資本主義を忌避するのか、その弊害と共に論じた。

マルクス主義のイデオロギー的な観点に従えば、生産様式によって私たちは規定された枠の中で方向付けられながら生活している。そのため、本来、当たり前とされる、各人の自由な思考と活動、そして、理性すらもその実存が揺らぎだす。シチュアシオニストたちは、マルクスの唯物論にも軸足を置いていたため、物質に制約されている精神の解放のためには、観念ではなく実践が必要であることを証明しようとした。しかし、マルクス主義の抱く革命後の世界では、マルクスを頂点とする階層社会と官僚主義を免れないとして退けたのが、あらゆる権力関係を否定するアナキストたちであった。もちろん、シチュアシオニストたちも官僚主義を批判していたことは既に述べたとおりである。

革命の主体が労働者であるとする点にも不自然さを見出したアナキストたちは、社会変革の主体を自ずと革命に駆られる存在としてルンペンプロレタリアートに求めた。この自然観にならうアナキストのアイディアは、予示的政治としての民衆銀行や、自主管理、相互扶助といった相互主義の理念を生み、パンクへも流れ込んだ。

西アフリカから連れて来られた奴隷たちの歴史からはじめた第2部の音楽の系譜では、西洋の覇権主義と資本主義の胚胎が奴隷制にあったことを論じつつ、スピリチュアル、ワークソング、ゴスペル、そしてブルースまでの道のりを辿り、これまでのパンク研究では触れられてこなかった、ポピュラーミュージックの原点にまで立ち戻った。民主主義を掲げた戦争によって皮肉にも奴隷が抵抗への意志を強めたことが解放運動の契機となり、人々を繋げ、呼びかけと応答によっても苛酷な環境を変化させ、大衆の音楽の基盤を作り、ひいては抵抗というパンクの基礎を築いたのである。この叫びは、アメリカのアナルコ・サンディカリスムにおいて共鳴し、民族を超える共生のための混交文化の一つとして取り入れられ、フォークの血ともなった。

フォークはコミュニスト、民俗学者たちの手によっても流用され、教育にも取り入れられ、連帯と民主化を深める一翼を担った。パンクには音楽的な側面からのイデオロギーがここでも流れ込んだといえよう。

フォークはイギリスのスキフッルにも受容され、多くのアマチュアバンドを生み、イギリスではじめての音楽活動によるＤＩＹシーンを形成した。そこには社会活動家が関わっていた事で、反人種主義、反階級主義運動とも連携し、人種差別に反対するロック《ロック・アゲインスト・レイシズム》（ＲＡＲ）の雛形が現れた。スキッフラーは、ブルース色を強めたロックを奏で、アメリカに侵略してガレージシーンと共にプロトパンクの原型となったのである。

この背景には、都市と郊外における人種による住み分けという戦前から続く人種差別政策による異人種間の交流の途絶もあった。しかし、郊外に住む白人による環境への抵抗として、実験的なアプローチも生まれ、パンクの中に音楽的な前衛の側面も築かれた。

プロトパンクをアメリカで体感したマルコム・マクラーレンは、自身の抱く理想の実現に急進的な思想と実践を展開した現代アートを混在させ、イギリスでセックス・ピストルズの結成に参与した。

パンクは音源にとどまらない、ＤＩＹによるライブ、フェス、ファッション、（ファン）ジン、デザイン、アートによって現状に対する怒りを発信した。このメディアによる抵抗は、カルチュラル・スタディーズによって分析された。ここで若者のスタイルに内包される抵抗の発露の意味と共に、現在に続く周縁のパンクシーンの再文脈化の道筋を示した。

パンクにおける現代アートの系譜としてダダからはじまった第３部では、政治的手段としての抵抗の表現、つまり、視覚的、またはアイディアの「新しさ」によるアートシーンの進展に重点を置かず、これまでのアートを脱神秘化しながら社会の人間への影響を鑑み、社会に対して芸術がどういった影響を与えることができるのかという方向へとシフトさせたもののルーツを追った。

ホロコーストという近代理性の崩壊を背景に、レトリスムによって解体されたロゴス。彼らの日常への介入はＳＩへと受け継がれ、イメージに変ずるまでに蓄積され、氾濫する商品によって受動的な生を強いる「スペクタクル」に抗うため、芸術と日常の統合が模索された。この過程で生まれた、状況の構築と言説は、パンクスのあらゆるメディアに流用された。

一方で、ＳＩから派生したマクラーレンが所属していたイギリスのキング・モブやアメリカでゲリラ活動を展開していたブラック・マスクは、ＳＩのドグマチックな面を退け、パンクの美学であるルンペンプロレタリアートの実践的、思想的な面を補完した。

バクーニンとマルクスの論争を再燃させただけでなく、その論理は、法的、制度的、道徳的に正しいとみなされている社会のルールをずらし、今日、我々が享受する自由の幅も広げてきたのである。パンクの初動へと回帰し、抑圧への抵抗と解放、社会への批評的な視点、それを周縁から紡いだ第4部のセックス・ピストルズ以降では、階級、アナーコパンク、ジェンダー、クィア、人種のシーンを紐解いた。

イデオロギーへと懐疑の眼差しを向けるOi!と共に、労働者階級の再生産過程、極右思想とパンク、それへの抵抗の歴史を考察しつつ、Oi!が極右であるという偏向へと至った経緯にも触れながら、両者が異なるものであることを明らかにした。

極右に対するＲＡＲやＡＮＬの活動は、複合的な集団が連結し、差異の政治を生成することを可能にした。また、Oi!を創始した労働者階級から立ち上がるラディカルな視点は、パンクを通じて、社会に偏在するイデオロギーや諸制度、構造的諸矛盾を明るみに出すことを示した。

アナキズムを生活に至るまで実践し、自らをヒッピーにも位置付けたクラスは、完全なＤＩＹを求めながら国家との闘争を繰り広げ、現在にまで続くアナーコ・パンクへの道を切り開いた。クラスはパンクを社会変革の手段としただけでなく、知識や技能の独占を拒絶し、共有を推進し、パンクの論理を拡張した。クラスの関与したストップ・ザ・シティは、デモ戦略において水平かつカオスをもたらすという新しい実践により、今日に至る抗議運動へと連なっている。

暴力が常態化し、酩酊するハードコア・パンクへと楔を打ち込んだストレート・エッジは、アメリカの若者たちの共感を呼び、新しいスタイルを生み出し、スケートボードシーンへも影響を与えた。一方で、提唱者であるイアン・マッケイはフガジとポジティヴ・フォースを往来し、アメリカでパンクを社会運動体へと昇華させ、ライオット・ガールを生み出す契機ともなった。

パンクシーンに蔓延していたマチスモに抵抗し、シーンの転回を迫ったのがレボリューション・ガール・スタイル・ナウを掲げたライオット・ガールであった。まずフェミニズムの理念を明らかにし、差別がその根底にあることを挙げ、彼女たちが、音源、ライブ、ワークショップ、ジンといったメディアによって女性のためのシーンを作り、パンクを通したエンパワメントを疎外された女性たちへともたらしたことを実例と共に紹介した。しかし、彼女たちの指す女の子という言葉に収斂され、不可視化されたのが、非白人種のパンクスであった。アフロパンクス、ラティーノパンクスはこの環境への意義申し立てと共に、これまでのパンクの文脈を修正し、ハードコアも含め、パンクが移民と奴隷という周縁によって生まれたことを再認識させ、人種という枠組みで語られてきたシーンの解体と統合を試みた。

ストーンウォール事件を起点としたクィアコアは、クィアへの擁護だけでなく、クィアに蔓延する同化主義やゲイのマチスモに対しても声を上げた。過激でラディカルなパフォーマンスとSＩから流用した状況の構築によって、男女二元論が身体化されたシーンと社会に反旗を翻し、多様な性の差異を承認させる一端となった。

　パンクの批評性は、貼られたレッテルを自らが高らかに宣言し、誇張することでも導かれてきたのである。それは中心と周縁を転倒させ、主体化させるだけでなく、階級、ジェンダー、クィア、人種という差別構造の交差を調整、接合するためにも内部批判と是正を不断に繰り返してきているのだ。この活動は国家制度が常に特権性を享受している共同体を前提としていることをも露呈させている。このように公正を求め、権威への反撃の契機としてのパンクは、第5部のアジアのパンクシーンでのインドネシアやミャンマーといった独裁政権下でも受容された。しかしパンクは国家と対峙するものばかりではなく、最後に紹介した国内のシーン、橋の下世界音楽祭はユーモアとトリックによって権力を出し抜き、時に懐柔することでそれを迂回してきた。

　インドネシアン・パンクスは、ゲリラ戦の中で既存のルートを海賊的な手法によって開拓し直し、そのネットワークによって政権崩壊の一翼を担ってきた。

　いまだ続く独裁政権下のミャンマーでも、アンダーグラウンドシーンにおいてレベル・ライオットといったパンクスが相互扶助と共に国家への攻勢を強めている。

　子供銀行、農園、市場、さらには身体障碍者による演劇や動物の解体といったワークショップを並行して実践する橋の下世界音楽祭は、国家の制度によらないオルタナティブな空間を自治によって作り出している。永山愛樹は、ものを持たないから貧困なのではなく、ものを持つからこそ貧困になることを説き、生産至上主義的な生き方は普遍的ではないことを示している。社会的にも排除され、主流派からこぼれ落ちた人々を橋の下の河原者になぞらえ、そこに積極的な意義を見出し、下からのトランスナショナルな活動によって、組織化を目的としない自然な連帯を日常に紡ぎ出している。パンクは現状の抑圧、疎外への抵抗の中で活き活きとしているのである。支配と抑圧という概念が存続する限り、「パンクス・ノット・デッド」は常に例証され続けるだろう。

本書で紹介してきたパンクスは、社会的規範やそれを支える政治的・経済的実践とは別の代替案を自身で模索し、作り上げてきた。その核にはジン『Punk Planet』の創刊者、ダニエル・シンカーがいうように、パンクとは常に問い、それについて行動を起こすことがあるのだ。パンクスはギターを手に取り「なぜ私にはこれが弾けないのか」と考え、キーボードを前に「なぜ自分の意見が通らないのか」を思い、自分の周りの世界をみて「なぜ物事は、これほどまでにめちゃくちゃなのか」と問う。そして、「なぜ自分たちは、このことについて何もしないのか」と振り返るのである。その方法は創意工夫と狡猾な知恵に溢れ、整い過ぎた社会に混沌とした空間を取り戻し、社会の隙間を広げ、制度やルールの抜け穴をこじ開け、我々が窒息するのを防いでくれている。そのためにも社会から歯車や道具になることの要請を拒否して、ひとりひとりがかけがえのない存在であることを叫んでいるのである。パンクとは今を生きるためだけのものではなく、「未来は僕らの手の中」にあるという希望をも示唆しているのだ。

本書には多くの引用が示しているように、先行研究がある。グリール・マーカスの『リップスティック・トレーシーズ』はアートの系譜からもパンクを描いたもので、本書の構成と重なる部分も多い。国内では上野俊哉の『シチュアシオン―ポップの政治学』、小倉利丸の『アシッド・キャピタリズム』、毛利嘉孝の『ポピュラー音楽と資本主義』があり、若かりし頃から何度も読み返し、思想とパンクの関係についての理解を深めさせてもらった。また、音楽面に関しても行川和彦の『パンク・ロック／ハードコア史』や『DOLL』誌（２００９年休刊）、山路健二の『EL ZINE』誌は今でも私も含めて多くのパンクスのバイブルであり、パンクへの最適な入口としての役割を果たしている。本書はこのような人々の影響なくしてはあり得ないものであり、その延長線上にある。

執筆のきっかけとなったPunk! The Revolution of Everyday Life展を全面的にサポートしてくれたのは、倉敷市にあるモトヤユナイテッド株式会社代表取締役の小野ビシャスこと、小野新太郎さんだ。新ちゃんのサポートがなければ展覧会は実現しなかった。また本書執筆のきっかけとなったのは、友人で文化人類学者の松村圭一郎さんと現代政治理論家の山本圭さんの影響が大きい。三人で居酒屋で呑んでいるとき、パンクについての本を書くことを強く勧めてくれ、まともにこれまで文章を書いたことがないにもかかわらず、真に受けた私は展覧会でかき集めた資料をもとに、出版のあてもなく書き出した。そして、ちょうど第１部を書き終えた頃、運良く福岡県の巡回展（art space tetra）で、本書の編集者である藤枝大さんと出会い、出版のお話をいただけた。

そんな私を支えてくれたのが、１章ごとに読んで、感想と意見をくれたtokimeki antiquesという骨董商を営まれている岩橋直哉さんだった。また、展覧会の資料収集でもお世話になった世界的なSI関連のコレクターであるルイスレザー社のデレック・ハリスさんには、事実確認で改めてお世話になった。パンク研究に関して世界的に著名なレディング大学のマシュー・ウォーリー先生には多くの論文を送っていただいた。日本で教員になるきっかけを作ってくれたのが、大庭大介さんだった。教員になって日が浅い私に論文含めて色々な面でご指導くださったのが許南浩先生だった。ネットがない高校時代、何ページにも渡ってバンド名とディスク・ガイドを書いてくれ、イギリスに行くきっかけを作ってくれた牧丘古屋ハードコア農園の古屋裕司さん、クィア、ジェンダー理論についていつも丁寧に教えてくれる菅野優香さん、浜崎史菜さん、その両章を読んで意見をくれた大崎多恵さん、インドネシアのマージナルへのインタビューを繋いでくださった、中西あゆみ監督、橋の下世界音楽祭について色々と教えてくれ、主催者の永山さんを紹介してくれた三戸龍家さん、国内やアジアのパンクシーンについて教えてくださるBRONZE FIST RECORDSの高崎英樹さん、倉敷での活動を支えてくださっている株式会社クラビズの秋葉優一さん、パンク展の巡回にお声がけを下さったみなさん、それを手伝ってくれ、本書を読んで感想をくれたゼミ生のみんな、そして、家族、友人たち。最後に編集にあたり大変な労力をかけた編集者の藤枝大さんに感謝したい。みなさん、ありがとうございました。

２０２４年２月

川上幸之介

※本書、第5部の「インドネシアのパンクシーン」の章は、『GA Journal』第5号寄稿の文章に加筆修正して収録した。

参考文献

ドーン・エイズ『フォトモンタージュ 操作と創造——ダダ、構成主義、シュルレアリスムの図像』岩本憲児訳、フィルムアート社、２０００。

アメリカ学会編『アメリカ文化事典』丸善出版、２０１８。

Andersen, Mark. and Mark Jenkins, Dance of Days: Two Decades of Punk in the Nation's Capital, Akashic Books, 2009.

Azerrad, Michael, Our Band Could Be Your Life, Little Brown and Company, 2002.

ベネディクト・アンダーソン『定本 想像の共同体——ナショナリズムの起源と流行』白石隆・白石さや訳、書籍工房早山、２００７。

ロラン・バルト『ロラン・バルト モード論集』山田登世子訳、筑摩書房、２０１１。

Baulch, Emma., Music for the Pria Dewasa: Changes and Continuities in Class and Pop Music Genres. Journal of Indonesian Social Sciences and Humanities Vol.3, 2010.

ジョージ・バーガー『CRASS』萩原麻理訳、河出書房新社、２０１２。

ミハイル・バフチン『ドストエフスキイ論——創造方法の諸問題』新谷敬三郎訳、冬樹社、１９６８。

Bakunin, Michail, On the International Workingmen's Association and Karl Marx. 1872.

ミハイル・バクーニン『バクーニン著作集Ⅰ』外川継男・佐近毅訳、白水社、１９７３。

ルース・ベネディクト『レイシズム』阿部大樹訳、講談社、２００２。

ヴァルター・ベンヤミン「複製技術時代の芸術」『ベンヤミン・コレクション〈1〉近代の意味』浅井健二郎・久保哲司訳、ちくま学芸文庫、１９９５。

Blecha, Peter., Sonic Boom: The History of Northwest Rock, from 'Louie Louie' to 'Smells Like Teen Spirit', Backbeat Books, 2009.

Bovey, Seth., Five Years Ahead of My Time: Garage Rock from the 1950s to the Present, Reaktion Books, 2009.

Bragg, Billy., Roots, Radicals and Rockers: How Skiffle Changed the World, Faber & Faber, 2017.

Brocken, Michael., The British Folk Revival:1944-2002, Routledge, 2021.

ハキム・ベイ『T.A.Z. 第2版——一時的自律ゾーン、存在論的アナーキー、詩的テロリズム』箕輪裕訳、インパクト出版会、２０１４。

Bimson, Joan., Hard Wired for Heroes: A Study of Punk Fanzines, Fandom, and the Historical Antecedents of The Punk Movement, http://simbiosismusikalisme.blogspot.com/2012/06/more-than-just-media-essay-on-usage-of.html
スティーヴン・ブラッシュ『アメリカン・ハードコア』横島智子訳、メディア総合研究所、２００８。
マレイ・ブクチン『現代アメリカアナキズム革命』鰐淵壮吾訳、ＲＯＴＡ社、１９７２。
Borgeson, Kevin., and Robin Maria Valeri, Skinhead History, Identity, and Culture, Routledge, 2019.
イアン・ボーデン『スケートボーディング、空間、都市――身体と建築』齋藤雅子・矢部恒彦・中川美穂訳、新曜社、２００６。
Buchanan, J, Rebekah., Writing a Riot: Riot Grrrl Zines and Feminist Rhetorics, Peter Lang Inc, International Academic Publishers, 2018.
Burgess, David., Workers and Racial Hate, [May, 19, 1910] Published in Industrial Worker [Spokane],vol.2, no.11(June 4,1910), https://www.marxists.org/history/usa/unions/iww/1910/0519-burgess-workersandracialhate.pdf
Cabut, Richard ed., Punk Is Dead: Modernity Killed Every Night, John Hunt Publishing Ltd, 2016.
デヴィッド・キャナダイン『イギリスの階級社会』平田雅博・吉田正広訳、日本経済評論社、２００８。
Cohen, K, A., Delinquent boys; The culture of the gang, Free Press, 1955.
Cohen, Stanley., Folk Devils and Moral Panics, Routledge,1972.
Cohen, Ronald, D., Depression Folk: Grassroots Music and Left-Wing Politics in 1930s America, University of North Carolina Press, 2016.
Cohen, Phill. and Stewart Hall eds., Subcultural Confict and Working-class Community. Culture, Media, Language.Working Papers in Cultural Studies 1972–79, Routledge, 1980.
Cross, Richard., " There Is No Authority But Yourself " : The Individual and the Collective in British Anarcho-Punk, 2010. DOI: https://doi.org/10.3998/mp.9460447.0004.203
Cross, Richard., The hippies now wear black' Crass and the anarcho-punk movement, 1977-1984
https://thehippiesnowwearblack.files.wordpress.com/2014/05/the_hippies_now_wear_black_11_may_2014.pdf
アーサー・C・ダントー『芸術の終焉のあと：現代芸術と歴史の境界』山田忠彰・河合大介・原友昭・粂和沙訳、三元社、２０１７。
ギー・ドゥボール『スペクタクルの社会』木下誠訳、筑摩書房、２００３。
Dines.,Mike, Worley, Matthew eds., The Aesthetic of Our Anger: Anarcho-Punk, Politics and Music, Minor Compositions, 2016.

Donaghey, Jim., Punk and Anarchism: UK, Poland, Indonesia, Queen's University Belfast, 2016.
W・E・B・デュボイス『黒人のたましい　エッセイとスケッチ』黄寅秀・木島始・鮫島重俊訳、未来社、１９６５。
Duncombe, Stephen, Maxwell Tremblay et al., White Riot: Punk Rock and the Politics of Race, Verso Books, 2011.
Dunn, Kevin, C., Global Punk: Resistance and Rebellion in Everyday Life, Bloomsbury USA Academic, 2016.
Ensminger, David., Left of the Dial: Conversations with Punk Icons, PM Press, 2013.
Ensminger, David., Visual Vitriol: The Street Art and Subcultures of the Punk and Hardcore Generation, University Press of Mississippi, 2011.
Franks, Benjamin., Rebel Alliances: The Means and Ends of Contemporary British Anarchisms, AK Press, 2006.
Frith, Simon and Howard Horne., Art Into Pop, Routledge,1987.
サイモン・フリス『サウンドの力――若者・余暇・ロックの政治学』細川周平・竹田賢一訳、晶文社、１９９１。
Frederickson, Mary., Looking South: Race, Gender, and the Transformation of Labor from Reconstruction to Globalization, University Press of Florid, 2011.
『現代思想』２０２２年５月号　特集＝インターセクショナリティ、青土社。
ポール・ギルロイ『ユニオンジャックに黒はない―人種と国民をめぐる文化政治』田中東子・山本敦久・井上弘貴訳、月曜社、２０１７。
Ginoli, Jon., Deflowered: My Life in Pansy Division, Cleis Press, 2009.
トニー・ゴドフリー『コンセプチュアル・アート』木幡和枝訳、岩波書店、２００１。
Gorman, Paul., The Life & Times of Malcolm McLaren: The Biography, Constable, 2020.
Gordon, Kim, Branden W. Joseph ed., Is It My Body?, Sternberg Press, 2014.
デヴィッド・グレーバー『アナーキスト人類学のための断章』高祖岩三郎訳、以文社、２００６。
Graeber, David., Direct Action: An Ethnography, AK Press, 2009.
デヴィッド・グレーバー『資本主義後の世界のために（新しいアナーキズムの視座）』高祖岩三郎訳、以文社、２００９。
アントニオ・グラムシ（Antonio Gramsci）『グラムシ選集 全６巻』山崎功訳、合同出版、１９６５。
Gregoire, Paul., Meet the Burmese Punks Feeding Their Country's Homeless. 2015, https://www.vice.com/en/article/zngmx8/the-myanmar-punks-feeding-yangoons-homeless
Haener, Ross., Straight Edge: Clean-Living Youth, Hardcore Punk, And Social Change, Rutgers University Press, 2006.

Hall, Stuart ed., Resistance Through Rituals Youth Subcultures in Post-War Britain, Routledge, 1975.

デヴィッド・ハーヴェイ『反乱する都市――資本のアーバナイゼーションと都市の再創造』森田成也・大屋定晴・中村好孝・新井大輔訳、作品社、２０１３。

デヴィッド・ハーヴェイ『新自由主義――その歴史的展開と現在』渡辺治・森田成也・木下ちがや・大屋定晴・中村好孝訳、作品社、２００７。

長谷川貴彦『イギリス現代史』岩波新書、２０１７。

Hebdige, Dick., Subculture: The meaning of style, Routledge, 2002 [1979].

ディック・ヘブディジ『サブカルチャー：スタイルの意味するもの』山口淑子訳、未来社、１９８６。

Hebdige, Dick., Hiding in the Light, Routledge, 1988.

Hemmens, Alastair, Gabriel Zacaria ed, The Situationist International A Critical Handbook, Pluto Press, 2020.

Hibbert, Christopher., King Mob: The Story of Lord George Gordon and the Riots of 1780, Hippocrene Books, 1990[1958].

エリック・ホブズボーム『匪賊の社会史』船山榮一訳、筑摩書房、２０１１。

Home, Stewart., The assault on culture utopian currents from Lettrisme to Class War, AK Press, 1991.

ベル・フックス『フェミニズムはみんなのもの　情熱の政治学』堀田碧訳、エトセトラブックス、２０２０。

I・L・ホロヴィッツ『アナキスト群像』今村五月・江川允道・大沢正道訳、社会評論社、１９７１。

リヒャルト・ヒュルゼンベック『ダダ大全』鈴木芳子訳、未知谷、２００２。

Hussey, Andrew., Requiem pour un con: Subversive Pop and the Society of the Spectacle, Cercles 3, 2001.

Hussey, Andrew., Speaking East: The Strange and Enchanted Life of Isidore Isou, Reaktion Books, 2021.

Iverson, S Martin., The politics of cultural production in the DIY hardcore scene in Bandung, Indonesia, The University of Western Australia, School of Social and Cultural Studies, Discipline of Anthropologyand Sociology, 2011, https://www.academia.edu/4689757/The_politics_of_cultural_production_in_the_DIY_hardcore_scene_in_Bandung_Indonesia

Iverson, S Martin., Autonomous Youth? Independence and Precariousness in the Indonesian Underground Music Scene., The Asia Pacific Jouenal of Anthropology, 13(4), 2012

シチュアシオニスト・インターナショナル『アンテルナシオナル・シチュアシオニスト１　状況の構築へ』石田靖夫・黒川修司・田崎英明・原山潤一・安川慶治訳、小倉利丸・杉村昌照・木下誠監訳、インパクト出版会、１９９４。

シチュアシオニスト・インターナショナル『アンテルナシオナル・シチュアシオニスト５　スペクタクルの政治　第三世界の階

級闘争』石田靖夫・黒川修司・原山潤一・安川慶治・永盛克也訳、栗原幸夫・鵜飼哲解説、木下誠監訳、インパクト出版会、１９９８。

Jappe, Anselm., Guy Debord, Translated by Donald Nicholson-Smith, PM Press, 1992.

Johnson, Garry. Garry Bushell, The Story of Oi: A View from the Dead-end of the Street, Babylon Books, 1981.

Jones, G.B. and Bruce LaBruce., Don't Be Gay, Or, How I Learned to Stop Worrying and Fuck Punk up the Ass. Maximumrocknroll, 1985.

リロイ・ジョーンズ『ブルース・ピープル――白いアメリカ、黒い音楽』飯野友幸訳、平凡社、２０１１。

Jones, Simon., Black Culture, White Youth: The Reggae Tradition from JA to UK, Independently published, 2007.

Joynson, Vernon., Fuzz, Acid and Flowers: Comprehensive Guide to American Garage, Psychedelic and Hippie Rock, Borderline Productions, 1995.

香川檀『ダダの性と身体――エルンスト・グロス・ヘーヒ』ブリュッケ、１９９８。

ＫＡＷＡＤＥ夢ムック『セックス・ピストルズ』河出書房新社、２００４。

北村崇郎『ニグロ・スピリチュアル　黒人音楽のみなもと』みすず書房、２００１。

風間孝、河口和也『同性愛と異性愛』岩波書店、２０１０。

Kropotkin, Pert., The Conquest of Bread, The Anarchist Library, 1907.

チャールズ・カイル『アーバン・ブルース』高橋明史・浜邦彦訳、北川純子監訳、ブルース・インターアクションズ、２０００。

エルネスト・ラクラウ、シャンタル・ムフ『民主主義の革命――ヘゲモニーとポスト・マルクス主義』西永亮・千葉眞訳、筑摩書房、２０１２。

Laing, Dave., The Sound of Our Time, Quadrangle Books, 1970.

Laing, Dave., One Chord Wonders: Power and Meaning in Punk Rock, PM Press, 1985.

Leonard, Marion., Gender in the Music Industry: Rock, Discourse and Girl Powerp, Routledge, 2017.

Leyser, Yony., Queercore: How to Punk a Revolution: An Oral History, PM Press, 2021.

Llewellyn, Nigel ed., The London Art Schools: Reforming the Art World,1960 to Now, Tate Publishing, 2015.

Londoño, Santiago, E., The Music Festival Explored: How Historical, Cultural and Legal Nuances Shaped the Modern Day Music Festival. https://www.academia.edu/13283374/The_Music_Festival_Explored_How_Historical_Cultural_and_Legal_Nuances_Shaped_the_Modern_Day_Music_Festival_Circuit

Maclachlan, Heather., Burma's Pop Music Industry: Creators, Distributors, Censors (Eastman/Rochester Studies in Ethnomusicology), University of Rochester Press, 2011.
Maguirep, Vicki., Shamanarchy: The Life and Work of Jamie Macgregoor Reid, https://researchonline.ljmu.ac.uk/id/eprint/6000/1/531362_vol1.pdf
Marcus, Greil., Lipstick Traces: A Secret History of the Twentieth Century, Martin Secker & Warburg Ltd, 1989.
Marcus, Sara., Girls to the Front: The True Story of the Riot Grrrl Revolution, Harper Perennial, 2010.
増原綾子、鈴木絢女「二つのレフォルマシ――インドネシアとマレーシアにおける民主化運動と体制の転換・非転換」『日本比較政治学会年報』、２０１４年５月。
松村圭一郎『くらしのアナキズム』ミシマ社、２０２１。
Mattson, Kevin., We're Not Here to Entertain: Punk Rock, Ronald Reagan, and the Real Culture War of 1980s America, Oxford University Press,2020.
カール・マルクス『マルクス・コレクション１』中山元・三島憲一訳、筑摩書房、２００５。
カール・マルクス『マルクス・コレクション５』今村仁司・三島憲一・鈴木直訳、筑摩書房、２００５。
Mckay, Geroge., They' ve got a bomb' : sounding anti-nuclearism in the anarcho-punk movement in Britain, 1978–84, Rock Music Studies, 2019.
McKay, George ed., The Pop Festival: History, Music, Media, Culture, Bloomsbury Academic, 2005.
水町勇一郎『労働法入門』岩波書店、２０１９。
中野耕太郎『戦争のるつぼ：第一次世界大戦とアメリカニズム』人文書院、２０１３。
Nguyen, Thi Mimi., Riot Grrrl, Race, and Revival. Women & Performance: a journal of feminist theory, 2012, p.180. http://dx.doi.org/%2010.1080/%200740770X.2012.721082
大沢正道『アナキズム思想史自由と反抗の歩み』現代思潮社、１９７４。
Pallan, Michelle Habell., Loca Motion: The Travels of Chicana and Latina Popular Culture, NYU Press, 2006.
ピエール・ジョセフ・プルードン『プルードンⅢ』江口幹・長谷川進訳、三一書房、１９７１。
Peterson, Richard, A., Creating Country Music: Fabricating Authenticity, The University of Chicago Press, 1997.
Perone, James, E., Mods, Rockers, and the Music of the British Invasion, Praeger Pub Text, 2008.
Perry, Mark., Sniffin' Glue: And Other Rock 'n' Roll Habits, Omnibus Press & Schirmer Trade Books, 2009.

Prasetyo, Franc., Punk and the city: A history of punk in Bandung. Punk & Post-Punk, 6(12), 2017.

Radcliffe, Charles., Don't Start Me Talking: Subculture, Situationism and the Sixties, Bread and Circuses, 2018.

Rapport, Evan., Damaged: Musicality and Race in Early American Punk (American Made Music Series), University Press of Mississippi, 2020.

P・レンショウ『ウォブリーズ――アメリカ・革命的労働運動の源流』雪山慶正訳、社会評論社、１９７３。

Renton, David., Never Again: Rock Against Racism and the Anti-Nazi League 1976-1982, Routledge, 2018.

Rimbaud, Penny., Shibboleth: My Revolting Life, AK Press, 1998.

Rimbaud, Penny., Stop the City!. Punk Lives Magazine No.10, 1983.

Rosemont, Franklin., Joe Hill: The IWW & The Making of a Revolutionary Workingclass Counterculture, (The Charles H Kerr Library), PM press, 2003.

Rosemont, Franklin, Charles Radcliffe., Dancin' in the Streets!: Anarchists, Surrealists, Situationists & Provos in the 1960s as recorded in the pages of The Rebel Worker & Heatwave, Charles H Kerr Publishing Co, 2005.

Rothstein, Richard., Private Agreements, Goverment Enforcement. The Color of Law: A Forgotten History of How Our Government Segregated America, Liveright Pub Corp, 2017.

H.R. ロットマン『セーヌ左岸』天野恒雄訳、みすず書房、１９８５。

Roy, William, G., Reds, Whites, and Blues: Social Movements, Folk Music, and Race in the United States (Princeton Studies in Cultural Sociology), Princeton University Press, 2010.

Rumney, Ralph., The Consul, Conversations with Gérard Berréby, San Francisco, City Lights Books, 2002.

Savage, Jon., England's Dreaming, St. Martin's Grif in,1992[1991].

ジョン・サベージ『イギリス「族」物語』岡崎真理訳、毎日新聞社、１９９９。

里中哲彦、ジェームス・M・バーダマン『はじめてのアメリカ音楽史』筑摩書房、２０１８。

Schilt, Kristin., " Riot Grrrl Is . . . ": The Contestation over Meaning in a Music Scene. Music Scenes: Local, Translocal, and Virtual, Vanderbilt Univercity Press, 2004.

Schilt, Kristen., " A Little Too Ironic" : The Appropriation and Packaging of Riot Grrrl Politics by Mainstream Female Musicians. Popular Music and Society, Vol.26, No.1, 2003.

Schwartz, Roberta, Freund., How Britain Got the Blues: The Transmission and Reception of American Blues Style in the United

Kingdom(Ashgate Popular and Folk Music Series), Routledge, 2007.
Scott, James C., Domination and the Arts of Resistance: Hidden Transcripts, Yale University Press,1990.
ジェームズ・C・スコット『実践 日々のアナキズム —— 世界に抗う土着の秩序の作り方』清水展・日下渉・中溝和弥訳、岩波書店、２０１７。
新ヶ江章友『クィア・アクティビズム：はじめて学ぶ〈クィア・スタディーズ〉のために』花伝社、２０２２。
ジーン・シャープ『独裁体制から民主主義へ —— 権力に対抗するための教科書』瀧口範子訳、筑摩書房、２０１２。
Starr, Larry, Christopher Waterman., American Popular Music: The Rock Years, Oxford University Press, 2006.
Stewart, Francis., Punk Rock is My Religion: Straight Edge Punk and 'Religious' Identity, Routledge, 2017.
Sudhalter, V Adrian., Johannes Baader and the Demise of Wilhelmine Culture: Architecture, Dada, and Social Critique, 1875-1920. 2005. https://www.academia.edu/43781565/Johannes_Baader_and_the_Demise_of_Wilhelmine_Culture_Architecture_Dada_and_Social_Critique_1875_1920
Szatmary, David, P., Rockin' in Time: A Social History of Rock-and-Roll,6th edn, Upper Saddle River, NJ, 2007.
多木浩二『未来派：百年後を羨望した芸術家たち』コトニ社、２０２１。
高橋聡「P.-J. プルードンの互酬経済の原理」『関西大学経済論集第71巻』２０２２。
Targosz, Tobiasz., Never Mind the Generals. Burmese Punk Rock Scene as a Vehicle for Manifesting Changing Notions of Burmese Identity, 2017, P.199 https://doi.org/10.4467/22999558.PE.17.010.7905
Taylor, Paul, C., Race: A Philosophical Introduction, Polity, 2022.
Taylor, Paul., Impresario: Malcolm McLaren and the British New Wave, New Museum of Contemporary Art, MIT Press, New York, London, 1988.
Taylor, Stan., The National Front in English politics, MacMillan, 1982.
津島陽子「マルクスとプルードン」『阪南大学叢書』、青木書店、１９７９。
塚原史「レトリスム研究序説 イジドール・イズーとモーリス・ルメートルの初期の著作を中心に」『人文論集（59）』、早稲田大学法学会、２０２０。
鶴見良行『東南アジアを知る』岩波書店、１９９５。
セリーナ・トッド『ザ・ピープル —— イギリス労働者階級の盛衰』近藤康裕訳、みすず書房、２０１６。
True, Everett., Nirvana: The True Story, London: Omnibus, 2006.

Vague, Tom, King Mob Echo: From Gordon Riots to Situationists and "Sex Pistols", AK Press, 2000.
Vague, Tom., King Mob Echo: English Section of the Situationist International, AK Press, 2000.
Vaneigem, Raoul., The Revolution of Everyday Life, PM Press, [1968] 2012.
Vermorel, Fred and Judy., Sex Pistols: the inside story, Omnibus Press, 1987.
Wallach, Jeremy., Underground Rock Music: And Democratization in Indonesia, World Literature Today 79(3-4), 2005, DOI:10.2307/40158922
Ward, Ed., The History of Rock & Roll: 1920-1963, Flatiron Books, 2016.
White, Emily., Revolution Girl Style Now. Rock She Wrote: Women Write About Rock, Pop and Rap, New York: Dell Publishers,1995.
Wiedlack, Katharina, Maria., Queer-Feminist Punk: An Anti-Social History, Zaglossus, 2015.
Wigley, Mark., Constant's New Babylon: The Hyper-architecture of Desire, 010 Uitgeverij, 1998.
エリック・ウイリアムズ『資本主義と奴隷制』中山毅訳、ちくま学芸文庫、２０２０。
Williams, Eric., The Radicalization of the Berlin Dada, 2016, p.11. https://www.researchgate.net/publication/302589694
ポール・ウィリス『ハマータウンの野郎ども――学校への反抗・労働への順応』熊沢誠・山田潤訳、筑摩書房、１９９６。
Wilson, Ian., Indonesian Punk: A Brief Snapshot. Le Banian, No.15, June 2013.
W Magazine, The Linda Lindas Are Bringing Riot Grrrl Into a New Era, Interviewed by Dan Hyman, May 19, 2022. https://www.wmagazine.com/culture/the-linda-lindas-music-interview
Wise, David, Stuart Wise, Nick Brandt ed, King Mob: A Critcal Hidden History, Bread and Circuses, 2014.
Woodcock, George., Anarchism: A History of Libertarian Ideas And Movements, Meridian Books, 1962.
G・ウッドコック『市民的抵抗　思想と歴史』山崎時彦訳、御茶ノ水書房、１９８２。
Worley, Matthew., Punk, Politics and British (fan)zines, 1976–84: 'While the world was dying, did you wonder why?' . History Workshop Journal, Volume 79, Issue 1, Spring 2015, Oxford University Press.
Worley, Matthew and Nigel Copsey eds. White Youth: the Far Right, Punk and British Youth Culture, 1977-87, 2016. https://centaur.reading.ac.uk/57694/1/White%20Youth%20article.pdf
Worley, Matthew., No Future Punk, Politics and British Youth Culture, 1976– 1984, Cambridge University Press, 2017.
Worley, Matthew., Oi! Oi! Oi!: Class, Locality, and British Punk. Twentieth Century British History, Vol. 24, No.4, 2013.

Worley, Matthew and Kirsty Lohman, Bloody Revolutions, Fascist Dreams, Anarchy and Peace: Crass, Rondos and the Politics of Punk, 1977–84, 2018. https://www.academia.edu/104370112/Bloody_Revolutions_Fascist_Dreams_Anarchy_and_Peace_Crass_Rondos_and_the_Politics_of_Punk_1977_84

Yasuda, kristina., and Chanatip, Tatiyakaroonwong, Artisitic Expressions in Myanmar political Wepon of an authoritarian state or voice of the 'Voiceless'?, https://www.academia.edu/26905078/ARTISTIC_EXPRESSIONS_IN_MYANMAR_Political_Weapon_of_an_Authoritarian_State_or_Voice_of_the_Voiceless

図版出典

1 https://openplaques.org/plaques/2365
2 https://paulgormanis.com/?p=1603
3 https://en.prolewiki.org/wiki/Anarchism
4 https://en.wikipedia.org/wiki/W._E._B._Du_Bois
5 https://www.portlandiww.org/tag/joe-hill/（リノカット：Carlos A. Cortez）
6 https://www.britannica.com/biography/Leadbelly
7 https://peel.fandom.com/wiki/Lonnie_Donegan
8 https://www.gettyimages.co.jp/%E5%86%99%E7%9C%9F/teddy-boy-1950（写真：Joseph McKeown）
9 https://tacomamusichistory.org/2022/08/02/celebrating-the-sonics/
10 https://wmg.jp/ramones/discography/21070/
11 https://www.billboard.com/music/rock/cbgb-10-classic-moments-6414266/
12 https://www.universal-music.co.jp/sex-pistols/biography/
13 https://collections.vam.ac.uk/item/O1153719/jamie-reid-archive-poster-reid-jamie/
14 https://www.wonderlandmagazine.com/2016/06/06/lets-go-sniff-glue/
15 https://collections.vam.ac.uk/item/O213456/niemals-weider-poster-john-heartfield/
16 Venom and Eternity, Isidore Isou,1951.

17 https://www.librairie-actualites.fr/book/AWD-552
18 https://www.crash.fr/43954-2/（写真：エド・ファン・デア・エルスケン）
19 http://www.museodelcamminare.org/progetti/re_iter/rumney/rumney_en.html
20 https://en.wikipedia.org/wiki/M%C3%A9moires
21 https://en.wikipedia.org/wiki/Il_est_interdit_d%27interdire_!
22 https://www.e-flux.com/announcements/394800/punk-the-revolution-of-everyday-life//
23 https://monoskop.org/Situationist_Times
24 https://dumauvaiscote.ouvaton.org/tendays.pdf
25 https://davidappell.blogspot.com/2019/04/new-banksy.html
26 https://libcom.org/article/heatwave-magazine-1966
27 https://www.boo-hooray.com/pages/books/6936/franklin-eds-penelope-rosemont/the-rebel-worker-no-4
28 https://www.jp-antiquarian-books.com/provo-magazine-1965-1967-near-complete-set.html
29 http://nva.org.uk/artwork/witte-fietsenplan-white-bike-plan/
30 https://paulgormanis.com/?p=14367
31 https://rylandscollections.com/2022/08/28/inside-the-cunliffe-collection-the-revolutionary-aesthetics-of-black-mask-magazine/
32 https://libcom.org/article/late-1960s-and-king-mob
33 https://libcom.org/article/late-1960s-and-king-mob
34 https://libcom.org/article/king-mob-echo-1
35 https://maydayrooms.omeka.net/items/show/3224
36 https://situationnisteblog.wordpress.com/2020/07/16/luddites-69-1969/
37 https://www.bloodandhonourworldwide.co.uk/bhww/b-h-history/skinheads-the-journey-from-mod-to-political-soldier/（写真：Dario Mitidieri）
38 https://www.discogs.com/release/2391270-Roots-Of-The-Field-Selassie-I（写真：Derek Ridger）
39 https://www.amazon.com/worldphotographs-Quadrophenia-Trevor-Laird-Wingett/dp/B073V8Y3LC（写真：Franc Roddam/Who Films）

40 https://www.dazeddigital.com/beauty/article/49134/1/reverse-mullet-80s-hair-trend-perfect-isolation-look-derek-ridgers-chelsea-cut（写真：Reprodução internet）
41 https://trojanrecords.com/
42 https://www.bishopsgate.org.uk/stories/from-the-archives-punk-fanzines-temporary-hoarding-drastic-measures
43 https://www.discogs.com/ja/release/1940642-Various-Strength-Thru-Oi-
44 https://devilslane.com/outdated-foes-on-new-platforms/
45 https://en.wikipedia.org/wiki/Crass
46 https://cnduk.org/the-symbol/
47 https://en.wikipedia.org/wiki/The_Feeding_of_the_5000_%28album%29
48 https://www.discogs.com/ja/master/1637001-Crass-Poison-Girls-Bloody-Revolutions-Persons-Unknown
49 https://crass.bandcamp.com/album/penis-envy
50 https://history-is-made-at-night.blogspot.com/2011/10/stop-city-1984.html
51 https://libcom.org/article/its-your-world-too-you-can-do-what-you-want-role-subcultural-activism-stop-city-protests（写真：Richard Metzger）
52 https://www.burnsiderarebooks.com/pages/books/140944240/brad-lapin-brad-l-jane-hamsher-will-shatter-jeffrey-bale-jello-biafra-f-stop-fitzgerald-associate/damage-an-inventory-complete-run
53 https://www.thrashermagazine.com/articles/magazine/january-1981/
54 https://en.wikipedia.org/wiki/The_Teen_Idles
55 https://dischord.com/release/015/salad-days
56 https://exhibitions.lib.umd.edu/dc-punk/year/1985
57 https://www.historylink.org/file/22505
58 https://www.anothermag.com/fashion-beauty/8279/the-riot-grrrl-style-revolution
59 https://en.wikipedia.org/wiki/Girl_Germs
60 https://zinewiki.com/wiki/Gunk
61 https://www.instagram.com/p/COx784vJgsG/
62 https://www.youtube.com/AFROPUNKTV

63 https://alicebag.bandcamp.com/album/funhouse
64 https://limpwrist.bandcamp.com/album/facades
65 https://reverb.com/news/recording-history-of-early-queercore
66 https://www.out.com/entertainment/music/2012/04/12/history-queer-core-gay-punk-GB-JONES
67 Image courtesy of Frans Ari Prasetyo.
68 Image courtesy of Frans Ari Prasetyo.
69 https://www.theguardian.com/world/2011/dec/14/indonesian-punks-detained-shaved-police（写真：Hotli Simanjuntak / EPA Press）
70 https://soundcloud.com/turningtables
71 https://www.abc.net.au/news/2016-09-09/food-not-bombs-punk-group-feed-yangon-homeless/7827700
72 https://www.brain-police.com/disco/%E9%A0%AD%E8%84%B3%E8%AD%A6%E5%AF%9F-1/
73 https://www.turtleisland.jp/biography/
74 写真・画像提供：三浦知也